Girija

L'INFORMATEUR

Auteur de renommée internationale né en 1955, John Grisham a été avocat pendant dix ans avant de connaître son premier succès littéraire avec *La Firme*, publié en 1991. Aujourd'hui auteur à temps plein, il est un véritable phénomène éditorial aux États-Unis où chacun de ses livres se vend en plusieurs millions d'exemplaires et fait l'objet d'adaptations cinématographiques très remarquées. Marié, père de deux enfants, John Grisham est l'un des auteurs les plus lus dans le monde.

JOHN GRISHAM

L'Informateur

ROMAN TRADUIT DE L'ANGLAIS (ÉTATS-UNIS)
PAR DOMINIQUE DEFERT

JC LATTÈS

Titre original :

THE WHISTLER
Publié par Doubleday, une division de Penguin
Random House LLC, New York.

© Belfry Holdings, Inc., 2016.
Tous droits réservés.
© Éditions Jean-Claude Lattès, 2017, pour la traduction française.
ISBN : 978-2-253-23724-2 – 1re publication LGF

1

La radio diffusait du soft jazz. Un compromis. Lacy, la propriétaire de la Prius et donc de l'auto-radio, détestait le rap presque autant que Hugo, son passager, détestait la country. Ils n'avaient pu s'entendre sur rien, même en éliminant d'entrée le blue-grass. Causeries sur le sport, radio publique, vieux morceaux des années 1950, humoristes, BBC, CNN, opéras, ainsi qu'une centaine d'autres stations – rien ne leur convenait à tous les deux. Ils avaient fini par jeter l'éponge et accepter le jazz d'ascenseur. L'une par lassitude morale, l'autre par lassitude physique. Juste un fond sonore, comme ça Hugo pourrait dormir, et elle ne pas être trop dérangée, parce que le jazz ce n'était vraiment pas son truc. Encore un petit arrangement. Depuis toutes ces années qu'ils faisaient équipe, chacun avait appris à mettre de l'eau dans son vin. Il dormait, elle conduisait, et tout le monde était content.

Avant la crise économique, les membres du Board on Judicial Conduct, le service de l'inspection judiciaire, avaient à leur disposition des Honda, des berlines, avec quatre portes, peinture blanche et peu de kilomètres. Avec les restrictions budgétaires, cette petite flotte avait disparu. Lacy, Hugo, comme d'innombrables agents de la fonction publique en Floride, devaient désormais utiliser leur propre véhicule pour leur travail, dédommagés à vingt-cinq *cents* le kilo-mètre. Hugo, avec quatre enfants et un emprunt pachydermique, avait une Bronco antédiluvienne qui parvenait tout juste à le conduire au bureau. Ils avaient donc pris la Prius de Lacy et Hugo dormait sur le siège côté passager.

Lacy appréciait le silence. Elle gérait la plupart des affaires toute seule, comme ses collègues. Les coupes de budget avaient décimé les effectifs et le BJC n'avait plus que six enquêteurs. Six, pour un État de vingt mil-lions d'habitants, avec mille juges dans six cents tri-bunaux gérant cinq cent mille affaires par an. Lacy se félicitait que les magistrats, dans leur immense majo-rité, soient honnêtes, consciencieux, épris de justice et d'équité, car le petit nombre de pommes pourries l'oc-cupait déjà cinquante heures par semaine.

Elle mit son clignotant et prit la sortie de l'auto-route. Quand elle s'arrêta au stop, Hugo se redressa comme s'il était réveillé depuis longtemps et prêt à l'action.

— Où on est ? demanda-t-il.

— Bientôt arrivés. Encore vingt minutes. Et si tu te tournais pour ronfler côté fenêtre ?

— Pardon. Je ronflais ?

— Tu ronfles toujours, du moins au dire de ta femme.

— Pour ma défense, je faisais les cent pas dans la maison à 3 heures du matin avec le bébé dans les bras. Je crois que c'est une fille. Je ne sais plus comment elle s'appelle.

— Qui ça ? Ta femme ou ton dernier gosse ?

— Très drôle !

8

Verna, sa charmante épouse toujours enceinte, ne cachait pas les petits défauts de son mari. C'était sa façon de contrôler son ego, ce qui n'était pas une mince affaire. Dans une vie précédente, Hugo avait été une star de football au lycée, puis, à l'université, le joueur le mieux coté de sa promo, et le premier étudiant de première année à être titulaire dans l'équipe des Séminoles de Florida State. Il avait été ainsi un running back éblouissant, du moins pendant trois matchs et demi, jusqu'à ce qu'il soit évacué du terrain sur une civière, avec une vertèbre endommagée. Il s'était juré de revenir. Mais sa mère mit son veto. Il avait eu son diplôme avec les félicitations du jury et fait son droit. Ses jours de gloire étaient de l'histoire ancienne, mais il avait gardé cet air fanfaron comme tous les ex-joueurs des championnats universitaires. C'était plus fort que lui.

— Vingt minutes ? Déjà ? grogna-t-il.

— À vue de nez. Si tu veux, je peux te laisser dans la voiture, avec le moteur, pour que tu puisses dormir toute la journée.

Il roula sur le côté, et ferma les yeux.

— Ce que je veux, c'est une autre partenaire.

— Bonne idée. Le souci, c'est que personne d'autre ne voudra de toi.

— Quelqu'un avec une voiture plus confortable que cette boîte de conserve…

— Mais qui ne consomme que cinq litres au cent.

Il grogna de nouveau puis se rencogna dans son siège. Il se tourna d'un côté, puis de l'autre, cherchant en vain une position. De guerre lasse, il se redressa.

— Avec qui on a rendez-vous ?

— Je te l'ai déjà dit. Quand on a quitté Tallahassee, juste avant que tu n'hibernes.

— J'ai proposé de conduire, je te rappelle.

— Oui. Avec un seul œil ouvert. Ça veut tout dire. Comment va Pippin ?

— Elle pleure beaucoup. D'ordinaire, et je parle d'expérience, quand un nouveau-né pleure, c'est pour une bonne raison. Manger, boire, caca, maman, ce que tu veux. Mais pas celle-là. Elle n'arrête pas de chouiner. Vingt-quatre vingt-quatre. Tu ne connais pas ton bonheur.

— Je te rappelle que je m'en suis occupée à deux reprises.

— C'est vrai. Et c'était une bénédiction. Tu pourras venir ce soir ?

— Quand tu veux. C'est la numéro quatre. La pilule, ça vous dit quelque chose ?

— L'idée fait son chemin. Et puisque tu abordes le sujet… toi, ta vie sexuelle ? C'est l'éclate ?

— C'est bon. Je me tais.

À trente-six ans, Lacy était célibataire et jolie. Et sa vie amoureuse devenait un grand sujet de curiosité au bureau.

Ils roulaient vers l'est, direction l'océan Atlantique. St Augustine était à quinze kilomètres.

— Tu es déjà venue ici ? demanda Hugo.

Elle coupa la radio.

— Oui. Il y a quelques années. On a passé une semaine avec mon copain dans un appart que nous avaient prêté des amis.

— Une semaine de sexe ?

— C'est une idée fixe. Tu ne penses qu'à ça ?

— Oui. Et pour info, Pippin n'a qu'un mois, ce qui veut dire qu'avec Verna nous n'avons pas eu de relations normales depuis au moins trois mois. Je maintiens qu'elle m'a jeté du lit trois semaines trop tôt, mais Verna n'est pas de cet avis. De toute façon, je ne peux pas revenir en arrière et me rattraper. Alors ça commence à faire long, du moins de mon côté. Trois gosses et un bébé, ça te fout en l'air une vie de couple.

— Si tu le dis. Je ne le saurai jamais.

Il tenta de s'intéresser à la route pendant quelques kilomètres, mais ses paupières se firent trop lourdes et il s'endormit à nouveau. Elle lui jeta un coup d'œil avec un sourire. En neuf années au BJC, avec Hugo ils avaient géré une dizaine d'affaires ensemble. Ils faisaient une bonne équipe et la confiance était mutuelle. Hugo savait de toute façon que le moindre écart de conduite de sa part (et il n'y en avait eu aucun jusqu'à présent) serait immédiatement rapporté à Verna. Lacy travaillait avec Hugo, mais cancanait et faisait du shopping avec son épouse.

St Augustine était officiellement la plus vieille ville du pays, l'endroit même où Ponce de León avait accosté et commencé son exploration. Forte de son histoire, c'était une bourgade charmante avec de vieux immeubles et des chênes vénérables festonnés de mousse espagnole. En entrant dans les faubourgs, la circulation se fit plus dense, les rues encombrées de cars de touristes. Au loin sur la droite, les flèches d'une vieille cathédrale s'élevaient au-dessus des toits. Lacy s'en souvenait très bien. La semaine avec son petit ami avait été un désastre, mais elle gardait un bon souvenir de St Augustine.

Un désastre parmi d'autres.

— Et qui est cette mystérieuse Gorge Profonde que nous sommes censés rencontrer ? demanda Hugo en se frottant encore les yeux.

Cette fois, il était déterminé à rester éveillé.

— Je ne sais pas encore. Mais son nom de code est Randy.

— D'accord. Et tu peux me rappeler pourquoi on voit en secret un gars qui n'a pas encore déposé plainte contre l'un de nos honorables juges ?

— Je n'ai pas la réponse. Mais je lui ai parlé deux ou trois fois au téléphone et il dit que c'est… sérieux.

— Ben voyons ! T'en as déjà vu qui disent le contraire ?

— Je n'y suis pour rien, d'accord ? Michael a dit d'y aller, alors on y va.

Michael était le directeur du service, Michael Geismar, leur patron.

— Et aucune info sur cette supposée faute éthique ?

— Si. Randy dit que c'est énorme.

— Tu m'étonnes !

Ils tournèrent dans King Street et s'insérèrent dans le flot de voitures qui descendaient vers le centre-ville. On était mi-juillet. C'était encore la haute saison en Floride, et les touristes en bermudas et sandales déambulaient sur les trottoirs, le nez en l'air. Ils trouvèrent un coffee-shop et passèrent une demi-heure à feuilleter les brochures des agences immobilières sur papier glacé. À midi, suivant leurs instructions, ils se rendirent au Luca's Grill et s'installèrent à une table pour trois. Ils prirent un thé glacé et attendirent. Trente minutes s'écoulèrent sans signe de Randy. Ils commandèrent des sandwichs. Avec une assiette de frites pour Hugo, et une salade de fruits pour Lacy.

En mangeant le plus lentement possible, ils gardaient un œil sur la porte d'entrée. Ils attendirent encore.

En tant qu'avocats, ils voulaient toujours optimiser leur temps. Mais comme enquêteurs d'une agence gouvernementale, ils avaient appris la patience. Les deux rôles entraient souvent en conflit.

À 14 heures, ils abandonnèrent et retournèrent à la voiture, transformée entre-temps en sauna. Au moment où Lacy tournait la clé de contact, son téléphone sonna. Appel inconnu.

Elle décrocha.

— Allô ?

Une voix d'homme répondit :

— Je vous ai demandé de venir seule.

C'était Randy.

— C'est effectivement ce que vous avez demandé. On était censés se retrouver à midi, pour déjeuner.

Il y eut un silence.

— Je suis à la marina, au bout de King Street, à trois cents mètres de vous. Dites à votre copain d'aller se promener et nous parlerons.

— Randy, je ne suis pas un flic et je ne suis pas très portée sur les secrets. Je vais vous retrouver là-bas. Vous dire bonjour et ce genre de chose, mais si vous ne me donnez pas votre nom dans la minute qui suit je m'en vais.

— C'est de bonne guerre.

Elle coupa la communication et marmonna :

— De bonne guerre ?

* * *

La marina bourdonnait d'activité. Voiliers et vedettes de plaisance entraient et sortaient du bassin, ainsi que quelques bateaux de pêche. Le long ponton accueillait des flots de touristes braillards. Un restaurant avec une terrasse au bord de l'eau tournait encore à plein. Les équipages des compagnies d'excursion en mer brossaient les ponts et briquaient les cuivres en prévision de la sortie du lendemain.

Lacy longea la jetée principale, cherchant dans la foule le visage d'un homme qu'elle n'avait jamais rencontré. Devant elle, à côté d'une pompe à essence, un type vieillissant, aux airs de vacancier, lui fit un petit signe de la main. Elle lui retourna un hochement de tête et continua à avancer. Il avait une soixantaine d'années, sa crinière de cheveux gris saillant sous son panama. Bermuda, sandales, chemise à fleurs, et une peau cuite et recuite par le soleil. Il portait des lunettes noires. Avec un sourire, il fit un pas vers elle.

— Lacy Stoltz ?

Elle lui serra la main.

— Oui. Et vous êtes ?

— Je m'appelle Ramsey Mix. Je suis ravi de faire votre connaissance.

— Moi de même. On avait rendez-vous à midi.

— Je suis confus. J'ai eu des soucis sur le bateau, expliqua-t-il en désignant du menton une jolie vedette amarrée au ponton.

Ce n'était pas la plus grande de la marina, mais elle était dans le top dix.

— On peut se parler là-bas ?

— Où ça ? Sur le bateau ?

— Oui. On y sera plus tranquille.

Monter à bord d'une embarcation en compagnie d'un étranger lui paraissait une mauvaise idée. Mais avant qu'elle n'ait le temps d'exprimer ses craintes, Mix demanda :

— Qui c'est ce gars là-bas ? Le type noir ?

Il regardait en direction de King Street. Lacy se retourna et aperçut Hugo qui marchait d'un pas tranquille en compagnie d'un groupe de touristes.

— Il travaille avec moi.

— Un garde du corps ?

— Je n'ai pas besoin de garde du corps, monsieur Mix. Nous ne sommes pas armés, mais mon ami pourrait vous faire passer par-dessus bord en un rien de temps.

— J'espère que ce ne sera pas nécessaire. Je viens en paix.

— Voilà une bonne nouvelle. Je vais monter sur ce bateau à la condition expresse qu'il reste où il est. Au moindre bruit de piston, notre entretien est terminé.

— Marché conclu.

Elle le suivit sur le ponton, dépassa une série de voiliers qui semblaient n'avoir pas vu l'océan depuis des mois, pour arriver au bateau de Mix, baptisé, à point nommé, le *Conspirator*. Il gravit la passerelle et tendit la main à Lacy pour l'aider à monter. Sur le pont, sous un taud, une table avec quatre chaises pliantes. Il lui fit signe de s'asseoir.

— Bienvenue à bord.

Lacy jeta un regard circulaire. Toujours debout, elle demanda :

— Nous sommes seuls ?

— Pas tout à fait. J'ai une amie qui aime naviguer avec moi. Elle s'appelle Carlita. Vous voulez que je vous la présente ?

— Uniquement si c'est important pour notre affaire.

— Non. Elle n'est pas un élément clé.

Mix contempla la marina où Hugo était accoudé à une rambarde. Il leur fit un signe, comme pour dire : « Je vous surveille. »

Mix le salua en retour.

— Je peux vous poser une question ? s'enquit-il.

— Bien sûr.

— Je suppose que vous allez répéter à M. Hatch tout ce que je m'apprête à vous dire.

— C'est mon collègue. Pour certaines affaires, on travaille ensemble, et ce sera peut-être encore le cas pour celle-ci. Comment connaissez-vous son nom ?

— J'ai un ordinateur. J'ai consulté votre site. Il date un peu. Le BJC devrait le mettre à jour.

— Je sais. Coupes budgétaires.

— Son nom me dit quelque chose.

— Il a eu son heure de gloire comme joueur de football chez les Seminoles de Florida State.

— C'est peut-être ça. Moi, je suis fan des Gators.

Lacy ne répondit rien. C'était typique du Sud. Le fanatisme des gens pour leur équipe de foot universitaire l'ennuyait au plus haut point.

— Donc, il sera au courant de tout ? poursuivit-il.

— Oui.

— Alors qu'il vienne. Je vais nous chercher à boire.

2

Carlita apporta les boissons sur un plateau – soda light pour Lacy et Hugo, bière pour Mix. Elle était jolie. Une fille d'origine hispanique d'au moins vingt ans sa cadette. Elle semblait ravie d'avoir des invités, en particulier une autre femme.

Lacy consigna une note dans son carnet.

— Juste une question, dit-elle. Le téléphone avec lequel vous m'avez appelée il y a un quart d'heure a un numéro différent de celui avec lequel vous m'avez contactée la semaine dernière.

— C'est une question ça ?

— Quasiment.

— D'accord. Je me sers beaucoup de téléphones à cartes prépayées. Et je bouge pas mal. J'imagine que votre numéro, c'est le portable de votre service ?

— Exact. Nous ne nous servons pas de nos téléphones personnels pour le travail. Mon numéro ne risque pas de changer.

— Cela doit faciliter les choses, certes. Moi, je change de téléphone tous les mois, parfois toutes les semaines.

Pour le moment, tout ce que disait Mix soulevait pléthore de questions. Lacy n'avait toujours pas digéré le lapin qu'il lui avait posé au déjeuner, et la première impression n'était pas bonne.

— Allons-y, monsieur Mix. Pour l'instant, Hugo et moi allons vous écouter. Expliquez-nous votre cas. Racontez-nous votre histoire. S'il y a trop de zones d'ombre, trop de trous dans votre récit, on s'ennuiera très vite et nous rentrerons chez nous. Vous avez été bien évasif jusqu'à présent. Vous m'avez fait venir jusqu'ici. Maintenant, il est temps d'être plus précis.

Mix regarda Hugo avec un sourire.

— Elle est toujours aussi directe ?

Hugo, sans lui retourner son sourire, hocha la tête. Avec emphase, il croisa les mains sur la table et attendit. Lacy posa son stylo.

Mix avala une lampée de bière et commença :

— J'ai pratiqué le droit à Pensacola pendant trente ans. J'avais un petit cabinet. On tournait à cinq ou six avocats. À l'époque, ça marchait pas trop mal et la vie était agréable. L'un de mes premiers clients était un promoteur. Une pointure qui construisait des immeubles, des lotissements, des hôtels, des centres commerciaux, comme il en pousse des tas en Floride. Il ne m'inspirait pas confiance. Mais il brassait tellement d'argent qu'à la fin j'ai mordu à l'hameçon. Il m'a fait participer à quelques affaires, quelques opérations çà et là, et pendant un temps tout a marché comme sur des roulettes. Je me suis mis à rêver, à me dire que j'allais devenir riche, ce qui, en Floride tout au moins, peut vous causer des tas d'ennuis. Mon ami trafiquait les comptes et empruntait à tour de bras, sans que je le sache. Il y a eu quelques malversations, quelques manipulations litigieuses, et le FBI a débarqué, en recourant à la loi RICO, leur missile à fragmentation. La moitié de Pensacola y

18

est passée, moi y compris. Une hécatombe – promoteurs, banquiers, agents immobiliers, avocats, et autres magouilleurs. Vous n'en avez sans doute pas entendu parler, parce que votre cible ce sont les juges, pas les avocats. Bref, je l'ai joué coopératif, j'ai négocié un accord, plaidé coupable pour fraude et escroquerie et j'ai passé seize mois dans une prison fédérale. J'ai été interdit d'exercice et me suis fait beaucoup d'ennemis. Aujourd'hui, je fais profil bas. J'ai plaidé mon cas et ai obtenu ma réintégration au barreau. Je n'ai qu'un seul et unique client et c'est autour de lui que tourne toute cette affaire. Des questions ?

Sur la chaise libre, il récupéra une chemise sans étiquette et la tendit à Lacy.

— Voilà toute mon histoire. Il y a là des articles de journaux, ma déposition à la cour, tout ce qu'il vous faut savoir sur moi. Je suis réglo, du moins aussi réglo qu'un ex-avocat véreux puisse l'être. Et ce que je vous dis est la stricte vérité.

— Où habitez-vous aujourd'hui ? demanda Hugo.

— J'ai un frère à Myrtle Beach et j'utilise son adresse pour la paperasse officielle. Carlita a un appartement à Tampa et j'y reçois aussi un peu de courrier. Mais la majeure partie du temps, je vis sur ce bateau. J'ai mes téléphones, un fax, le wifi, une petite douche, de la bière fraîche, et une jolie compagne. Que réclamer de plus ? On navigue autour de la Floride, les Keys, les Bahamas. Ce n'est pas si mal comme retraite. Merci à l'oncle Sam.

— Pourquoi avez-vous encore un client ? interrogea Lacy en ignorant les documents. Qui est-ce ?

— C'est une relation d'un vieil ami qui connaît mon passé guère reluisant et il s'est dit que j'accepterais de rempiler s'il y avait de gros honoraires à la clé. Et il avait raison. Il m'a retrouvé et m'a convaincu de prendre l'affaire. Ne me demandez pas le nom de cette personne parce que je ne le connais pas. C'est mon ami, l'intermédiaire.

— Vous ne connaissez pas le nom de votre client ? insista Lacy.

— Non. Et je ne tiens pas à le savoir.

— Et on est censés se contenter de ça ? intervint Hugo.

— Cela fait un premier trou, monsieur Mix. Et nous n'aimons pas ça. Soit vous nous dites tout, soit nous partons sur-le-champ.

— Du calme, répondit Mix en avalant une autre gorgée de bière. C'est une longue histoire et ça prend un peu de temps. Il y a un paquet de fric en jeu, une affaire de corruption qui dépasse l'entendement, et tout au bout, des types pas commodes du tout qui n'hésiteraient pas à me descendre, moi, vous, mon client, ou quiconque poserait trop de questions.

Il garda le silence un long moment, le temps que Lacy et Hugo assimilent les informations.

Finalement, la jeune femme objecta :

— Si c'est si dangereux, pourquoi avoir accepté ?

— Pour l'argent. Cette personne veut engager une action en justice en qualité de lanceur d'alerte. Elle rêve de récupérer des millions. Et moi, j'aurai un coquet pourcentage si tout va bien, et plus jamais besoin de travailler.

— Le statut de lanceur d'alerte… pour cela, il faut qu'il soit un agent de la fonction publique, précisa Lacy.

— J'ai étudié le sujet, madame Stoltz. Vous croulez sous le travail, pas moi. J'ai eu tout le temps de me pencher sur la législation et les procédures. Oui, cette personne est employée de l'État de Floride. Non, son identité ne peut être révélée – pas pour le moment du moins. Plus tard peut-être, quand l'argent sera sur la table, si on parvient à convaincre le juge de garder l'affaire secrète… Pour l'heure, mon client est bien trop effrayé pour déposer une plainte officielle auprès du BJC.

— Nous ne pouvons rien faire sans une plainte en bonne et due forme, précisa Lacy. Le règlement est parfaitement clair sur ce point.

— Je le sais. C'est moi qui vais porter plainte.

— Sous serment ? insista Hugo.

— Oui, comme la loi l'exige. Je suis persuadé que cette personne dit la vérité et je suis prêt à engager la procédure en mon nom.

— Et vous n'avez pas peur ?

— Je vis dans la peur depuis bien trop longtemps. J'ai dû m'y habituer, même si le pire est toujours possible.

Mix récupéra un autre dossier, en sortit quelques documents et les plaça sur la table.

— Il y a six mois, reprit-il, je suis allé au tribunal de Myrtle Beach pour faire changer mon nom. Aujourd'hui, je suis Greg Myers. Et c'est sous ce patronyme que je déposerai la plainte.

Lacy lut la décision de justice de la cour de Caroline du Sud et, pour la première fois, elle se demanda si elle avait eu raison de faire le voyage jusqu'à St Augustine pour rencontrer ce type – un avocat radié du barreau, terrifié au point de se rendre dans un autre État pour changer de nom, un ancien escroc sans adresse vivant sur un bateau.

Hugo lut à son tour le document officiel et regretta de ne pas porter d'arme. Cette sensation ne lui était pas arrivée depuis des années.

— Vous êtes en cavale, c'est ça ? lança-t-il.

— Disons juste que je suis prudent, monsieur Hatch. Je suis un navigateur expérimenté et je connais bien ces eaux, les courants, les récifs, les plages isolées, les criques, en tout cas bien mieux que ceux qui pourraient être à mes trousses.

— Appelons un chat un chat ! Vous vous cachez, intervint Lacy.

Myers hocha la tête comme s'il était d'accord. Tous les trois sirotèrent leurs verres en silence. La brise se leva, chassant un peu de la touffeur. Lacy feuilleta le dossier.

— Une question : est-ce que vos problèmes judiciaires ont un quelconque lien avec la plainte que vous voulez déposer auprès de nous ?

Il cessa de hocher la tête.

— Non. Aucun.

— Revenons à votre client mystère. Vous n'avez jamais eu aucun contact avec lui ?

— Jamais. Il refuse les e-mails, les courriers à l'ancienne, les fax, et tout appel téléphonique qui puisse être tracé. Il passe par mon ami, notre intermédiaire, qui ensuite soit me rencontre en face à face, soit m'appelle sur un téléphone à carte prépayée. C'est compliqué, cela prend un temps fou, mais c'est plus sûr. Pas de traces, pas de pistes. Rien.

— Mais si vous aviez besoin de le contacter maintenant, tout de suite ? Comment feriez-vous ?

— Cela n'est jamais arrivé. J'imagine que j'appellerais notre intermédiaire et attendrais une heure ou deux.

— Où habite votre client ?

— Je ne sais pas trop. Quelque part dans le nord-ouest de la Floride.

Lacy prit une longue inspiration et échangea un regard avec Hugo.

— Très bien. C'est quoi l'histoire ? On vous écoute.

Myers regarda au loin, par-delà les bateaux. Un pont à bascule se levait. Il sembla fasciné par ce spectacle.

— Il y a de nombreux chapitres à mon histoire, finit-il par dire. Et certains attendent encore d'être écrits. L'objectif de cette rencontre, c'est de vous mettre l'eau à la bouche, mais aussi de vous faire peur, pour vous laisser la liberté de jeter l'éponge tant qu'il est encore temps. Parce que toute la question est là : voulez-vous oui ou non vous mouiller ?

— Y a-t-il eu un manquement à la déontologie judiciaire ?

— Un « manquement » ? C'est un euphémisme. Un gigantesque euphémisme ! Il s'agit d'une corruption, à ma connaissance, d'une ampleur inconnue dans ce pays. Il faut que vous compreniez, madame Stoltz, monsieur Hatch, que j'ai su mettre à profit ces seize mois d'incarcération. Ils m'ont affecté à la bibliothèque de la prison et je me suis plongé dans les livres. J'ai étudié toutes les affaires connues de corruption judiciaire, dans les cinquante États. J'ai fait des recherches, les archives, les minutes, j'ai tout épluché. Je suis désormais incollable. Je dis ça au cas où vous auriez besoin d'une encyclopédie vivante. Et l'affaire que je vais vous raconter implique plus d'argent sale que toutes les autres combinées. On y trouve aussi des malversations, de l'extorsion de fonds, de l'injonction, des procès truqués, et au moins deux assassinats, plus une erreur judiciaire. À l'heure où je vous parle, un homme croupit dans le couloir de la mort à cent kilomètres d'ici. Victime d'un coup monté. Et pendant ce temps-là, l'homme responsable de cette infamie prend sans doute tranquillement le soleil à bord de son bateau, un bateau bien plus beau que le mien, je vous le garantis !

Il marqua une pause, but une goulée de bière à même la bouteille et leur jeta un regard, satisfait d'avoir toute leur attention.

— Encore une fois la question est : êtes-vous prêts à vous mouiller ? Parce que les risques sont nombreux.

— Pourquoi nous ? demanda Hugo. Pourquoi ne pas faire appel au FBI ?

— J'ai déjà eu affaire aux fédéraux, monsieur Hatch, et cela s'est plutôt mal terminé. Je n'ai pas confiance en ces gens, ni en personne arborant un badge de flic, en particulier dans cet État.

— Je vous le répète, insista Lacy, nous ne sommes pas armés. Nous ne sommes pas enquêteurs dans le domaine criminel. Si ce que vous dites est vrai, vous avez à l'évidence besoin du soutien des autorités fédérales.

— Mais vous avez la possibilité d'assigner quelqu'un en justice, non ? répondit Myers. C'est dans vos statuts. Vous pouvez ordonner à n'importe quel juge de Floride de vous remettre tous ses dossiers.

C'est un pouvoir considérable, madame Stoltz. Et, en bien des manières, vous instruisez des affaires criminelles.

— Certes, concéda Hugo, mais nous ne sommes pas équipés pour affronter des gangsters. À vous entendre, les types d'en face semblent solides et bien organisés.

— Vous avez entendu parler de la Catfish Mafia ? demanda Myers en buvant une nouvelle gorgée au goulot.

— Non, répliqua Hugo tandis que Lacy secouait la tête.

— C'est encore une longue histoire. Oui, nous avons affaire à une bande très bien organisée. Ils ont un long passé d'exactions mais rien qui ne vous concerne parce que cela n'implique aucun membre de la sphère judiciaire. Toutefois, pour l'une de leurs opérations, ils ont acheté un juge. Et ça, c'est de votre ressort.

Le *Conspirator* roula au passage d'un vieux crevettier. Tout le monde resta silencieux le temps que les ondulations cessent.

— Et si nous refusons de nous impliquer ? s'enquit Lacy. Que va-t-il se passer pour vous ?

— Si je dépose une plainte officielle, vous êtes obligés d'intervenir, non ?

— En théorie oui. Et comme vous le savez certainement, nous aurons quarante-cinq jours pour décider si la plainte est fondée. Nous notifierons alors le suspect, le juge en l'occurrence, et lui gâcherons sa journée. Mais nous pouvons aussi ignorer la plainte. Cela nous arrive souvent.

— Oh oui ! renchérit Hugo. Nous sommes des bureaucrates. Nous n'avons pas notre pareil pour enterrer les dossiers ou les ajourner *ad aeternam*.

— Celui-là, vous ne l'enterrerez pas. Il est bien trop gros.

— S'il est si gros, pourquoi personne n'est au courant ? demanda Lacy.

— Parce qu'il est en cours. Parce que ce n'était pas le bon moment. Pour toutes sortes de raisons, madame Stoltz. Essentiellement parce que tous ceux qui ont eu connaissance de l'affaire jusqu'à présent n'ont pas voulu s'engager. Moi, je m'engage. La question est simple : est-ce que le BJC veut enquêter sur la personne la plus corrompue du monde judiciaire de notre pays, toute époque confondue ?

— Et c'est un juge de chez nous ? murmura Lacy.

— Tout juste.

— Et quand aurons-nous le nom de ce magistrat ? intervint Hugo.

— Vous supposez que c'est un homme ?

— Nous ne faisons jamais de supposition.

— C'est un bon point de départ.

* * *

La brise tomba, et le ventilateur qui oscillait au-dessus d'eux ne faisait que remuer l'humidité. Myers parut être le dernier à s'apercevoir qu'ils étaient tous les trois trempés de sueur. Enfin il mit un terme à leur supplice :

— Allons boire un verre dans ce restaurant là-bas. Il y a la clim au bar.

26

Il attrapa une serviette en vieux cuir qui semblait un prolongement de son corps. Lacy se demanda ce qu'elle contenait. Un pistolet ? De l'argent et des faux papiers ? Un autre dossier peut-être ?

Alors qu'ils marchaient sur le quai, elle s'informa :

— C'est votre cantine ?

— Par mesure de sécurité, je ne vous le dirai pas, répliqua Myers.

Lacy regretta d'avoir posé la question. Elle avait affaire à un homme invisible, quelqu'un qui vivait avec une épée de Damoclès au-dessus de lui, et non pas à un plaisancier qui cabotait de port en port juste pour le plaisir. Hugo secoua la tête. Elle se serait donné des claques.

Le restaurant était désert. Ils prirent une table à l'intérieur, avec vue sur le bassin. Après avoir cuit au soleil, la salle leur paraissait presque froide. Thé glacé pour les enquêteurs, café pour Myers. Ils étaient seuls. Personne ne pouvait les entendre.

— Et si nous ne sommes pas intéressés par votre affaire ? lança Hugo.

— Alors, je passerai au plan B, mais ce ne sera pas de gaieté de cœur. Le plan de secours implique la presse, deux journalistes que je connais, mais aucun des deux n'est totalement fiable. L'un habite Mobile, l'autre Miami. Et cela ne doit pas être très compliqué de les intimider.

— Et nous serions moins intimidables ? Pourquoi donc ? s'étonna Lacy. Comme on vous l'a dit, nous ne sommes pas habitués à traiter avec des gangsters. Et nous sommes débordés.

— J'imagine. Ce ne sont pas les mauvais juges qui manquent.

— En fait, il n'y en a pas tant que ça. Juste quelques brebis galeuses, mais il y a tellement de plaintes que nous croulons sous les demandes. Même si la plupart sont sans fondement.

— Je comprends.

Myers retira ses Ray-Ban d'aviateur et les posa sur la table. Il avait les yeux rouges et bouffis, comme ceux d'un alcoolique, et auréolés d'un cerne pâle, ce qui lui donnait en négatif une tête de raton laveur. Visiblement, il ne quittait pas très souvent ses lunettes de soleil. Il jeta un nouveau coup d'œil autour de lui, comme s'il craignait que ses poursuivants puissent être dans le restaurant. Il sembla se détendre.

— Parlez-nous de cette Catfish Mafia, reprit Hugo.

Myers eut un grand sourire.

— Vous voulez vraiment toute l'histoire ?

— C'est vous qui avez mis ça sur le tapis.

— Certes.

La serveuse apporta leurs verres et disparut. Myers prit une gorgée et commença :

— Cela remonte à une cinquantaine d'années. Au départ c'était une bande de petites frappes qui sévissaient dans le Sud : l'Arkansas, le Mississippi, la Louisiane, partout où ils pouvaient soudoyer un shérif. Le gros de leurs activités était la contrebande d'alcool, la prostitution, le jeu – de la pègre à l'ancienne, mais avec du muscle et pas mal de morts dans leur sillage. Ils choisissaient un comté où l'alcool était en vente libre juste à côté d'un désert baptiste, de préférence à la limite de l'État, et montaient leur trafic. À chaque fois, les locaux en avaient assez, élisaient un nouveau shérif, et la bande quittait la ville.

Avec le temps, ils ont fini par s'installer sur la côte du Mississippi, autour de Biloxi et Gulfport. Ceux qui ne se sont pas fait descendre ont été condamnés et jetés en prison. Presque tous les membres de la bande originale ont disparu au début des années 1980, mais il en restait quelques-uns de la jeune génération. Quand les jeux d'argent ont été légalisés à Biloxi, cela a été un coup dur pour leurs affaires. Ils ont alors déménagé en Floride et ont découvert les arnaques immobilières et les marges mirobolantes du trafic de cocaïne. Ils ont gagné beaucoup d'argent, se sont réorganisés et rebaptisés la Coast Mafia.

Hugo secouait la tête.

— J'ai grandi dans le nord de la Floride. J'ai fait toutes mes études ici – l'université, la fac de droit –, j'y ai vécu toute ma vie, et depuis dix ans j'enquête sur des affaires de corruptions judiciaires, et jamais je n'ai entendu parler d'une Coast Mafia.

— Ils ne font pas de publicité et leurs noms n'apparaissent jamais dans les journaux. Je ne suis même pas sûr qu'on ait arrêté un de ses membres dans la dernière décennie. C'est un petit réseau, très fermé, très discipliné. Ils sont tous plus ou moins de la même famille. À ce jour, elle aurait dû être infiltrée, démantelée, et tous ses membres mis sous les verrous, sans l'intervention d'un type que je vais appeler Omar pour le moment. Un affreux, mais très futé. Au milieu des années 1980, Omar a conduit sa bande en Floride du Sud, qui était, à l'époque, la plaque tournante du trafic de coke. Ils ont connu quelques années heureuses, mais cela a tourné au vinaigre quand ils ont croisé la route des Colombiens. Omar s'est fait mitrailler. Son frère aussi, mais lui n'a pas survécu et on n'a jamais retrouvé son corps. Ils ont fui Miami, mais pas la Floride. Omar est le cerveau. Un type brillant. Et il y a une vingtaine d'années, il s'est passionné pour les casinos en terres indiennes.

— Le contraire m'eût étonnée, marmonna Lacy.

— Comme vous le savez, il y a aujourd'hui neuf casinos indiens en Floride, dont sept sont la propriété des Séminoles, de loin la plus grande tribu de l'État, et l'une des trois reconnues par le gouvernement fédéral. Les casinos séminoles, à eux tous, rapportent quatre milliards par an. Omar et ses gars ont trouvé l'opportunité irrésistible.

— Donc, dans votre affaire, il y a une organisation mafieuse, des Indiens propriétaires de casinos, un juge véreux, tout ça mêlé ?

— C'est pas mal résumé.

— Mais le FBI est le seul à avoir autorité pour s'immiscer dans les affaires indiennes, répliqua Hugo.

— C'est exact, et le FBI n'a jamais montré beaucoup d'enthousiasme pour traquer des Indiens, quels que soient leurs méfaits. Et je le répète, je ne veux pas traiter avec les fédéraux. Ils ne connaissent pas les faits. Moi si, et c'est à vous que je m'adresse.

— Et quand saurons-nous toute l'histoire ? insista Lacy.

— Dès que votre patron, Michael Geismar, vous donnera le feu vert. Vous lui parlez, vous lui répétez ce que je vous ai dit, en vous assurant qu'il a bien compris toutes les conséquences possibles, et quand il me dira, au téléphone, que le BJC va prendre ma plainte au sérieux et ouvrir une enquête, alors je comblerai tous les trous, du moins tous ceux que je peux.

Hugo tapota des doigts sur la table en songeant à sa famille. Lacy contempla un autre crevettier rentrant au port, et se demanda comment Geismar allait réagir. Myers regarda les deux enquêteurs. Il les plaignait presque.

3

Les locaux du Board on Judicial Conduct occupaient la moitié du deuxième étage d'un immeuble de trois niveaux dans le centre-ville de Tallahassee, à deux cents mètres du capitole. Ces « bureaux », avec leur moquette élimée, leurs fenêtres minuscules comme des vasistas de prison qui occultaient tous les rayons du soleil, leur plafond jauni par la fumée des cigarettes, leurs murs couverts d'étagères croulant sous les dossiers et les archives poussiéreuses, étaient la preuve patente des réductions budgétaires, d'autant plus que cette agence était loin d'être la priorité numéro un du gouverneur et du parlement de Floride. Tous les mois de janvier, Michael Geismar, le directeur du BJC depuis des lustres, était contraint de faire l'aumône dans les couloirs du capitole, en regardant impuissant les multiples commissions de la chambre des représentants et du sénat se partager le gâteau. Il fallait supplier, se mettre à genoux. Geismar passait son temps à quémander quelques dollars de plus pour en récolter à chaque fois un peu moins. Tel était le sort d'un directeur d'une agence gouvernementale dont la plupart des législateurs ignoraient jusqu'à son existence.

Le comité de direction comprenait cinq membres permanents, des juges à la retraite, des avocats, nommés par le gouverneur. Ils se réunissaient tous les deux mois pour examiner les dossiers, entendre les plaignants au cours d'audiences qui ressemblaient à de mini-procès, et être informés de l'avancée des enquêtes. Michael Geismar avait besoin de plus d'effectifs, mais il n'y avait pas d'argent. Ses six inspecteurs – quatre à Tallahassee et deux à Fort Lauderdale – travaillaient en moyenne cinquante heures par semaine, et tous, ou presque, cherchaient d'autres postes.

De son bureau d'angle, Geismar avait une vue sur un autre bunker de l'État, un bâtiment bien plus imposant que le sien, et par-delà sur un monceau d'immeubles administratifs. Mais il préférait ne pas regarder ce panorama déprimant. Son bureau était relativement spacieux parce qu'il avait repoussé les murs et ajouté une longue table, la seule à pouvoir tenir dans l'enfilade de débarras et de pièces lilliputiennes qui accueillait le BJC. Quand le comité se réunissait, Geismar allait squatter une salle de réunion dans le bâtiment de la cour suprême de Floride.

Aujourd'hui, ils étaient quatre assis à sa table de travail. Geismar lui-même, Lacy, Hugo et l'arme secrète du BJC : Sadelle, une assistante juridique qui, malgré ses soixante-dix ans, pouvait non seulement faire des recherches pharaoniques mais avait une mémoire d'éléphant. Trente ans plus tôt, Sadelle avait terminé son droit et échoué, à trois reprises, à l'examen du barreau, se trouvant ainsi reléguée à vie au rang d'assistante. Ancienne fumeuse (elle était responsable pour une grande part de l'encrassement des fenêtres et du plafond), elle luttait contre un cancer des poumons depuis plusieurs années, mais n'avait jamais été absente plus de deux ou trois jours.

La table était couverte de papiers, des feuilles volantes, pour la plupart, zébrées de surlignages jaunes ou rouges.

— Ce gars ne nous a pas raconté de craques, déclara Hugo. On a parlé à des gens à Pensacola qui le connaissaient du temps où il était avocat. Il avait bonne réputation, du moins jusqu'à ce qu'il soit condamné. Il est bien ce qu'il prétend être, quoique avec un autre nom.

— En prison, ajouta Lacy, il a été un prisonnier modèle. Il a fait seize mois et quatre jours dans un pénitencier fédéral du Texas et a passé la majeure partie de son temps à s'occuper de la bibliothèque. Il faisait office d'avocat pour détenus ; il en a aidé quelques-uns pour leurs appels, il en a même fait sortir certains plus tôt parce que leurs avocats avaient merdé.

— Et sa condamnation ? demanda Geismar.

C'est Hugo qui répondit :

— J'ai pas mal creusé la question pour vérifier les dires de Myers. Les fédéraux traquaient un affairiste dans l'immobilier, un certain Kubiak, un transfuge de Californie qui a sévi pendant vingt ans dans la région de Destin et de Panama City. Ils l'ont coincé. Il a été condamné à trente ans pour une liste de crimes longue comme le bras, entre autres pour fraude bancaire et fiscale, et blanchiment d'argent. Il a entraîné dans sa chute pas mal de gens, dont Ramsey Mix, qui a vite négocié avec les autorités. Il a balancé tout le monde au procès, en particulier Kubiak, et a causé pas mal de dégâts. C'est sans doute une bonne chose pour lui de se cacher au large sous un faux nom. Il n'a fait que seize mois. Tous les autres ont écopé de cinq ans au minimum. Et bien sûr Kubiak a touché le gros lot.

— Et au niveau personnel ? poursuivit Geismar.

Cette fois ce fut Lacy qui s'y colla :

— Deux divorces. Il est célibataire aujourd'hui. Mme Mix numéro deux l'a quitté pendant qu'il était en prison. Un fils du premier mariage. Le fiston vit en Californie, et est propriétaire d'un restaurant. Quand Myers a plaidé coupable, il a payé une amende de cent mille dollars. Au procès, il a déclaré que ses honoraires étaient à peu près du même montant. Bref, il en est sorti ruiné. Une semaine avant d'être incarcéré, il s'est déclaré en faillite personnelle.

Hugo montra à Geismar quelques photos.

— Ce qui m'intrigue, c'est ça : son bateau. C'est un Sea Breeze de seize mètres, un joli petit yacht, avec un rayon d'action de trois cents kilomètres et de la place pour quatre personnes à l'aise. Il est enregistré aux Bahamas. Je n'ai pas pu en savoir plus, mais un truc comme ça coûte au bas mot un demi-million. Myers est sorti de prison voilà six ans et, à en croire le registre du barreau de Floride, il a été réintégré comme avocat il y a seulement trois mois. Il n'a pas de cabinet et déclare vivre sur son bateau. Même s'il le loue, ce qui est probable, cela reste un sacré train de vie. Alors une question s'impose : comment se paie-t-il tout ça ?

Lacy saisit la balle au bond :

— Il a sans doute caché une part du butin sur un compte offshore quand le FBI a montré son nez. C'était une grosse affaire entrant dans le cadre de la loi RICO, tout un réseau a été démantelé. J'ai parlé avec une de mes sources, un ancien procureur ; il est convaincu que Myers ex-Mix a planqué de l'argent quelque part. Il paraît que beaucoup d'accusés font ça. Mais on n'en aura sans doute jamais la preuve. Si le FBI n'a pas pu trouver le magot il y a sept ans, on ne risque pas de mettre la main dessus aujourd'hui.

— Et on a d'autres chats à fouetter, marmonna Geismar.

— Tout juste.

— C'est donc un escroc pur jus ?

— Il n'a pas été condamné pour rien, répondit Hugo. Mais il a purgé sa peine, payé sa dette. Aujourd'hui, c'est un membre du barreau à part entière, comme vous ou moi.

Il se tourna vers Sadelle et lui lança un sourire tout miel. L'assistante juridique resta de marbre.

— « Escroc » est peut-être un peu trop fort, concéda Michael Geismar. Disons qu'il n'est pas blanc comme neige. Mais je ne suis pas sûr d'adhérer à la théorie du magot caché. S'il a planqué de l'argent et menti au juge qui a prononcé la faillite personnelle, alors il peut encore être poursuivi pour fraude. Vous pensez que ce gars prendrait un tel risque ?

— Je l'ignore, répliqua Hugo. Il semble très prudent. Et il ne faut pas oublier qu'il est sorti de prison depuis six ans. En Floride, il faut attendre cinq années avant de demander à être réintégré au barreau. Pendant ce temps, peut-être qu'il a trouvé le moyen de gagner quelques dollars. Il paraît assez débrouillard de ce côté-là.

— En quoi c'est important ? s'impatienta Lacy. On est censés enquêter sur lui ou sur un juge corrompu ?

— Exact, lâcha Geismar. Et ce juge serait une femme ?

— C'est ce qu'il a laissé entendre.

Geismar se tourna vers Sadelle.

— Et évidemment, elles sont nombreuses à cette fonction. La Floride ne veut pas faire tache question parité, n'est-ce pas ?

Sadelle prit une grande inspiration souffreteuse et déclara de sa voix éraillée :

— Ça dépend où. Nous en avons des tas pour gérer les délits routiers et ce genre de choses, mais on est plutôt mauvais élève concernant les cours de circuit. Sur six cents juges, il n'y a qu'un tiers seulement de femmes. Avec neuf casinos disséminés dans l'État, autant chercher une aiguille dans une botte de foin.

— Et cette mafia ?

Elle gonfla à nouveau ses poumons abîmés et répondit :

— Allez savoir ? Il y a eu par le passé une Dixie Mafia, une Redneck Mafia, une Texas Mafia – juste un ramassis de malfrats en fait. Un nom ronflant pour finalement une petite bande de frangins qui fourguent du whisky et cassent des jambes. Je n'ai rien sur une Coast Mafia, et encore moins une Catfish Mafia. Je ne dis pas qu'elle n'existe pas. Je dis que je n'ai aucune info là-dessus.

Sa voix mourut et elle reprit une grande goulée d'air.

— C'est vite dit, intervint Lacy. Je suis tombée sur un article dans le journal de Little Rock datant de près de quarante ans. On y raconte l'histoire haute en couleur d'un certain Larry Wayne Farrell, propriétaire de plusieurs restaurants dont la spécialité était le poisson-chat – le catfish –, dans le delta de l'Arkansas. Apparemment, il proposait du poisson devant, et derrière de l'alcool. À un moment, lui et ses cousins sont devenus ambitieux et se sont diversifiés dans les jeux, la prostitution et le trafic de voitures. Exactement comme l'a dit Myers, ils ont écumé le Sud profond, au fil des shérifs véreux qu'ils trouvaient pour les laisser exercer leur commerce. Ils se sont finalement installés dans les environs de Biloxi. C'est un long article, et je vous passe les détails, mais il y a un fait remarquable : ces types ont laissé un tas de cadavres derrière eux.

— OK. Mea culpa, annonça Sadelle. Merci pour l'info.

— Pas de problème.

— Une évidence s'impose toutefois, intervint Hugo. Si Myers dépose sa plainte, que nous enquêtons sur ce juge et que ça devient chaud, qu'est-ce qui nous empêche d'appeler le FBI à la rescousse ? Myers n'aura plus son mot à dire, n'est-ce pas ?

— Exact, répondit Geismar. Et c'est précisément ce que nous ferons. C'est nous qui menons les investigations, pas lui. Si nous avons besoin d'aide, nous la demanderons.

— Alors on y va ? s'enquit Hugo.

— Évidemment ! Nous n'avons pas le choix. Si Myers dépose plainte et accuse un juge pour manquement à la déontologie, ou pour corruption, nous sommes, par nos statuts, contraints d'ouvrir une enquête. C'est tout simple. Cela te pose un problème, Hugo ?

— Non.

— Lacy ? Une réticence ?

— Aucune.

— Parfait. Prévenez Myers. Et s'il veut une confirmation officielle, passez-le-moi.

* * *

Il fallut deux jours pour entrer en contact avec Myers et quand Lacy l'eut enfin au téléphone, Myers ne se montra guère empressé de parler avec elle ou avec Geismar. Il était débordé, disait-il, et il rappellerait plus tard. La connexion était mauvaise, avec plein de parasites, comme s'il était très loin. Le lendemain, il joignit Lacy avec un autre téléphone et demanda qu'on lui passe Geismar qui lui confirma que sa plainte serait leur priorité numéro un et qu'ils ouvriraient une enquête immédiatement. Une heure plus tard, Myers contacta à nouveau Lacy. Il voulait la revoir, avec Hugo, pour leur parler de l'affaire. Il y avait beaucoup d'informations qu'il ne pouvait mettre par écrit, des données cruciales pour leurs investigations. Il refusait de déposer sa plainte tant qu'il n'aurait pas ce nouvel entretien avec eux.

Geismar y consentit. Et ils attendirent que Myers leur communique le lieu du nouveau rendez-vous. Il s'écoula une semaine, avant qu'il ne donne des nouvelles : il était en croisière dans les îles Abacos avec Carlita et serait de retour en Floride dans deux ou trois jours.

* * *

Le samedi, en fin d'après-midi, alors que la température avoisinait encore les quarante degrés, Lacy entra dans un lotissement privé, dont le portail semblait toujours ouvert. Elle traversa un dédale d'étangs artificiels affublés de fontaines qui ne faisaient que crachoter de l'eau chaude, dépassa un parcours de golf, longea des enfilades de maisons toutes identiques, chacune arborant leur garage pour deux voitures, et se gara enfin à proximité d'un grand parc bordé d'un chapelet de piscines. Une centaine d'enfants s'ébattaient dans les bassins tandis que leurs mères, sous de grandes ombrelles, sirotaient des sodas.

Les Meadows avaient survécu à la crise et se vantaient d'être une communauté multiethnique pour jeunes couples. Hugo et Verna Hatch avaient acheté leur maison cinq ans plus tôt, après la venue au monde du numéro deux. Ils avaient quatre enfants aujourd'hui, et leur bungalow de deux cents mètres carrés était devenu bien trop petit. Déménager, toutefois, était inenvisageable. Hugo gagnait soixante mille dollars, comme Lacy. Étant célibataire, elle parvenait à mettre un peu d'argent de côté, mais les Hatch étaient à découvert chaque fin de mois.

Ils aimaient les fêtes, cependant, et presque tous les samedis après-midi en été, Hugo installait le barbecue près d'une piscine, une bière fraîche à la main, pour faire griller des hamburgers et parler football avec ses amis, tandis que les gamins jouaient dans l'eau et que les femmes se réfugiaient à l'ombre. Lacy rejoignit les dames et, après avoir dit bonjour à tout le monde, elle se dirigea vers l'abri où Verna tentait de faire cesser les pleurs de son bébé. Pippin avait un mois et pour l'instant, c'était une vraie grincheuse. De temps en temps, Lacy gardait la tribu des Hatch pour que les parents puissent souffler un peu. Les baby-sitters, d'ordinaire, étaient toutes trouvées : les deux grands-mères, qui vivaient dans la région. Hugo comme Verna étaient issus de familles nombreuses, avec tantes, oncles, cousins à profusion, et leur cohorte de psychodrames et de conflits. Lacy enviait la sécurité qu'offrait un tel clan, mais se félicitait de n'avoir pas à assumer les problèmes de tant de gens à la fois. Parfois, Hugo et Verna avaient besoin d'être seuls, sans que débarque toute la famille. Et c'était là qu'intervenait la baby-sitter Lacy.

Elle prit la petite dans ses bras le temps que Verna aille chercher à boire. Tout en la berçant, elle observa l'assemblée dans le patio : un melting-pot de Noirs, de Blancs, d'Hispaniques et d'Asiatiques, que des couples trentenaires avec de jeunes enfants. Il y avait deux avocats du bureau du procureur général, des amis de fac de Hugo, et un autre qui travaillait pour le sénat de l'État. Elle était la seule célibataire, aucun parti à prendre, mais Lacy n'en cherchait pas. Elle ne fréquentait pas beaucoup d'hommes. Ils étaient rares à avoir ses faveurs, si peu à l'attirer. Elle avait connu une rupture difficile, une séparation dont, huit ans plus tard, elle gardait encore des séquelles.

Verna revint avec deux bières et s'assit en face d'elle.

— Pourquoi elle est tout le temps sage quand c'est toi qui la prends ?

Lacy sourit et haussa les épaules. À trente-six ans, elle se demandait si un jour elle aurait un enfant à elle dans ses bras. C'était encore une page blanche, mais le temps filait, et ses chances s'amenuisaient de jour en jour. Verna semblait fatiguée, comme Hugo. Ils voulaient une grande famille, mais quatre gosses, sérieusement ? Lacy n'osait aborder le sujet. Verna et Hugo avaient eu tous les deux la chance d'aller à l'université, les premiers de la famille à faire de véritables études, et ils voulaient que leurs enfants aient la même opportunité. Comment espéraient-ils financer la scolarité de quatre enfants ?

— Il paraît que Geismar vous a mis sur une grosse affaire, annonça Verna à voix basse.

Lacy était surprise. Hugo était plutôt du genre à tirer un trait sur le bureau une fois rentré à la maison. En outre, le BJC exigeait la discrétion pour des raisons évidentes. De temps en temps, après quelques bières le soir, ils pouvaient rire tous les trois du comportement de certains juges sur lesquels ils enquêtaient, mais sans jamais donner de noms.

— Cela peut être très gros comme un pétard mouillé.

— Hugo ne m'a pas dit grand-chose comme à son habitude. Il semble assez inquiet. C'est curieux, mais je n'ai jamais songé que votre boulot pouvait être dangereux.

— Nous non plus. Nous ne sommes pas des flics avec des pistolets. Nous sommes avocats et nos armes sont les assignations en justice.

— Hugo dit qu'il regrette de ne pas être armé. Cela m'inquiète. Je veux que vous me promettiez tous les deux que vous n'allez rien faire d'idiot.

— Verna, voilà ma promesse : si jamais le besoin de porter une arme se fait sentir, alors je démissionne et je cherche un autre boulot. Pas question de tirer sur qui que ce soit.

— Dans mon monde, il y a bien trop d'armes et trop d'horreurs arrivent à cause d'elles.

Pippin, qui dormait depuis un quart d'heure, se mit soudain à brailler. Verna tendit les bras pour la récupérer.

— Cette enfant me rendra folle !

Lacy lui rendit le bébé et alla regarder où en était la cuisson des hamburgers.

4

Quand Myers les contacta enfin, il demanda à Lacy de le retrouver à nouveau à la marina de St Augustine. Tout était identique : même touffeur, même place au bout du ponton. Et même chemise à fleurs ! Ils s'installèrent à la table de bois sous le taud. Il ouvrit une canette de bière – la même marque évidemment. Et il commença à parler.

* * *

Omar, dans la vie réelle, s'appelait Vonn Dubose et était le descendant d'un des gangsters historiques qui menaient effectivement leur trafic dans l'arrière-salle d'un restaurant de poissons de Forrest City, dans l'Arkansas. Son grand-père maternel était le propriétaire et avait été finalement abattu lors d'un traquenard tendu par la police. Son père s'était pendu en prison, du moins c'est ce que disaient les rapports officiels. De nombreux oncles et cousins connurent le même sort, et le gang avait été réduit à peau de chagrin jusqu'à ce que Vonn découvre le commerce juteux de la cocaïne, alors en pleine expansion dans le sud de la Floride. Quelques années grasses lui permirent de reconstruire sa petite entreprise. Il avait aujourd'hui près de soixante-dix ans, vivait quelque part sur la côte et n'avait ni adresse officielle, ni compte en banque, ni permis de conduire, ni numéro de sécurité sociale, ni passeport. Dès que Vonn avait fait fortune avec le casino, il avait réduit sa bande à une poignée de cousins pour grossir les parts. Il opérait dans un anonymat complet, et cachait ses activités derrière un rempart de sociétés offshore, toutes gérées par un cabinet d'affaires de Biloxi. Suivant les renseignements que l'on avait – et qui étaient rares – Dubose était riche, mais vivait très modestement.

— Vous l'avez déjà rencontré ? demanda Lacy.

Myers lâcha un petit rire.

— Vous plaisantez ? Personne ne rencontre ce type. Il vit dans l'ombre, un peu comme moi. Vous ne trouverez pas trois personnes à Pensacola qui admettraient connaître Vonn Dubose. Cela fait quarante ans que je vis ici et je n'ai appris son existence que récemment. Il va et vient. Il est insaisissable.

— Mais vous dites qu'il n'a pas de passeport ? intervint Hugo.

— Pas de passeport valide. Toutefois, s'il se faisait attraper, on lui en trouverait une demi-douzaine de faux.

» En 1936, le Bureau des affaires indiennes reconnut officiellement la nation Tappacola, une petite tribu de quatre cents individus disséminés dans le nord-ouest de la Floride, dont la plupart vivaient dans des masures au fond des marais du comté de Brunswick – une centaine d'hectares que le gouvernement leur céda il y a quatre-vingts ans. Dans les années 1990, la grande nation des Séminoles de Floride du Sud découvrit la manne des casinos, comme toutes les autres tribus du pays. Et comme par hasard, Vonn et sa bande commencèrent à acheter des terrains limitrophes de la réserve des Tappacolas. À un moment – personne ne sait quand au juste parce que les négociations sont restées secrètes – Dubose fit une offre aux Tappacolas, bien trop alléchante pour être honnête.

— Le Treasure Key…, marmonna Hugo.

— Tout juste ! Le seul casino en Floride du Nord, idéalement situé à proximité de l'Interstate 10 et des plages. Un casino quatre étoiles, ouvert vingt-quatre heures sur vingt-quatre, sept jours sur sept. Un Disneyland pour toute la famille, le plus grand parc aquatique de l'État, des appartements à vendre, à louer, en multipropriété, et j'en passe ! La Mecque pour ceux qui voulaient jouer comme pour ceux qui voulaient faire bronzette, le tout situé dans un bassin démographique de cinq millions de personnes. Je ne connais pas les chiffres exacts, parce que les Indiens qui gèrent les casinos n'ont de comptes à rendre à personne, mais on dit que le Treasure Key rapporte au bas mot cinq cents millions par an.

— On y est allés l'été dernier, reconnut Hugo, comme s'il avait fait quelque chose de mal. Une promo de dernière minute pour cent cinquante dollars. C'est pas mal effectivement.

— Pas mal ? C'est fabuleux, vous voulez dire ! L'endroit est bondé tous les jours de l'année et l'argent coule à flots pour les Tappacolas.

— Et ils partagent le magot avec Vonn et ses gars ?

— Entre autres. Mais n'allons pas trop vite.

— Le comté de Brunswick appartient au vingt-quatrième district judiciaire, fit remarquer Lacy. Il y a deux juges de circuit dans le vingt-quatrième, un homme, une femme. Je chauffe ?

Myers esquissa un sourire et tapota le dossier au milieu de la table.

— C'est la plainte. Je vais vous la remettre. La juge en question est Son Honneur Claudia McDover. Elle siège depuis dix-sept ans. On parlera d'elle plus tard. Pour l'instant, je voudrais poursuivre et vous donner le contexte, c'est très important.

» Retour aux Tappacolas. La tribu était très divisée par ce projet de casino. Les opposants étaient menés par Son Razko, un activiste chrétien ennemi juré des jeux d'argent pour des questions morales. Il organisait la lutte et son camp semblait avoir la majorité. Les partisans, quant à eux, promettaient une manne pour tous : de nouvelles maisons, des pensions à vie, de meilleures écoles, des études tous frais payés, l'accès aux soins, la liste des bienfaits était sans fin. Vonn Dubose finançait en sous-main la campagne pour le oui mais, comme de coutume, on ne put rien prouver. En 1993, la décision fut soumise au vote. Tout le monde, hormis les mineurs, pouvait voter. Seuls quatorze électeurs ne se rendirent pas aux urnes sous la surveillance des US Marshals pour assurer la sécurité. Son Razko et ses fondamentalistes l'emportèrent avec cinquante-quatre pour cent des suffrages. Un recours en justice fut déposé, pour fraude et intimidation. Une allégation fallacieuse que le juge de la cour de circuit rejeta sans hésitation. Adieu le casino.

» Et dans la foulée, adieu Son Razko.

» On retrouva son corps dans la chambre à coucher d'un autre homme, avec l'épouse du type en question, chacun avec deux balles dans la tête. Ils étaient nus, et apparemment en pleins ébats. Le mari, un dénommé

47

Junior Mace, fut arrêté et accusé du double meurtre. Il avait été un fidèle de Razko durant la campagne. Mace ne cessa de clamer son innocence, mais fut néanmoins condamné à mort. À cause de la notoriété de l'affaire, la juge McDover, nouvellement élue, déplaça la tenue du procès dans un autre comté, mais toujours dans sa juridiction. Elle présida les audiences en favorisant ostensiblement l'accusation.

» La construction du casino rencontrait deux obstacles : l'un était Son Razko. L'autre était la situation géographique. La plupart des terres de la réserve étaient des marais et des bayous, quasiment inhabitables, mais il y avait suffisamment de parcelles à sec pour installer un grand casino avec tous ses équipements autour. Le problème, c'était comment s'y rendre. La route menant dans la réserve était antédiluvienne et mal entretenue. Jamais, elle ne pourrait supporter le flot de visiteurs. Songeant aux rentrées fiscales, aux emplois créés, à l'impact touristique, les autorités du comté acceptèrent de construire une quatre-voies pour relier la Route 288 à la bordure de la réserve, qui se trouvait à un jet de pierre du site du casino. Toutefois, pour construire cette route, il fallait récupérer des terrains privés, par expropriation ou préemption, or la majeure partie des propriétaires étaient opposés au projet.

» Le comté intenta onze procès pour récupérer par voie de justice les onze parcelles sur le tracé de la route. La juge McDover était à la manœuvre et ne laissa pas le temps à la défense de se préparer. Elle posa les onze recours au sommet de sa pile « affaires urgentes » et en quelques mois la première affaire fut jugée. Il fut alors évident, du moins aux yeux des avocats, que McDover était du côté du comté et voulait que cette route soit construite au plus vite. Alors que le premier procès approchait, elle organisa une rencontre dans son tribunal avec tous les avocats en lice. Au cours d'une audience marathon, elle arracha un accord dans lequel le comté paierait aux propriétaires deux fois le prix du marché pour leur terrain. En Floride, l'État pouvait exproprier qui il voulait. Le véritable enjeu était le montant de la compensation. Et les délais. En menant les négociations à la baguette, la juge McDover évita au casino des années de procédure.

» Puisque les affaires d'expropriation étaient gérées de main de maître par la justice, et que Son Razko avait disparu de la circulation, les partisans du projet demandèrent un nouveau référendum. Ils gagnèrent, avec trente voix d'avance. Une plainte pour fraude fut déposée, cette fois par l'autre camp, et McDover la rejeta. La voie était désormais libre pour la construction du Treasure Key, qui ouvrit ses portes en 2000.

» Les appels de Junior Mace se perdirent dans les méandres du système judiciaire, et malgré plusieurs critiques concernant les décisions de la juge, personne ne trouva rien d'illégal. Mace resta condamné durant toutes ces années.

— On a étudié ce cas à la fac, précisa Hugo.

— Cette affaire date de seize ans, s'étonna Myers. Vous étiez tout jeune. Vingt ans tout au plus ?

— Quelque chose comme ça. Je ne me souviens plus des détails, mais on nous en a parlé, en cours de procédure pénale je crois. Il était question de la recevabilité des dépositions de codétenus dans les cas de procès pour meurtre.

Myers se tourna vers Lacy.

— Cela m'étonnerait que vous, vous en ayez entendu parler ?

— Non. Je ne suis pas de Floride.

— J'ai ici un gros dossier sur ce double meurtre, avec tous les recours. Je l'ai compilé au fil du temps et je connais cette affaire mieux que personne. Je dis ça au cas où vous auriez besoin d'infos.

— Mace, donc, aurait surpris sa femme au lit avec Son et aurait vu tout rouge ?

— J'en doute. Il soutient qu'il se trouvait ailleurs au moment du crime, mais son témoin n'était pas très convaincant. Et son avocat était un bleu, pas de taille à affronter le procureur, qui était rusé comme un renard. La juge McDover a autorisé qu'il présente à la barre deux mouchards qui ont juré leurs grands dieux que Mace se vantait, en prison, d'avoir tué les deux amants.

— On peut lui parler à ce Mace ? s'enquit Hugo.

— Ce serait un bon début.

— À quoi bon ? intervint Lacy.

— Parce que Junior Mace en sait long et qu'il vous dira peut-être des choses. C'est la loi du silence chez les Tappacolas. Ils sont très méfiants, en particulier avec les gens de l'extérieur, surtout s'ils travaillent pour l'État ou portent un uniforme. De plus, ils ont peur de Dubose et de sa bande. Et pourquoi la ramener ? C'est pour eux une manne tombée du ciel. Ils ont des maisons, des voitures, des écoles, des soins gratuits, de l'argent pour les études des gosses. Pourquoi faire des vagues ? Si le casino est en cheville avec des gangsters, en quoi ça nous regarde ? Et celui qui s'avise de parler ne parlera pas longtemps.

— Et sur cette juge ? On peut en savoir davantage ? demanda Lacy.

— Bien sûr. Claudia McDover, cinquante-six ans, élue pour la première fois en 1994 et réélue depuis lors tous les six ans. Travailleuse, très sérieuse dans ses affaires comme dans son tribunal. À chaque fois, elle se fait réélire haut la main. Une femme brillante, dynamique. Son ex-mari était un grand médecin de Pensacola et il avait un faible pour les infirmières. Un mauvais divorce où elle s'est fait avoir par son mari et son bataillon d'avocats. Blessée et furieuse, elle s'est lancée dans le droit pour prendre sa revanche, mais en chemin elle a tout envoyé promener. Elle s'est installée à Sterling, le siège du comté de Brunswick, et a travaillé dans une petite agence immobilière. Malgré ses efforts, elle a commencé à s'ennuyer ferme dans cette petite ville, et à un moment elle a fait la connaissance de Vonn Dubose. Je ne connais pas cette partie de l'histoire. Il paraît qu'elle aurait eu une liaison plutôt houleuse avec lui mais, là encore, c'est invérifiable. En 1993, après que les Tappacolas se sont prononcés contre le casino, Claudia McDover s'est découvert une passion pour la politique et s'est présentée pour être juge dans la cour de circuit. À l'époque, je n'étais pas au courant. J'étais avocat à Pensacola, débordé de boulot, et je ne savais même pas où se trouvait Sterling. J'avais entendu parler des Tappacolas et lu quelques articles sur le combat concernant la construction du casino, mais cela ne m'intéressait pas. La campagne de McDover a été bien financée, bien organisée et elle a battu son prédécesseur avec mille voix d'avance. Un mois après avoir obtenu son fauteuil, Son Razko a été tué et, comme je l'ai dit, c'est elle qui a présidé le procès de Junior Mace. On était en 1996 ; c'est à cette période que Dubose, avec sa bande, ses associés et ses sociétés offshore, rachetait à tour de bras des terrains tout autour de la réserve. Quelques autres spéculateurs s'étaient engouffrés dans la brèche quand ils avaient appris que les Tappacolas voulaient un casino, mais après le premier vote, ils avaient tous pris la poudre d'escampette. Vonn Dubose était ravi de racheter leurs parcelles. Il savait ce qui allait arriver et bientôt toute la réserve fut cernée par ses propriétés. Une fois Razko hors jeu, sorti du terrain de façon spectaculaire, les partisans du casino ont gagné la deuxième élection. Le reste est connu de tous.

Lacy pianota sur son portable et trouva une photo de la juge Claudia McDover, avec sa robe noire et son maillet à la main. Elle avait des cheveux bruns, coupés au bol, impeccables, des lunettes de marque qui dissimulaient son regard. Pas de sourire devant l'objectif, pas de trace d'humour ni de douceur. Une pose purement professionnelle. Avait-elle réellement participé à la condamnation injuste d'un homme qui se trouvait dans le couloir de la mort depuis quinze ans ? C'était difficile à croire.

— Et la corruption, elle est où ? s'enquit-elle.

— Partout ! Quand les Tappacolas ont posé les premières pierres du casino, Dubose a sorti aussi les pelles et les pioches. Il a commencé par un golf, appelé Rabbit Run, adjacent au domaine.

— On est passé à côté. Je pensais que cela faisait partie du Treasure Key.

— Non, mais du parcours on peut aller au casino en cinq minutes. Cela faisait partie de leur accord. Les

Tappacolas devaient lui laisser le golf. Les Indiens avaient les jeux et les attractions ; Dubose avait les greens et tout le reste. Il a débuté par un dix-huit trous, tous les fairways bordés de jolis appartements.

Myers fit glisser vers eux le dossier.

— Voici ma plainte, signée sous serment par Greg Myers. J'y prétends que Son Honneur Claudia McDover possède quatre appartements à Rabbit Run, courtoisie d'une société mystérieuse, la CFFX, domiciliée au Bélize.

— C'est Dubose qui est derrière ?

— Je n'en ai pas la preuve. Pas encore.

— Et les actes de propriété ? s'enquit Hugo.

Myers tapota le dossier.

— Tout est là. Il montre que la CFFX a cédé au moins vingt logements à des sociétés dans des paradis fiscaux. J'ai de bonnes raisons de croire que la juge McDover a des intérêts dans quatre d'entre elles, toutes appartenant officiellement à des tiers étrangers. On a affaire à des escrocs professionnels qui ont d'excellents avocats.

— Quelle est la valeur de ces appartements ? demanda Lacy.

— Aujourd'hui, environ un million l'unité. Rabbit Run a été une réussite, malgré la crise. Grâce au casino, Dubose a gagné plein d'argent et il aime les lotissements gardés avec des maisons en kit et des appartements de standing le long du parcours. Le dix-huit trous est devenu un trente-six, puis un cinquante-quatre. Il a des terrains plus grands encore.

— Et pourquoi a-t-il donné ces appartements au juge ?

— Peut-être parce qu'il a le cœur sur la main ? Cela faisait partie du deal du départ, j'imagine. Claudia McDover a vendu son âme au diable pour se faire élire et depuis on la paye pour ses services. La construction du casino et le développement du comté ont soulevé des tas de litiges juridiques – des contentieux fonciers, des revendications écologistes, des expropriations, des recours en justice de cultivateurs – et elle s'arrange pour être sur tous les coups. Ceux du côté de Dubose gagnent à chaque fois. Et ceux dans l'autre camp perdent. Elle est très futée, et peut défendre chacun de ses jugements avec une pile de jurisprudence haute comme le bras. Elle a rarement été déboutée en appel. En 2001, elle et Dubose ont eu un désaccord. Je ne sais pas trop à quel sujet. Mais cela a tourné au vinaigre. Il semblerait qu'elle ait voulu plus que des miettes de la manne que générait le casino. Dubose a refusé, considérant qu'elle avait été rémunérée comme il se devait. Et donc la juge McDover a fait fermer le casino.

— Comment elle s'y est prise ?

— Encore un haut fait ! Dès l'ouverture du casino, l'argent a coulé à flots et le comté s'est aperçu qu'il n'aurait rien. Aux États-Unis, les Indiens sont exemptés d'impôts sur les casinos. Les Tappacolas n'avaient aucune envie de partager le magot. Le comté s'est senti floué, d'autant plus qu'il avait financé une magnifique quatre-voies de dix kilomètres. Alors les autorités se sont empressées d'installer un péage sur la nouvelle route d'accès.

Hugo lâcha un rire.

— C'est vrai. On a dû payer cinq dollars à un kilomètre du casino pour avoir le droit de continuer à rouler !

— Et cela fonctionnait à merveille. Les Indiens étaient contents et le comté récoltait quelques billets. Donc, quand Dubose et McDover se sont crêpé le chignon, elle a demandé à un ami avocat de déposer une assignation en justice sous prétexte que la barrière de péage était surchargée et dangereuse. Il y avait bien eu quelques tôles froissées mais rien de grave. Cela ne tenait pas debout, mais McDover a fait aussitôt fermer la quatre-voies pour des raisons de sécurité publique. Le casino est resté ouvert parce que quelques clients parvenaient à venir par les petites routes de campagne, mais c'est comme s'ils avaient mis la clé sous la porte. Le bras de fer a duré six jours, McDover et Dubose attendant que l'autre cède. Finalement, ils se sont entendus et l'injonction a été levée et tout le monde est parti content. C'est un moment charnière dans l'histoire du casino et du vaste système de corruption. La juge McDover avait montré que c'était elle la patronne.

— Vous parlez de Dubose comme si tout le monde le connaissait, remarqua Hugo.

— C'est une ombre insaisissable. Je l'ai déjà dit. Il est à la tête d'une organisation, une petite entreprise où les cadres sont tous des membres de la famille, où tout le monde s'en met plein les poches. À un cousin, il demande de déclarer une société aux Bermudes et d'acheter quelques terrains, à un autre d'investir à la Barbade et d'acheter quelques appartements. Dubose se cache dans des châteaux forts offshore. Il n'a pas d'historique, ne laisse aucune trace.

— Qui s'occupe des questions juridiques ? s'enquit Lacy.

— Un petit cabinet à Biloxi, deux fiscalistes qui sont des petits génies de la dissimulation. Ils représentent la bande depuis des années.

— De toute évidence, McDover ne semble pas craindre Dubose, intervint Lacy.

— Il ne va pas éliminer un juge. Il n'est pas si bête. Mais je suis sûr qu'il y a pensé. Il a besoin d'elle. Elle a besoin de lui. Mettez-vous à sa place. Vous êtes un promoteur ambitieux qui fraude l'État de Floride, et vous possédez pratiquement un casino, ce qui est totalement illégal, vous avez donc besoin de protection. Avoir un juge respectable dans sa poche, c'est l'idéal.

— C'est du crime organisé à tous les étages. Cela tombe de fait sous la loi RICO, précisa Hugo.

— Oui, mais on n'y fera pas appel, c'est bien entendu, monsieur Hatch ? La loi RICO est une procédure fédérale. Et donc la chasse gardée du FBI. Je me fiche de ce qui peut arriver à Dubose. Ce que je veux, c'est coincer la juge McDover pour que mon client puisse toucher une petite fortune grâce au statut de lanceur d'alerte.

— Petite comment ? insista Lacy.

Myers termina sa bière et s'essuya la bouche du revers de la main.

— Je ne sais pas. Tout dépend de ce que vous trouverez.

Carlita sortit de la cabine.

— Le déjeuner est prêt, annonça-t-elle.

— Joignez-vous à nous, proposa Myers en se levant.

Lacy et Hugo échangèrent un regard. Ils étaient là depuis deux heures, affamés, sans savoir s'ils trouveraient un restaurant ouvert à cette heure, et pourtant ils hésitaient à manger sur ce bateau. Myers descendait déjà dans le carré.

— Venez donc !

Ils le suivirent. Dans la cabine, il y avait trois chaises installées autour d'une table de verre. Un climatiseur quelque part tournait à plein régime et il faisait agréablement frais. Une odeur de poisson grillé flottait dans l'air. Carlita s'activait aux fourneaux, ravie d'avoir des invités. Elle servit un plat de tacos au poisson, apporta une bouteille d'eau gazeuse et leur demanda s'ils voulaient du vin. Tout le monde déclina l'offre et elle disparut dans les profondeurs du bateau.

Myers ne toucha pas à son assiette et reprit son histoire.

— Ce n'est pas cette plainte que je voudrais déposer. Dans celle-là, je ne parle de corruption qu'au niveau des appartements que possède la juge à Rabbit Run. La véritable corruption, c'est ce qu'elle palpe tous les mois sur les revenus du casino. C'est ça que je cherche en réalité parce que ce sera une mine d'or pour mon client. Si je peux le prouver, je modifierai ma plainte. En attendant, il y a dans ce dossier suffisamment d'éléments pour l'assigner en justice, et sans doute la faire condamner.

— Vous mentionnez le nom de Dubose dans votre plainte ? demanda Lacy.

— Non. Je parle de ses sociétés comme des « organisations criminelles ».

— C'est original !

— Vous avez une meilleure idée, madame Stoltz ?

— On pourrait peut-être arrêter les monsieur et madame, intervint Hugo. Elle, c'est Lacy, vous Greg, et moi Hugo.

— Ça me va.

Chacun attaqua son plat. Tout en mangeant, Myers poursuivit son récit, quasiment la bouche pleine.

— Une question : vos statuts disent que vous avez quarante-cinq jours pour envoyer une copie de la plainte au juge. Vous profitez de ce laps de temps pour... comment vous appelez ça déjà ?

— L'évaluation.

— C'est ça. Et c'est ce qui m'inquiète. Je suis persuadé que ces gens se pensent intouchables, ils n'imaginent pas que quelqu'un puisse s'intéresser à leur petite affaire, à leurs magouilles, et quand McDover va découvrir le pot aux roses, cela va lui faire un choc. Elle va se précipiter sur son téléphone pour appeler Dubose, et à partir de ce moment, il pourra se passer plein de trucs. Elle va contre-attaquer pour diffamation, nier tout en bloc, et sans doute tenter de faire intervenir ses relations. De son côté Dubose va paniquer, serrer les rangs, voire chercher à intimider quelqu'un.

— Quelle est votre question ?

— Très bien. Combien de temps pouvez-vous attendre réellement avant de la mettre au courant ? Combien de temps vous pouvez faire traîner le dossier ? Il est crucial de faire le maximum d'investigations possible avant qu'elle se sache dans le collimateur.

Lacy et Hugo se regardèrent. La jeune femme haussa les épaules.

— Nous sommes des fonctionnaires et nous n'avons pas notre pareil pour faire traîner les dossiers. Toutefois, si la juge attaque comme vous le pressentez, ses avocats fouineront partout. Si nous ne suivons pas les règles à la lettre, ils feront annuler la plainte pour vice de procédure.

— Mieux vaut assurer le coup, confirma Hugo. Ne pas aller au-delà des quarante-cinq jours d'évaluation.

— C'est trop court.

— Impossible de faire mieux, confirma Lacy.

— Parlez-nous de votre client mystère, comment il sait tout ça ? demanda Hugo.

Myers but une gorgée d'eau et sourit.

— Encore une fois, vous supposez qu'il s'agit d'un homme.

— D'accord. C'est il ou elle ?

— Il y a trois maillons dans notre petite chaîne. Moi, le client ou la cliente, et l'intermédiaire qui fait la jonction entre les deux. L'intermédiaire et moi appelons notre client « la taupe ». Une taupe cela peut être masculin ou féminin, vieux ou jeune, noir, blanc ou marron, peu importe.

— La taupe ? répéta Lacy. On croirait un vieux film de série B.

— Vous avez un nom plus approprié ?

— Va pour la taupe. Et comment a-t-elle appris tout ça ?

Myers engloutit d'une bouchée une moitié de tacos et mâcha lentement. Le bateau roula doucement dans le sillage d'un navire passant au loin.

— La taupe est proche de McDover, répondit-il enfin, et Son Honneur lui fait confiance par principe.

Beaucoup trop confiance. Pour l'instant, je ne peux en dire plus.

Après un silence, Lacy demanda :

— J'ai une autre question : vous affirmez que ces gens, Dubose et sa bande, sont très futés et ont de bons avocats. À l'évidence McDover a aussi un expert pour blanchir tout cet argent sale. Comment s'appelle ce gars ?

— Phyllis Turban. C'est une avocate d'affaires à Mobile.

— Décidément, les filles sont du côté obscur dans cette histoire.

— Ce sont deux copines de fac, toutes deux divorcées sans enfants, et elles s'entendent comme cul et chemise. Elles sont même si proches qu'elles ne sont peut-être pas seulement amies.

Les deux agents du BJC déglutirent en silence, assimilant la nourriture et ce sous-entendu.

— Pour résumer : notre cible, la juge Claudia McDover, touche des pots-de-vin de la mafia, pique dans la caisse des Indiens, et blanchit l'argent avec l'aide d'une très très bonne amie de faculté qui se trouve être avocate d'affaires.

Myers esquissa un nouveau sourire.

— C'est en gros l'idée. Il me faut une bière. Ça tente quelqu'un ? Carlita !

* * *

Les deux enquêteurs saluèrent Myers sur le ponton, en se promettant de rester en contact. Myers avait laissé entendre qu'il allait disparaître à nouveau, trouver une cachette plus reculée encore, maintenant que la plainte allait être déposée et causer son petit tsunami. Lacy et Hugo ne voyaient pas comment McDover et Dubose pourraient identifier Greg Myers. Il s'appelait autrefois Ramsey Mix et leurs chemins ne s'étaient jamais croisés – encore un autre trou dans la trame de l'histoire. Cela en faisait bien trop à leur goût.

5

Ils passèrent la journée du lendemain au bureau à tenter d'élaborer une stratégie avec Geismar. Maintenant que la plainte était officielle, le temps pressait. D'ici peu Lacy et Hugo devraient se rendre dans la petite ville de Sterling et remettre une copie du document à Son Honneur Claudia McDover. Il faudrait alors en savoir le plus possible.

Mais d'abord, un autre voyage : le couloir de la mort. Hugo l'avait visité une fois, lors d'une sortie en faculté de droit. Lacy avait entendu parler de la prison de Starke durant toute sa carrière mais n'avait jamais trouvé de prétexte pour y mettre les pieds. Ils partirent tôt pour éviter les bouchons autour de Tallahassee. Quand ils rejoignirent la circulation plus fluide sur l'Interstate 10, Hugo dormait. Le pénitencier se trouvait à deux heures et demie de route. Lacy n'avait certes pas passé la nuit à marcher de long en large dans un couloir avec un bébé en pleurs dans les bras, mais elle n'avait pas beaucoup dormi non plus. Elle et Hugo, comme Michael Geismar, avaient un mauvais pressentiment : cette affaire sentait mauvais et ce n'était pas à eux de s'en charger. Si Greg Myers disait vrai, le comté de Brunswick était depuis longtemps un nid de frelons. C'était à d'autres agents de l'État, ayant d'autres ressources, d'intervenir. Ils n'étaient que des avocats, pas des flics. Et ils n'avaient pas besoin de porter des armes. Leurs cibles étaient des juges corrompus, pas des syndicats du crime organisé.

Ces pensées l'avaient longtemps tenue éveillée. Quand elle se surprit à bâiller, elle s'arrêta au drive d'un fast-food pour commander un café.

— Réveille-toi ! lança-t-elle à son partenaire. Il nous reste encore une heure et demie de route et je pique aussi du nez.

— Pardon, répondit Hugo en se frottant les yeux.

Ils avalèrent leur café et pendant qu'elle conduisait, Hugo lui résuma une note de Sadelle.

— D'après notre chère collègue, entre 2000 et 2009, il y a eu dix procès au comté de Brunswick impliquant la Nylan Title, une société basée aux Bahamas représentée par un avocat de Biloxi. Dans chaque affaire, les parties exigeaient de savoir qui étaient les véritables propriétaires de la Nylan Title, et chaque fois la juge, notre amie Claudia McDover, a rejeté leur demande. Une société domiciliée à l'étranger est régie par les lois dudit pays, et les Bahamas ont un sens poussé de la confidentialité concernant les entreprises implantées sur leur sol. C'est de la dissimulation manifeste mais c'est légal. Bref, la Nylan Title doit avoir de bons conseillers parce qu'elle n'a jamais été condamnée, du moins pas dans le tribunal de McDover. Un score parfait : dix à zéro.

— Quel genre d'affaires ?

— Des conflits cadastraux, des contrats non respectés, des demandes de dédommagement suite à la dépréciation de biens fonciers, il y a même eu un recours collectif d'un groupe de propriétaires d'appartements se plaignant de malfaçons. Le comté, de son côté, a poursuivi la Nylan pour avoir déclaré des terrains bien en dessous de leur valeur et pour des taxes impayées.

— Et qui s'est montré au procès pour défendre la Nylan ?

— À chaque fois le même avocat de Biloxi. C'est le porte-parole de la société et il semble bien connaître les dossiers. Si Vonn Dubose est effectivement derrière la Nylan, il est bien caché. Comme le dit Myers : des « châteaux forts offshore ». J'aime bien son expression.

— Monsieur a le goût des métaphores !

Hugo but une gorgée de café et rangea la feuille.

— Ça va, Lacy, je ne lui fais pas plus confiance que toi.

— Ce n'est pas un enfant de chœur, c'est le moins que l'on puisse dire.

— Mais il faut reconnaître que, pour l'instant, tout ce qu'il a dit est vrai. S'il se sert de nous, je ne vois pas dans quel but.

— C'est bien la question que je me suis posée à 3 heures du matin. Nous devons prouver que la juge a les deux mains dans le pot. Point barre. Si on y parvient, la taupe touche le jackpot et Myers sa com. À quoi ça lui sert de faire tomber Dubose ?

— À rien, à moins bien sûr que Dubose entraîne tout le monde dans sa chute.

— Il nous manipule, Hugo. C'est évident. Il dépose une plainte, accusant McDover de pratiques contraires à l'éthique, voire de corruption caractérisée. Et nous sommes obligés d'enquêter. Quiconque lance une procédure contre un juge se sert de nous pour découvrir la vérité. C'est l'essence même de notre boulot.

— Certes, mais il y a quelque chose de pas clair chez ce type.

— J'ai le même sentiment. J'aime bien le plan de Michael. On creuse un peu, en surface, on fait apparaître les grandes lignes, à qui appartiennent les appartements, notre boulot quoi, mais avec prudence, et si on tombe sur du gros poisson, on file au FBI. Myers ne pourra pas nous en empêcher.

— C'est vrai, mais il peut disparaître et ne plus jamais donner signe de vie. S'il a la preuve de magouilles au casino, on n'en verra jamais la couleur si le FBI rapplique avec ses gros sabots.

— Quoi d'autre ? Qu'est-ce que Sadelle nous a trouvé pour égayer notre voyage ?

Hugo sortit une nouvelle feuille.

— Des recherches sur McDover. Ses élections, ses campagnes, ses rivaux, ce genre de chose. Puisque les élections sont indépendantes, nous ne savons rien de ses inclinations politiques. Pas de soutien connu à d'autres candidats. Pas de plaintes déposées chez nous. Ni au barreau. Pas de poursuites pour escroquerie ou non-respect du code déontologique. Depuis 1998, c'est la magistrate la mieux notée de Floride. Elle écrit beaucoup. La liste de ses publications dans les journaux spécialisés est impressionnante. Elle enseigne aussi à ses heures perdues. Des séminaires, des conférences. Elle a même donné, pendant trois ans, des cours de procédure pénale à l'université de Floride. Un beau CV. Bien plus brillant que celui des autres juges de circuit. Côté patrimoine, pas grand-chose. Une maison dans le centre de Sterling, estimée à deux cent trente mille dollars, datant de soixante-dix ans, avec un emprunt de cent dix mille. L'acte de propriété est à son nom, McDover, qui se trouve être son nom de jeune fille. Elle l'a récupéré après le divorce. Célibataire depuis 1998, pas d'enfants, pas de remariage. Ne participe pas beaucoup à la vie sociale : ni église, ni club de bienfaisance, ni association d'anciens élèves, ni parti politique. Rien. Elle a fait son droit à Stetson, où elle est sortie major de sa promo. Premier cycle universitaire à Jacksonville. Il y a des trucs sur son divorce avec son docteur de mari, mais rien d'intéressant pour nous.

Lacy écoutait tout en savourant son café.

— Si Myers dit vrai, elle pique dans la caisse du casino. Cela paraît difficile à croire, non ? C'est une juge de la cour de circuit très appréciée, systématiquement réélue.

— Certes. On a vu des magistrats faire des trucs bizarres, mais là, c'est carrément du grand n'importe quoi.

— Tu as une explication ? Pourquoi faire une chose pareille ?

— C'est toi la célibataire avec une belle carrière. Tu es mieux placée que moi pour répondre.

— Je donne ma langue au chat. Autre chose ?

Hugo fouilla dans sa serviette et sortit un nouveau document.

En pénétrant dans le comté de Bradford, une zone rurale, une succession de panneaux leur annonça qu'il y avait des prisons et des centres de détention droit devant. À l'approche de Starke, une petite bourgade de cinq mille âmes, ils tournèrent à droite et suivirent les flèches vers la Florida State Prison, qui accueillait quinze mille détenus, dont quatre cents condamnés à mort.

Seule la Californie avait plus de gens dans le couloir de la mort. Avec ses trois cent trente condamnés à la peine capitale, le Texas arrivait juste derrière, mais uniquement parce que cet État avait un taux de renouvellement optimal et n'en avait jamais plus en attente. La Californie, qui était moins pressée d'exécuter ses condamnés, en avait six cent cinquante. La Floride rêvait d'imiter le grand frère texan, mais le système des appels grippait la machine. L'année passée, en 2010, un seul homme avait eu droit à son injection à Starke.

Ils se garèrent sur un parking bondé et se dirigèrent vers un bâtiment administratif. Parce que le BJC était affilié au ministère public, on leur facilita l'accès. Ils passèrent rapidement les points de contrôle et furent escortés par un garde qui pouvait se faire ouvrir toutes les portes. Au bâtiment Q, qui abritait le couloir de la mort de Floride, ils franchirent un nouveau poste et furent conduits dans un espace tout en longueur. Un panneau sur la porte indiquait « salle des avocats ». Le surveillant ouvrit une autre porte qui donnait dans une petite pièce coupée en deux par une paroi de Plexiglas.

— C'est votre première fois ? s'enquit le gardien.

— Oui, répondit Lacy.

— Moi, je suis déjà venu avec mes profs de fac, précisa Hugo.

— Jolie sortie. Vous avez le consentement ?

— Bien sûr, répliqua Hugo en posant sa serviette sur la table.

Il l'ouvrit. Junior Mace était défendu par un avocat d'un gros cabinet de Washington. Pour pouvoir rencontrer le détenu, Lacy et Hugo avaient dû s'engager à ne pas parler de son affaire en cours, en particulier de son recours en habeas corpus. Hugo sortit un papier. Le gardien prit le temps de le lire *in extenso*. Il hocha la tête et le lui rendit.

— Mace est un drôle de type, c'est moi qui vous le dis.

Lacy détourna la tête pour ne pas avoir à répondre. Pendant son insomnie la veille, alors que les pensées et les inquiétudes se bousculaient dans sa tête, elle avait lu quelques articles sur cette antichambre de la mort. Les prisonniers y étaient à l'isolement, seuls, vingt-trois heures sur vingt-quatre. L'ultime heure restante était pour la « sortie », l'occasion de se dégourdir les jambes sur un carré de pelouse et de voir le soleil. Chaque cellule mesurait deux mètres sur trois. Les lits de quatre-vingt-dix touchaient presque la cuvette des toilettes. Il n'y avait pas d'air conditionné, pas de codétenu, pratiquement aucun contact humain hormis le passage des matons pour apporter les repas.

Peut-être Mace était-il déjà un type bizarre à son arrivée. Mais après quinze ans ici, il avait toutes les raisons de l'être. L'isolement conduisait à la privation sensorielle et à toutes sortes de pathologies mentales. Les experts commençaient à s'en apercevoir, et on parlait de plus en plus d'en finir avec ce système de confinement du condamné. Le vent de la réforme, toutefois, n'avait pas encore atteint les côtes de Floride.

Une porte de l'autre côté s'ouvrit. Un surveillant entra, suivi de Junior Mace, menottes aux poings, affublé d'un pantalon bleu et d'un tee-shirt orange, la tenue des condamnés à mort. Un deuxième garde fermait la marche. Ils lui ôtèrent ses liens et quittèrent la pièce.

Junior Mace avança de deux pas et s'installa à la table. Derrière la vitre en Plexiglas, Hugo et Lacy s'assirent à leur tour et un ange passa.

Il avait cinquante-deux ans, les cheveux longs et gris, retenus par une queue-de-cheval. Il avait la peau sombre, et toutes ces années passées à l'ombre ne l'avaient pas éclaircie. Ses yeux étaient sombres aussi, immenses et tristes. Il était grand, mince, avec des biceps bien ronds – résultats sans doute de séries quotidiennes de pompes. D'après son dossier, sa femme, Eileen, avait trente-deux ans quand elle avait été tuée. Ils avaient trois enfants, élevés par des proches après son arrestation.

Lacy décrocha l'un des deux téléphones de son côté de la vitre.

— Merci d'avoir accepté de nous voir, articula-t-elle.

Il avait pris son téléphone. Il haussa les épaules, ne dit rien.

— Je ne sais pas si vous avez eu notre lettre… nous travaillons pour l'inspection judiciaire, le BJC, et nous enquêtons sur la juge Claudia McDover.

— Je l'ai eue, répondit-il. Et je suis là. J'ai accepté le rendez-vous.

Il s'exprimait lentement, comme s'il pesait chaque mot avant de les prononcer.

— Nous n'avons pas le droit de parler de votre affaire, précisa Hugo. Nous ne pouvons vous aider en ce domaine. Mais vous avez de bons avocats à Washington.

— C'est vrai que je suis encore en vie. Faut croire qu'ils font leur boulot là-bas. Qu'est-ce que vous voulez ?

— Des informations, répliqua Lacy. Il nous faut des noms, les noms de ceux qui peuvent parler. Des Tappacolas du bon côté, comme vous. C'est un autre monde pour nous. On ne peut débarquer comme ça et commencer à poser des questions.

Il plissa les yeux, sa bouche s'affaissa, comme un sourire mais à l'envers. Il les regarda en hochant la tête.

— Ma femme et Son Razko ont été assassinés en 1995. J'ai été condamné en 1996 et ils m'ont emmené, attaché à l'arrière d'un fourgon. Et c'était avant que le casino soit construit. Alors je ne vois pas comment je peux vous aider. Ils ont été obligés de nous éliminer, Son et moi, avant de pouvoir poser la première pierre. Ils ont assassiné Son, avec ma femme, et se sont débrouillés pour que ça me retombe dessus.

— Vous savez qui a fait ça ? s'enquit Hugo.

Cette fois, il y eut un sourire à l'endroit, mais toujours aucune lueur de joie dans ses yeux.

Lentement, il articula :

— Monsieur Hatch, cela fait seize années que je répète encore et encore que je ne sais pas qui a tué ma femme et Son Razko. Il y a des gens qui tirent les ficelles, des gens en coulisses qu'on ne voit pas. Notre chef à l'époque était un homme bon qui s'est laissé corrompre. Ces gens de l'extérieur l'ont eu, je ne sais pas comment, mais je suis certain qu'il y avait de l'argent derrière tout ça, et il est devenu convaincu que le casino était la bonne solution. Son et moi, on ne s'est pas laissé faire. Résultat : Son est mort. Moi, je suis ici. Et le fric coule à flots depuis dix ans.

— Vonn Dubose, ce nom vous dit quelque chose ? demanda Lacy.

Il marqua une pause, comme s'il réprimait un frisson. Il était évident que la réponse était oui. Alors, quand il dit non, les deux enquêteurs griffonnèrent une note dans leur carnet. Cela ferait un point intéressant à discuter pendant le trajet retour.

— Je vous rappelle que je suis hors jeu. Depuis longtemps. Quinze ans. La solitude ça vous mange l'âme, et le cerveau. J'ai beaucoup perdu. Je ne me souviens plus de tout.

— Mais vous n'auriez pas oublié Vonn Dubose si vous le connaissiez, insista Lacy.

Junior serra les dents et secoua la tête.

— Je ne le connais pas.

Hugo prit la relève :

— Je suppose que vous n'avez pas une haute opinion de la juge McDover ?

— C'est rien de le dire. Une parodie de procès. Elle s'est débrouillée pour qu'un innocent soit condamné. Et elle cachait des choses. Il était évident qu'elle en savait plus que ce qu'elle voulait bien dire. Un vrai cauchemar, monsieur Hatch. D'abord on m'apprend que ma femme et Son sont morts, puis il y a le choc d'être accusé, d'être arrêté et jeté en prison. Mais le plan était au point. Partout où je regardais, il n'y avait que des ennemis. Personne vers qui me tourner. Les flics, les procs, la juge, les témoins, les jurés… j'ai été écrasé, broyé par une locomotive lancée à plein régime. Comme un rien, je me suis retrouvé enfermé, jugé, condamné.

— Qu'est-ce que la juge cachait ? insista Lacy.

— La vérité. Elle savait qui avait tué Son et Eileen.

— Combien de gens connaissent la vérité ? demanda Hugo.

Junior posa le téléphone sur la table, se frotta les yeux comme s'il n'avait pas dormi depuis des jours. Il passa lentement la main dans ses cheveux, du front jusqu'au bout de sa queue-de-cheval. Enfin, il reprit le téléphone.

— Pas beaucoup. La plupart des gens me considèrent comme un assassin. Ils croient à cette histoire. Et ça se comprend. J'ai été condamné par un tribunal et je suis ici, à moisir en prison en attendant ma piquouse. Et je l'aurai un jour. On ramènera mon corps au comté pour l'enterrer quelque part. Et ça me collera à la peau, pour toujours : Junior Mace a découvert sa femme au lit avec un homme et les a tués tous les deux sur un coup de folie. Cela tient debout, non ?

Les deux agents restèrent silencieux. Lacy et Hugo consignèrent quelques notes, en réfléchissant à leur prochaine question. Mace reprit la parole :

— Juste pour info, c'est une visite d'avocats et il n'y a pas de temps limite. Vous n'êtes peut-être pas pressés. Moi non plus. J'ai tout mon temps. Il fait quarante degrés dans ma cellule en ce moment. Pas de clim, pas d'air. Juste mon petit ventilo qui ne fait que brasser la chaleur. Cela me fait une pause bien agréable. Revenez quand vous voulez.

— Je vous remercie, répondit Hugo. Vous avez beaucoup de visites ?

— Pas autant que je le voudrais. Mes gosses passent de temps en temps, mais ce sont toujours des moments éprouvants. Pendant des années, je leur interdisais de venir me voir et ils ont grandi si vite. Ils sont mariés aujourd'hui. Je suis même grand-père, mais je n'ai jamais vu les petits. Juste des photos. Il y en a partout sur mes murs. Vous imaginez ça ? Quatre petits-enfants et je ne pourrai jamais les prendre dans mes bras.

— Qui a élevé vos garçons ? s'enquit Lacy.

— Ma mère. Jusqu'à sa mort. Puis mon frère Wilton et sa femme ont pris le relais. Ils ont fait le gros du boulot. Ils ont fait au mieux. Mais c'était vraiment compliqué. Vous êtes gosse et votre mère s'est fait tuer. Tout le monde dit que c'est votre père et il se retrouve en prison, condamné à mort.

— Vos enfants vous croient coupables ?

— Non. Wilton et ma mère leur ont expliqué ce qui s'était passé.

— Wilton accepterait de nous parler ? demanda Hugo.

— Je n'en sais rien. Essayez toujours. Je ne suis pas sûr qu'il ait très envie de se mouiller. La vie est plutôt agréable pour mon peuple aujourd'hui. Faut bien le reconnaître. En tout cas, bien meilleure qu'avant. À bien y regarder, je ne suis pas sûr que Son et moi étions dans le bon camp. Le casino a apporté des emplois, des écoles, des routes, un hôpital, et un niveau de vie inespéré pour la tribu. Quand un Tappacola atteint dix-huit ans, il ou elle a droit à une pension à vie de cinq mille dollars par mois, et encore, c'est un minimum. Ils appellent ça les dividendes. Même moi, ici dans le couloir de la mort, je touche mes dividendes. Je les aurais bien mis de côté pour mes gosses, mais ils n'en ont pas besoin. Alors je donne le fric à mes avocats à Washington, c'est le moins que je puisse faire. Quand ils ont accepté de me défendre, le système des dividendes n'existait pas, et ils n'espéraient pas gagner de l'argent. Tous les Tappacolas ont les soins gratuits, l'école gratuite, et s'ils veulent poursuivre leurs études, les frais sont payés. Nous avons notre propre banque, avec des prêts à taux bas pour les maisons, les voitures. Comme je le dis, la vie est bien plus douce qu'avant. C'est le bon côté des choses. Le revers de la médaille, c'est qu'on a un problème de motivation, en particulier chez les jeunes. Pourquoi aller à l'université, se former à un métier quand on a des revenus à vie ? Pourquoi même travailler ? Le casino emploie environ la moitié des adultes de la tribu, et c'est une cause sans cesse de friction. Qui a la planque, qui ne l'a pas. C'est là qu'entrent les luttes d'influence et la politique. Malgré tout, mon peuple se dit que c'était le bon choix. Pourquoi ruer dans les brancards ? Pourquoi se soucier de mon sort ? Je doute que Wilton accepte de vous aider à coincer une juge corrompue sachant que tout le monde y laisserait des plumes.

— Vous savez ce qui se passe en sous-main au casino ? demanda Lacy.

Mace posa à nouveau le téléphone et se passa encore une fois les mains dans les cheveux, comme si cette question lui posait un dilemme. Il hésitait. Non à dire la vérité, mais quelle échappatoire choisir. Il reprit finalement le combiné :

— Comme je l'ai dit, le casino a ouvert plusieurs années après mon incarcération. Je n'y ai jamais mis les pieds.

— Allons, monsieur Mace, intervint Hugo. Vous dites vous-même que c'est une toute petite tribu. Un grand casino pour un tout petit nombre de personnes. Garder un secret doit être mission impossible. Vous connaissez les rumeurs.

— Lesquelles ?

— On dit qu'une part de la recette sort par la porte de derrière. Selon les estimations, le Treasure Key rapporte cinq cents millions de dollars, dont quatre-vingt-dix pour cent en liquide. D'après notre source, des mafieux sont en cheville avec les responsables indiens et se sucrent un max. Vous n'en avez jamais entendu parler ?

— Peut-être, mais cela ne veut pas dire que je sais quelque chose.

— Qui sait alors ? Qui peut nous aider ? insista Lacy.

— Vous avez une bonne source sinon vous ne seriez pas ici. Retournez donc la voir.

Lacy et Hugo échangèrent un regard, chacun se représentant Myers sur son bateau, en croisière aux Bahamas, une bière fraîche à la main, et Jimmy Buffett sur la chaîne stéréo.

— Plus tard, peut-être, répondit Hugo. Pour l'instant, il nous faut quelqu'un dans les murs, quelqu'un qui connaît le casino.

Mace secoua la tête.

— Wilton est mon seul contact et il n'est pas très loquace. J'ignore ce qu'il sait au juste. Faut dire que je suis un peu coupé du monde ici.

— Vous voulez bien l'appeler et lui demander de nous parler ? proposa Lacy.

— Et qu'est-ce que j'y gagne ? Je ne vous connais pas. Je ne sais pas si je peux vous faire confiance. Je pense que vos intentions sont louables, mais si vous donnez un coup de pied dans la fourmilière, la situation risque de devenir incontrôlable. J'hésite. Il me faut du temps pour y réfléchir.

— Où habite Wilton ? s'informa Hugo.

— Pas très loin du casino. Il a essayé d'avoir une place là-bas, mais ils l'ont jeté. Personne de ma famille ne travaille au casino. Ils n'en embaucheront jamais aucun. C'est politique.

— Il y a donc de la rancœur ?

— Oh oui ! Beaucoup. Ceux qui n'ont pas voulu du casino sont sur liste noire et ne peuvent pas travailler là-bas. Ils ont leurs chèques, mais pas les emplois.

— Et comment le prennent-ils ? demanda Lacy.

— Comme je l'ai dit, la plupart pensent que j'ai tué Son, leur leader, alors ils n'ont pas beaucoup d'empathie. Quant à ceux qui soutenaient le casino, ils me détestent depuis le début. Autant dire que je n'ai pas tellement de fans parmi les miens. Et ma famille en paye le prix.

— Si on révèle les manigances de McDover, qu'on apporte les preuves patentes de corruption, intervint Hugo, cela pourrait aider votre affaire.

Mace se leva et s'étira, comme si tout son corps était douloureux. Il fit quelques pas vers la porte, puis revint à la table. Il s'étira encore, fit craquer les jointures de ses doigts, se rassit et reprit le téléphone.

— Je ne vois pas comment. Le procès est terminé depuis longtemps. L'attitude de McDover a été contestée en appel, et par de bons avocats. Ils pensent qu'elle a commis plusieurs erreurs, qu'on devrait avoir droit à un autre procès. Mais les cours d'appel ont refusé de la déjuger. Pas à l'unanimité. Certains ont critiqué ses décisions avec vigueur. Mais la loi de la majorité s'applique et donc je suis encore là. Les deux mouchards dont le témoignage a permis d'obtenir ma condamnation ont disparu depuis des années. Vous étiez au courant ?

— J'ai lu ça, répondit Lacy.

— Les deux quasiment au même moment.

— Une idée ?

— Il y a deux théories. L'une, la plus plausible, c'est qu'ils ont été éliminés peu après le verdict. C'étaient des criminels endurcis, de vrais serpents qui ont joué la comédie au procès et ont convaincu le jury que je m'étais vanté, en prison, d'avoir commis les meurtres. Le problème avec les mouchards, c'est qu'ils se rétractent souvent, alors je penche pour la première thèse : les véritables assassins ont tué les balances avant qu'ils ne changent de version.

— Et la seconde théorie ? lança Hugo.

— C'est qu'ils ont été éliminés par mon propre peuple. J'en doute, mais ce n'est pas complètement inconcevable. L'émoi était grand. Cela reste du domaine du possible. Bref, les deux mouchards sont hors jeu, on ne les a plus vus depuis des années. J'espère qu'ils sont morts. C'est à cause d'eux que je suis ici.

Lacy mit le holà :

— Nous ne sommes pas censés parler de votre affaire.

— Je n'ai que ça à raconter. Et qu'est-ce que ça peut faire ? N'importe qui a accès au dossier aujourd'hui.

— Cela fait déjà quatre morts, remarqua Hugo.

— Au moins.

— Il y en a d'autres ? demanda Lacy.

Il hochait lentement la tête. Un tic peut-être. Comment savoir ?

Finalement, il déclara :

— Tout dépend jusqu'où on creuse.

6

Le premier palais de justice du comté de Brunswick, construit avec les deniers des contribuables, avait brûlé du sol au plafond. Le second avait été arraché de terre. Après l'ouragan de 1970, les autorités, échaudées, optèrent pour une construction de brique, de ciment et d'acier. Le résultat était hideux. Un cube de style soviétique sur trois niveaux, quelques fenêtres et un toit de métal qui se mit à fuir dès le premier jour. À l'époque, le comté, à mi-chemin entre Pensacola et Tallahassee, était peu peuplé, et offrait de grandes plages libres et offertes. Au recensement de 1970, il y avait huit mille cent Blancs, mille cinq cent soixante-dix Noirs et quatre cent onze Indiens. Quelques années après la construction du « Nouveau palais » comme on l'appelait, la côte au nord-ouest de la Floride s'éveilla de sa torpeur à mesure que les promoteurs construisaient à tour de bras immeubles et hôtels. Avec ses kilomètres de plages sauvages, « l'Emerald Coast » devint un haut lieu du tourisme. La population augmenta et en 1984 le comté fut contraint d'agrandir son tribunal. Le conseil, voulant paraître novateur, fit édifier une annexe à la forme phallique, mais le résultat ressemblait davantage à une excroissance maligne. Les locaux, d'ailleurs, la baptisèrent la Tumeur, et non l'Annexe comme le voulait la nomenclature officielle. Douze années plus tard, alors que la population continuait de croître, le comté lui ajouta sa petite sœur, sur l'autre aile du Nouveau palais, et se déclara fin prêt à juger toutes les affaires.

Le siège du comté était Sterling. Brunswick et deux autres comtés formaient le vingt-quatrième district judiciaire de Floride. Claudia McDover était la seule des deux juges de circuit à siéger à Sterling. Autrement dit, le Nouveau palais était son fief. Elle avait l'ancienneté, l'autorité, et tous les employés du tribunal faisaient profil bas en sa présence. Son bureau spacieux se trouvait au deuxième étage où elle avait une jolie vue et de la lumière, malgré le petit nombre de fenêtres. Elle détestait ce bâtiment ; elle aurait aimé le raser et tout recommencer à zéro. Mais elle n'aurait sans doute jamais ce pouvoir.

Après une journée tranquille à son bureau, elle annonça à sa secrétaire qu'elle s'en irait à 16 heures, ce qui était plus tôt que ses habitudes. L'employée, une personne timide de nature qui savait où était sa place, nota l'information sans poser de questions. Personne ne s'avisait de demander à Claudia McDover de justifier ses décisions.

La juge quitta Sterling dans sa Lexus dernier cri et mit cap au sud. Vingt minutes plus tard, elle passait les grandes portes du Treasure Key, « son casino » comme elle le considérait en secret. Il n'existait que par sa seule bénédiction. Elle avait le pouvoir de le fermer. Mais pourquoi ferait-elle ça ?

Elle emprunta l'allée circulaire qui longeait le domaine, et eut un sourire de satisfaction, comme de coutume, en contemplant les parkings bondés, le ballet des navettes emportant ses cargaisons de joueurs de leurs chambres d'hôtel aux tables, les enseignes multi-colores des salles de spectacle où se produisaient crooners sur le retour et cirques locaux. Tout cela la mettait en joie parce que cela signifiait que les Indiens gagnaient de l'argent. Les gens avaient du travail. Ils s'amusaient. Les familles étaient en vacances. Le Treasure Key était le paradis sur terre, et le fait qu'elle ne ponctionnait qu'une infime partie de ses richesses ne la frustrait en rien.

Aujourd'hui, Claudia McDover ne se plaignait pas. Après dix-sept ans d'exercice, sa réputation de juge n'était plus à faire, sa position était solide, son classement au top. Après onze années de « redistribution » de la manne du casino, elle était une femme très riche, sa fortune dissimulée aux quatre coins de la planète, et chaque mois, elle grandissait encore. Et même si elle faisait des affaires avec des gens qu'elle n'appréciait pas, leurs manigances étaient hors d'atteinte du monde extérieur. Pas de traces, pas de preuves. Finalement, elle avait fait le bon choix.

Elle franchit le portail et s'engagea dans le complexe de Rabbit Run. Elle possédait là quatre appartements, du moins par l'intermédiaire de sociétés écrans. Elle en avait gardé un pour sa jouissance personnelle. Les trois autres étaient en location via son avocat. Son appartement se trouvait en bordure du quatrième trou du golf, un duplex protégé comme une forteresse, avec vitres et porte blindées. « En cas d'ouragans », avait-elle déclaré des années plus tôt, pour justifier les travaux. À l'intérieur, il y avait une petite pièce de trois mètres sur trois, avec des murs de béton, à l'épreuve du feu et des voleurs. Dans cette chambre forte, elle y gardait ses trésors : argent liquide, or, bijoux, ainsi que d'autres biens difficilement transportables, tels que deux lithographies de Picasso, une urne funéraire égyptienne datant de quatre mille ans, un service en porcelaine d'une dynastie chinoise, des éditions rares du XIXᵉ siècle. La porte était cachée derrière une bibliothèque coulissante ; personne ne soupçonnait son existence. Parfois, elle avait un invité ; elle l'accueillait alors dans le patio, mais l'appartement, ce n'était ni pour boire un verre avec des amis, ni pour y vivre.

Elle ouvrit les rideaux et contempla le parcours verdoyant. On était en août, avec les grandes chaleurs, l'air était lourd et moite, les greens étaient déserts. Elle mit de l'eau dans la bouilloire et la plaça sur le fourneau. Pendant que l'eau chauffait, elle passa deux coups de téléphone, à deux avocats dont elle allait bientôt juger les affaires.

À 17 heures tapantes, son invité arriva. Ils se retrouvaient tous les premiers mercredis du mois. De temps en temps, quand il était à l'étranger, ils changeaient la date de leur rendez-vous, mais c'était assez rare. Ils se voyaient uniquement en tête à tête, dans son appartement, où il n'y avait ni oreilles indiscrètes ni micros cachés, ni surveillance d'aucune sorte. Ils ne se téléphonaient qu'une ou deux fois par an. Ils optaient toujours pour les méthodes les plus simples, à la furtivité éprouvée. Ils étaient en sécurité – c'était le cas depuis le début – mais ils préféraient ne prendre aucun risque.

Claudia buvait son thé, Vonn sa vodka avec glaçons. Il était venu avec sa sacoche marron, qu'il avait déposée sur le canapé, comme de coutume. À l'intérieur, vingt-cinq liasses de billets de cent, retenues chacune par un élastique, pour une valeur de dix mille dollars l'unité. Leur commission s'élevait à cinq cent mille dollars par an, qu'ils se partageaient à parts égales – du moins à sa connaissance. Depuis des années, Claudia se demandait quel pourcentage Vonn prélevait en réalité aux Indiens. Mais elle n'avait aucun moyen de le savoir, puisque c'était lui qui se chargeait de sortir l'argent. Avec le temps, toutefois, elle avait appris à se contenter de ce qu'elle avait. Elle n'avait pas à se plaindre.

Elle ignorait les détails. Quels étaient les bénéfices exactement ? Quelle proportion de cette manne n'était pas déclarée, combien d'argent disparaissait ainsi sans laisser de traces ? Qui gérait la comptabilité, qui maquillait les comptes pour que ces sorties soient invisibles ? Qui, dans l'enceinte du casino, récupérait physiquement le magot et le mettait de côté pour Vonn ? Où se passait la livraison ? Qui faisait le coursier ? Combien de personnes intra-muros étaient-elles de mèche ? Elle ne savait rien de tout ça. Pas plus qu'elle ne savait ce que Dubose faisait de son argent une fois sorti du casino. Jamais ils n'abordaient ces sujets.

Elle ignorait tout de sa bande, ce qui était très bien comme ça. Elle ne traitait qu'avec Vonn Dubose, et parfois avec Hank, son fidèle assistant. Vonn l'avait découverte dix-huit ans plus tôt, quand elle dépérissait dans une petite ville, une petite avocate ayant du mal à boucler ses fins de mois et qui rêvait de prendre sa revanche sur son ex-mari. Dubose avait un grand projet, une opération immobilière qui serait alimentée par un casino sur une terre indienne, mais un vieux juge lui barrait la route. Débarrassez-nous de cet empêcheur de tourner en rond, et au passage d'un ou deux trouble-fête, et il pourrait lancer ses bulldozers. Dubose lui offrit de financer sa campagne et faire tout son possible pour qu'elle soit élue.

C'était presque un septuagénaire, mais il faisait à peine soixante ans. Avec son bronzage permanent, ses chemises de golf flashy, il passait pour un de ces retraités qui se la coulaient douce sous le soleil de Floride. Il avait essuyé deux divorces et était célibataire depuis longtemps. Quand Claudia fut élue juge, il tenta une approche, mais elle n'était pas intéressée. Il avait quinze ans de plus qu'elle, ce qui n'était pas rédhibitoire en soi, mais il n'y avait pas la petite étincelle. En outre, depuis l'âge de trente-neuf ans, elle avait finalement accepté qu'elle préférait les femmes aux hommes. Et elle le trouvait rasoir, pour tout dire. Il n'avait aucune culture, ne s'intéressait à rien sinon à la pêche, au golf, et à la construction d'un nouveau centre commercial ou d'un dix-huit trous. Et son côté sombre l'effrayait.

Avec le temps, entre les rumeurs, les détails qui clochaient, et les cours d'appel qui levaient des lièvres, Claudia avait commencé à se poser des questions. Junior Mace avait-il réellement tué sa femme et Son Razko ? Avant le procès, et durant les débats, elle était convaincue de sa culpabilité, et voulait rendre le verdict le plus juste pour les électeurs qui venaient de la nommer à ce fauteuil. Mais avec le recul et l'expérience, elle avait maintenant de sérieux doutes. Le procès datait. Sa mission était terminée depuis longtemps et elle ne pouvait plus faire grand-chose pour réparer son erreur. Et pourquoi se lancerait-elle dans cette croisade ? Son Razko et Junior Mace étaient hors course. Le casino était construit. La vie était belle.

Mais de temps en temps la réalité la rappelait à l'ordre. Si Junior Mace était innocent, alors quelqu'un de la bande de Vonn avait logé deux balles dans les têtes de Son Razko et d'Eileen Mace, et quelqu'un encore s'était débrouillé pour que disparaissent les deux détenus mouchards qui avaient incriminé Mace. Même si Claudia faisait la fière, Dubose et ses sbires la terrifiaient. Durant leur seul et unique combat, quelques années plus tôt, elle l'avait convaincu qu'il serait immédiatement grillé s'il s'en prenait à elle.

Au fil des années, ils avaient ainsi instauré une relation de méfiance mutuelle, chacun ayant son rôle. Elle avait le pouvoir de faire fermer le casino, par une quelconque injonction, et lui avait prouvé par le passé qu'elle en était capable. De son côté, il se chargeait du sale boulot et veillait à ce que les Tappacolas filent droit. Ils gagnaient tous les deux beaucoup d'argent, devenant plus riches chaque mois. La cordialité prévalait, la suspicion était étouffée… miracle coutumier quand les billets tombaient du ciel.

Ils s'étaient installés à l'intérieur, dans la fraîcheur de la climatisation, à savourer leur verre, et contemplaient les fairways désertés sous la fournaise, songeant avec satisfaction à leurs manigances, à leur richesse inconvenante.

— Comment avance North Dunes ? demanda-t-elle.

— Comme sur des roulettes ! La commission d'urbanisation se réunit la semaine prochaine. Si tout va bien, on va avoir le feu vert. On va pouvoir creuser dans deux mois.

North Dunes était sa dernière conquête dans son empire du golf. Un trente-six trous, avec lacs, étangs, appartements de luxe, et des maisons plus luxueuses encore, le tout construit autour d'un centre d'affaires avec un parc et une salle de spectacle, à un kilomètre de la plage.

— Vous avez le soutien de tout le monde ?

Une question idiote. Elle n'était pas la seule à qui Dubose graissait la patte.

— Quatre contre un. Poley fait de l'obstruction, évidemment.

— Pourquoi ne pas le mettre hors jeu ?

— Ce n'est pas nécessaire. Il ne faut pas que ça paraisse tout cuit. Quatre voix contre une, c'est bien. C'est crédible.

Les dessous-de-table n'étaient pas absolument nécessaires dans cette partie du pays. Quel que soit le projet, du lotissement privé haut de gamme au centre commercial de troisième zone, il suffisait de produire une brochure élégante jetant de la poudre aux yeux, avec écrit partout « développement économique », en laissant entendre des rentrées fiscales et de la création d'emplois, pour que tous les responsables et élus s'empressent de sortir leur tampon. Si quelqu'un évoquait des problèmes écologiques, du clientélisme, ou le risque de classes surchargées par l'accroissement soudain de la population, il suffisait de les étiqueter gauchistes, écolos, ou pire « nordistes ». Vonn était devenu un maître dans cet art de la discrédition.

— Et pour mon AF ? demanda-t-elle.

« L'appartement fantôme. »

— C'est prévu, Votre Honneur. Vue sur le parcours, ou en hauteur ?

— Haut comment ?

— Vous avez une préférence ?

— J'aimerais une vue sur l'océan. C'est possible ?

— Aucun problème. Il s'agit d'un immeuble de dix étages. Dès le cinquième, on voit le Golfe par beau temps.

— Ça me plaît bien. Une vue sur la mer. Pas le penthouse du dernier étage, mais un truc assez haut.

Le principe de l'appartement fantôme avait été inventé par un célèbre promoteur surnommé Conroy le Magicien. Dans la frénésie immobilière qui avait saisi le bord de mer, les plans étaient modifiés à la volée, des murs repoussés ici et là, et hop ! apparaissait un appartement supplémentaire dont la municipalité ne soupçonnait pas l'existence. Ce logement pouvait avoir de multiples usages, dont aucun n'était totalement légal. Vonn avait retenu la leçon, et sa juge préférée avait accumulé une collection impressionnante de AF avec le temps. Parmi ses avoirs, on trouvait également des parts dans des produits légaux : un centre commercial, un parc aquatique, deux restaurants, une poignée de petits hôtels, et beaucoup de terrains encore en friche attendant le passage des pelleteuses.

— Un autre verre ? proposa-t-elle. J'ai deux sujets à aborder avec vous.

— Ne vous dérangez pas. Je vais me servir.

Il se leva et se rendit au comptoir de la cuisine où elle rangeait l'alcool. Des bouteilles auxquelles elle ne touchait jamais. Il se prépara une nouvelle vodka avec deux glaçons et revint s'asseoir.

— Je vous écoute, Claudia.

Elle prit une grande inspiration, sachant que la partie s'annonçait serrée.

— Il s'agit de Wilson Vango.

— Qu'est-ce qu'il a encore ?

— Du calme. Écoutez-moi. Il a fait quatorze ans en prison et sa santé se détériore. Il a un emphysème, une hépatite, et des problèmes psychiatriques. Il a été tabassé et autres douceurs. Et il en est sorti avec des dommages au cerveau.

— Parfait !

— Il pourrait obtenir une libération conditionnelle dans trois ans. Aujourd'hui sa femme se bat contre un cancer de l'ovaire, sa famille est sans ressources, la totale ! Bref, quelqu'un est allé trouver le gouverneur et il est prêt à lever la sentence, mais seulement si vous êtes d'accord.

Vonn lui lança un regard foudroyant et posa son verre. Il tendit un doigt rageur vers elle.

— Ce fils de pute a volé dans les caisses. Quarante mille dollars ! Je veux qu'il crève en prison, et de préférence après s'être fait encore une fois tabasser. Je croyais avoir été clair ?

— Allons, Vonn. Je lui ai donné le max pour vous faire plaisir. Il a suffisamment payé. Le pauvre gars est mourant, sa femme aussi. Lâchez du lest.

— Jamais, Claudia. Ce serait de la faiblesse. Qu'il s'estime heureux d'être en prison et de ne pas avoir une balle dans la tête ! Pas question qu'il sorte.

— Ça va. Ça va. Servez-vous un autre verre. Détendez-vous.

— Je suis détendu. C'était quoi l'autre sujet dont vous vouliez me parler ?

Elle but une gorgée de thé et prit son temps. Quand la tension se fut un peu dissipée, elle dit :

— J'ai cinquante-six ans, Vonn. Je porte la robe depuis dix-sept ans et j'en ai marre de ce boulot. C'est mon troisième mandat, et je n'ai pas de rival pour les prochaines élections. Je suis donc assurée de faire vingt-quatre ans dans ce fauteuil. Il est temps de raccrocher. Phyllis aussi veut prendre sa retraite. On a envie de découvrir le monde. J'en ai assez de Sterling, de la Floride, et elle en a assez de Mobile. On n'a pas d'enfants, pas de chaînes aux pieds, alors on pourrait mettre les voiles. Dépenser un peu de notre argent indien.

Elle se tut, l'observa.

— Vous en dites quoi ?

— J'aime bien la situation comme elle est. Vous avez été si facile à corrompre, c'est ça qui a été génial avec vous, et une fois corrompue vous vous êtes découvert une passion pour l'argent. Comme moi. La différence, c'est que la corruption, je suis né dedans, c'est dans mon ADN. Je préfère voler de l'argent plutôt que le gagner. Vous, en revanche, vous étiez une oie blanche, mais la vitesse de votre conversion au côté obscur a été saisissante.

— J'étais mue par la haine. Je voulais me venger, humilier mon ex-mari. Je n'avais rien d'une oie blanche.

— Je ne suis pas certain de pouvoir trouver un autre juge que je puisse acheter si facilement. Voilà mon souci.

— Vous avez encore besoin d'un juge ? Vous en êtes sûr ? Si je pars, le casino est tout à vous, cela fait un joli parachute pour voir venir. Vous connaissez tous les élus du coin. Vous avez retourné avec vos bulldozers la moitié du comté, et vous avez encore plein de projets dans les tuyaux. À mon avis, vous vous en sortirez très bien, même sans avoir un juge dans la poche. J'en ai marre de faire ça et, pour être honnête – je sais, ce mot est mal choisi ! – j'aimerais vivre à nouveau comme tout le monde.

— Vous parlez de quoi ? Des affaires ou du sexe ?

— Des affaires, idiot ! lâcha-t-elle en gloussant.

Vonn sourit et but sa vodka, le temps de soupeser le pour et le contre. L'idée n'était pas sans attrait. Une bouche de moins à nourrir, et pas une petite…

— On survivra, déclara-t-il.

— Évidemment ! Rien n'est encore décidé, mais je voulais vous dire que j'y réfléchissais. J'en ai ma claque de juger des divorces ou d'envoyer des gamins en prison pour perpète. Je n'en ai pas encore parlé à Phyllis.

— Je garderai le secret, je vous le jure, Votre Honneur.

— Nous sommes unis comme les doigts de la main.

Vonn se leva.

— Il faut que je file. Même heure le mois prochain ?

— Oui.

Au moment de s'en aller, il ramassa une serviette en cuir, identique à celle qu'il avait apportée – vide celle-là. Et bien plus légère.

7

L'intermédiaire s'appelait Cooley, lui aussi ancien avocat, mais son départ du barreau avait été moins spectaculaire que celui de Greg Myers. Cooley était parvenu à éviter les gros titres ; il avait négocié au plus vite sa condamnation avec le tribunal en Géorgie et rendu de lui-même sa carte. Qu'il n'avait aucune intention de récupérer.

Ils se rencontrèrent cette fois dans un patio du Pelican Hotel sur South Beach. Autour d'un verre, ils étudièrent les nouvelles pièces du dossier.

Les premiers feuillets retraçaient les voyages de Claudia McDover au cours des sept dernières années, avec dates, destinations, durée des séjours. Tout y était. La juge aimait arpenter le monde, et elle le faisait avec panache, le plus souvent en jet privé, bien qu'aucune réservation n'ait été faite en son nom. Phyllis Turban, son avocate, s'occupait des détails, et faisait appel à l'une des deux compagnies basées à Mobile. Une fois par mois, parfois plus souvent encore, Claudia McDover se rendait en voiture à Pensacola ou à Panama City, embarquait dans un petit jet, où elle retrouvait Phyllis à bord, et les deux femmes s'envolaient pour passer le week-end à New York ou à La Nouvelle-Orléans. Il n'était pas précisé ce qu'elles faisaient pendant ces escapades, mais la taupe avait sa petite idée. Tous les étés, Claudia restait deux semaines à Singapour où elle semblait avoir une maison. Pour ces destinations plus lointaines, elle voyageait par American Airlines, en première classe. Elle allait aussi à la Barbade, au moins trois fois par an, en jet privé. On ne savait pas si Phyllis Turban était de la partie pour ces virées à Singapour et à la Barbade, mais la taupe, en utilisant des téléphones à carte prépayée – donc totalement anonymes –, avait appelé à plusieurs reprises Phyllis à son bureau de Mobile et chaque fois que McDover était à l'étranger, l'avocate était injoignable. Et réapparaissait comme par hasard quand la juge rentrait au pays.

Dans une note, la taupe écrivait : « Le premier mercredi de chaque mois, CM quitte son bureau plus tôt et se rend en voiture à un appartement de Rabbit Run. Pendant longtemps, il a été impossible de savoir où elle allait, mais une fois installé un traceur GPS sous son pare-chocs arrière, on a pu connaître tous ses déplacements. L'adresse de l'appartement est le 1614D Fairway Drive. Selon les archives du comté, le logement a changé deux fois de mains et appartient aujourd'hui à une société domiciliée au Bélize. Sans doute se rend-elle à cette adresse pour récupérer sa part de la recette du casino, puis repart avec tout ou partie de la somme. Autre supposition : l'argent est converti en or, bijoux, diamants, et objets d'art. Certains marchands à New York et à La Nouvelle-Orléans acceptent du liquide, mais pour des clients triés sur le volet. Les diamants et autres pierres précieuses sont très faciles à faire sortir du pays. Les billets peuvent aussi être envoyés par FedEx n'importe où dans le monde, en seulement une nuit, par exemple aux Caraïbes. »

— Cela fait beaucoup de suppositions, déclara Myers.

— Des suppositions ? Tu plaisantes. Regarde ces voyages. On a les traces de toutes ses allées et venues depuis sept ans. En plus, notre informateur semble en connaître un rayon sur le blanchiment d'argent.

— « Notre informateur. » C'est donc un homme ?

— Je n'ai rien dit de tel. Pour l'instant que ce soit un homme ou une femme, cela ne te regarde pas.

— N'empêche que je représente cette personne.

— Ne recommence pas, Greg. On a été clairs sur ce point.

— Pour en savoir autant, cette personne doit avoir des contacts quotidiens avec la juge. C'est une secrétaire, c'est ça ?

— Une secrétaire ? McDover les réduit en bouillie et les met à la porte au bout d'un ou deux ans ! Cesse de me tirer les vers du nez. La taupe vit dans la peur. Les risques sont énormes pour elle. Tu as déposé la plainte ?

— C'est fait. Le BJC enquête en ce moment même et ira trouver notre juge quand ce sera le moment. Ça va remuer de l'air. Imaginez le choc pour McDover quand elle va découvrir qu'on sait tout de ses manigances.

— Elle ne paniquera pas. Elle a trop de bouteille pour ça. Et des ressources. Elle va appeler ses avocats. Appeler Dubose. Et lui, il ne va pas rester les mains dans les poches. C'est dangereux pour toi aussi, Greg. La plainte est signée de ta main. Et tu l'accuses d'un tas de choses.

— Je vais être difficile à retrouver. Je te rappelle que je n'ai jamais rencontré ni McDover ni Dubose. Ils ne savent rien de moi. Il y a près de deux mille Greg Myers dans ce pays et tous ont une adresse, un numéro de téléphone, une famille et un emploi. Dubose ne saura pas par où commencer. En plus, si quelqu'un pointe le bout de son nez, je monte dans mon petit bateau et disparais sur l'océan. Il ne me trouvera jamais. Pourquoi la taupe a-t-elle aussi peur ? Son nom restera secret.

— On ne sait jamais, Greg. Peut-être qu'elle n'est pas habituée à la violence du monde de la pègre ? Peut-être qu'elle s'inquiète de trop en dire et que McDover s'aperçoive d'où vient la fumée ?

— Il est trop tard pour avoir des remords. La plainte est déposée et la machine est en marche.

— Quand vas-tu te servir de ça ? demanda Cooley en désignant les derniers documents. Bientôt ?

— Je ne sais pas. Il faut que j'y réfléchisse. Supposons que le BJC parvienne à prouver que la juge voyage en jet privé avec sa partenaire. Et alors ? Ses avocats diront qu'il n'y a rien d'illégal, puisque c'est Phyllis qui paie les factures, et comme Phyllis n'a aucune affaire devant être jugée par le tribunal de McDover, il n'y a aucun conflit d'intérêts.

— Phyllis Turban dirige un petit cabinet à Mobile, sa spécialité c'est la rédaction de testaments. Au mieux, elle se fait cent cinquante mille dollars par an. L'heure de jet c'est trois mille dollars et elles y passent en moyenne quatre-vingts heures par an. Fais le calcul. Un quart de million de dollars, rien qu'en frais de transport, et encore, c'est juste la partie visible de l'iceberg. Le salaire d'un juge de cour de circuit c'est cent quarante-six mille dollars. À elles deux, elles n'ont même pas de quoi payer l'essence !

— Phyllis Turban n'est pas visée par l'enquête. Elle devrait probablement l'être, mais peu importe. Si nous voulons gagner de l'argent avec cette affaire, nous devons épingler un juge en exercice.

— C'est clair.

— Tu vois souvent notre taupe ?

— Pas très. Elle se fait discrète en ce moment. Elle a vraiment les jetons.

— Pourquoi fait-elle ça alors ?

— Parce qu'elle déteste McDover. Et pour l'argent. Je l'ai convaincue qu'on pourrait gagner une fortune. J'espère juste que personne ne se fera tuer en chemin.

* * *

Lacy habitait un trois-pièces dans un ancien bâtiment industriel à proximité du campus de l'université, à cinq minutes en voiture de son bureau. L'architecte qui avait effectué cette reconversion avait fait du bon travail, et les vingt appartements s'étaient vendus comme des petits pains. Grâce à l'assurance-vie de son père, et à la générosité de sa mère, Lacy avait pu avoir un apport important. Ce serait sans doute le seul cadeau de ses parents. Son père était mort depuis cinq ans, et sa mère, Ann Stoltz, devenait radine avec l'âge. Elle approchait des soixante-dix ans et ne vieillissait pas bien, du moins aux yeux de sa fille. Ann refusant désormais de conduire, elles ne se voyaient plus beaucoup.

Frankie était son seul compagnon, un bouledogue français. Depuis qu'elle était partie faire ses études, Lacy avait toujours habité seule. Vivre en couple ne l'avait jamais vraiment tentée. Dix ans plus tôt, son seul et véritable amour avait parlé de cohabitation, mais elle avait découvert peu après qu'il prévoyait de partir avec une femme mariée. Ce qu'il fit, dans un départ fracassant. À trente-six ans, Lacy était heureuse d'être tranquille chez elle, de pouvoir dormir les bras en croix au milieu du lit, de n'avoir à ranger que derrière elle, de gagner son argent et de le dépenser à son gré, d'aller et venir à sa guise, de faire ses choix de carrière sans s'inquiéter de celle d'autrui, de pouvoir organiser à loisir ses soirées, de cuisiner ou de ne pas cuisiner, et d'être la seule à avoir la télécommande. Un tiers de ses amies étaient divorcées, toutes de grandes blessées qui ne voulaient plus jamais entendre parler des hommes – du moins pour le moment. L'autre tiers était enlisé dans des mariages qui battaient de l'aile, sans échappatoire en vue. Et pour la dernière portion, elles se disaient épanouies dans leur couple, et se consacraient soit à leur carrière professionnelle soit à l'éducation des enfants.

Elle n'aimait pas ces chiffres. Pas plus qu'elle n'aimait que les gens la pensent malheureuse parce qu'elle n'avait pas trouvé « le bon gars ». Pourquoi son bonheur dépendrait-il d'un mariage ? Non, elle ne souffrait pas de la solitude ! Elle n'avait jamais vécu avec un homme, comment cela pourrait-il lui manquer ? Et elle en avait assez des pressions, en particulier du côté de sa mère et de sa sœur, la tante Trudy – impossible d'avoir une conversation avec ces deux-là sans que l'une ou l'autre ne lui demande si elle voyait quelqu'un.

« Qui vous dit que je veuille "quelqu'un" ? » telle était sa réponse habituelle. C'était triste, mais elle évitait sa mère et Trudy justement à cause de ces questions. Parce qu'elle était heureuse comme ça, en célibataire, et qu'elle ne cherchait pas partout son Prince Charmant, sa famille la voyait comme une paumée, quelqu'un de pathétique qui traversait la vie toute seule sur sa barque. Sa mère était une veuve acariâtre et Trudy avait un mari insupportable, et elles osaient juger sa manière de vivre ?

Évidemment ! Être célibataire, c'était affronter le regard des autres.

Lacy se prépara une nouvelle tasse de thé vert, sans caféine, et songea un moment à regarder un vieux film. Mais il était près de 22 heures, un jour de semaine, et elle avait besoin de dormir. Sadelle lui avait envoyé quelques nouvelles notes par e-mail. Elle décida d'y jeter un coup d'œil avant d'enfiler son pyjama. Les notes de Sadelle valaient tous les somnifères du monde !

La plus courte s'intitulait : « La tribu des Tappacolas : les faits, les chiffres, les rumeurs. »

Population : je connais pas le chiffre exact de cette tribu amérindienne (entre nous, le terme « amérindien » est une création politiquement correcte des Blancs. Mais en réalité, entre eux, ils disent « Indiens » et se moquent de ceux qui n'osent pas employer ce mot, mais je digresse). Selon le Bureau des affaires indiennes, en 2010 les Tappacolas étaient quatre cent quarante et un, et quatre cent deux en 2000. Toutefois la manne financière qu'a apportée le casino a mis une nouvelle pression sur la population ; pour la première fois de l'histoire, un tas de gens meurent d'envie de devenir Tappacola. Tout ça à cause du système de redistribution, qu'ils appellent « les dividendes ». Au dire de Junior Mace, tous les Indiens de la tribu, à partir de dix-huit ans, touchent un chèque de cinq mille dollars par mois. Impossible de vérifier ce chiffre, parce que la tribu n'a de compte à rendre à personne. Une fois que les femmes se marient, curieusement, leur dividende est réduit de moitié.

Le montant des dividendes varie grandement d'une tribu à l'autre, et selon les régions aussi. Il y a plusieurs années, une tribu du Minnesota est devenue célèbre grâce à son casino, qui engrangeait près d'un milliard à l'année et qui était la propriété de seulement quatre-vingt-cinq individus. Chaque année, chaque membre touchait un million de dollars. Je crois que c'est le record.

Il existe cinq cent soixante-deux tribus reconnues officiellement par le gouvernement fédéral, mais seulement deux cents ont des casinos. Cent cinquante tribus réclament encore une reconnaissance, mais les autorités sont devenues plutôt frileuses. Le combat est âpre et loin d'être gagné. Beaucoup de gens considèrent que ce regain de fierté ethnique n'est motivé que par le business des casinos. La plupart des Indiens ne connaissent pas cette opulence et vivent toujours dans la pauvreté.

À un moment, comme la plupart des tribus, les Tappacolas se sont retrouvés assaillis de gens qui se prétendaient de leur lignée. Le miracle des dividendes… La tribu a un comité qui enquête et détermine la validité des origines. Il faut un huitième de sang Tappacola pour être accepté dans la communauté. Cela crée forcément beaucoup de frictions.

En même temps, les conflits sont monnaie courante dans la tribu. À en croire un article, vieux de sept ans, du *Pensacola News Journal*, la tribu organise des élections tous les quatre ans pour choisir un nouveau chef et un nouveau conseil. Il y a dix sièges à pourvoir. Évidemment, le chef a une grande influence sur les affaires tribales, en particulier en ce qui concerne le casino. Cette charge doit être importante puisqu'elle était payée à l'époque trois cent cinquante mille dollars. Le chef a donc toute liberté concernant l'embauche des employés et, comme on peut s'en douter, il place tous les membres de sa famille, qui sont alors grassement rétribués. Le scrutin, on s'en doute, est très contesté. Les accusations fusent, bourrage d'urnes, intimidation (ils ont dû apprendre ça des non-Amérindiens) et j'en passe. En gros, c'est le gagnant qui ramasse le tout.

Le chef actuel s'appelle Elias Cappel (petite précision encore : très peu d'Indiens de nos jours utilisent les noms imagés de leurs ancêtres ; à un moment donné, je ne sais pas trop quand, ils ont choisi les patronymes des Occidentaux). Le chef Cappel, donc, a été élu en 2005 et réélu haut la main quatre ans plus tard. Son fils Billy siège au conseil, évidemment.

La tribu dépense l'argent intelligemment. Elle a fait construire des écoles, des centres de soins gratuits qui ressemblent plus à des cliniques privées qu'à des dispensaires, des centres de loisirs, des garderies, des routes, et toutes les choses que mettent en place les bons gouvernements. Si un lycéen veut aller à l'université, il y a un fonds pour payer ses études, et aussi son hébergement. La tribu verse également de l'argent pour la lutte contre l'alcool et la drogue – prévention comme traitements.

En nation souveraine, les Tappacolas ont leurs propres lois, sans interférence avec l'extérieur. Elle a un responsable de l'ordre, à la manière d'un shérif de comté, et une armada de policiers, tous apparemment bien entraînés et équipés. Elle a aussi sa brigade des stupéfiants. (Même s'ils sont du genre discret, le chef et son conseil n'hésitent pas à communiquer sur les sujets qui les mettent en valeur, et leurs forces de l'ordre font leur fierté.) La tribu a son tribunal, présidé par trois juges pour régler les différends et les délits. Ces magistrats sont nommés par le chef, avec approbation du conseil tribal. Il y a, bien sûr, une maison d'arrêt et un centre pénitentiaire pour les peines les plus longues.

Les Tappacolas parviennent à laver leur linge sale entre eux. Pendant des années le *Pensacola News Journal*, et dans une moindre mesure le *Tallahassee Democrat*, ont essayé de fouiner dans leurs affaires. Ils voulaient savoir combien d'argent récoltait la tribu et quelle faction avait le pouvoir. Mais ces deux journaux n'apprirent pas grand-chose. À l'évidence, les Tappacolas ne sont pas très loquaces.

* * *

Même si c'était intéressant, la note opéra sa magie et Lacy se mit à bâiller. Elle enfila son pyjama et alla accomplir son rituel du soir, sans avoir besoin de fermer la porte de la salle de bains. Comme c'était bon de vivre seule ! Juste avant 23 heures, alors que le sommeil l'emportait, le téléphone sonna. C'était Hugo, avec une voix d'outre-tombe.

— Houla, ça ne va pas, dit-elle.

— Non. On a besoin d'aide ce soir. Verna dort debout. Et je ne vaux guère mieux. Pippin braille tout ce qu'elle peut et toute la maison est sur les nerfs. Il faut à tout prix qu'on dorme. Verna préfère ne pas appeler ma mère. Elle ne veut pas qu'elle rapplique et moi non plus. Tu veux bien nous rendre cet immense service ?

— Bien sûr. J'arrive.

C'était la troisième fois depuis que la petite était née qu'ils l'appelaient à la rescousse en pleine nuit. Lacy avait gardé les trois précédents à plusieurs reprises pour que Hugo et Verna puissent avoir un dîner tranquille, mais elle n'avait dormi chez eux qu'à deux occasions. Elle enfila rapidement un jean et un tee-shirt, et laissa Frankie à la porte, visiblement perplexe. Vingt minutes plus tard, elle s'engageait dans les allées désertes des Meadows. Verna l'accueillit sur le pas de la porte, avec Pippin dans les bras. Pour l'instant, le bébé se tenait tranquille.

— Elle doit avoir mal au ventre, murmura-t-elle. On est allés chez le docteur trois fois cette semaine. Cette gamine est fâchée avec le marchand de sable !

Lacy prit le bébé avec précaution.

— Les biberons ?

— Sur la table basse. La maison est un vrai capharnaüm. Je suis désolée.

Ses lèvres tremblaient. Ses yeux s'emplirent de larmes.

— C'est bon, Verna. Ce n'est que moi. Va te coucher et dors. Ça ira mieux demain.

Verna lui fit un bisou.

— Merci.

Et disparut dans le couloir. Lacy entendit la porte de la chambre se refermer doucement. Avec le bébé contre sa poitrine, elle se mit à aller et venir dans le salon. Elle fredonnait, lui tapotait doucement dans le dos. Tout était silencieux, mais le miracle ne dura pas. Quand Pippin se mit à pleurer à nouveau, Lacy lui planta un biberon dans la bouche, s'installa sur un fauteuil à bascule, et la berça. Une demi-heure plus tard, quand la petite fut endormie, Lacy la déposa dans son couffin et lança le mobile musical. Pippin fronça les sourcils, remua, semblant prête à une nouvelle crise de pleurs, mais elle se détendit et continua à dormir.

Au bout d'un moment, Lacy quitta le bébé et se rendit sur la pointe des pieds dans la cuisine. Elle alluma la lumière et fut saisie par le désordre. L'évier était plein de vaisselle sale, les comptoirs jonchés de casseroles, de poêles et de restes de nourriture qui auraient dû se trouver dans le réfrigérateur. La table croulait sous les boîtes vides de fast-foods et les sacs. Il y avait même du linge sale un peu partout. La cuisine avait grand besoin d'un coup de ménage, mais s'atteler à cette tâche aurait été trop bruyant. Elle préféra remettre ça au matin, quand il ferait jour et que toute la famille serait réveillée. Elle éteignit les lumières et, durant l'un de ces moments privilégiés qui n'appartenaient qu'à elle seule, elle sourit en se félicitant de la chance qu'elle avait d'être célibataire, et sans enfant.

Elle s'installa sur le canapé à côté du bébé et finalement s'endormit. Pippin se réveilla affamée et furieuse à 3 h 15, mais un nouveau biberon fourré avec autorité dans sa bouche la fit taire. Lacy la changea, la cajola jusqu'à ce qu'elle s'endorme à nouveau. Elle dormit ainsi jusqu'à 6 heures du matin.

8

Wilton Mace habitait une maison de brique au bord d'une route de gravillons à trois kilomètres du casino. Au téléphone, il n'avait pas été très loquace ; il devait d'abord en parler à son frère. Il avait rappelé Hugo le lendemain pour dire qu'il acceptait une rencontre. Il attendait sur une chaise de jardin à l'ombre à côté du garage, chassant les mouches, un thé glacé à la main. Le ciel était couvert, la chaleur n'était pas étouffante. Il leur proposa un verre mais les deux agents du BJC déclinèrent l'offre. Il leur désigna des chaises pliantes. Un petit enfant en couches jouait dans une piscine en plastique dans le jardin, sous la surveillance d'une femme d'un certain âge.

Wilton avait trois ans de moins que Junior, mais aurait pu passer pour son jumeau. Le teint foncé, des yeux encore plus noirs, de longs cheveux gris, qui lui tombaient presque jusqu'aux épaules. Il parlait d'une voix profonde et, comme Junior, il semblait soupeser chaque syllabe.

— C'est votre petit-fils ? demanda Lacy, dans un effort pour briser la glace.

— Ma petite-fille, la première. Là-bas, c'est mon épouse, Nell.

— On a vu Junior la semaine dernière à Starke, précisa Hugo.

— C'est gentil de lui avoir rendu visite. Je fais le voyage deux fois par mois et je sais que ce n'est pas la sortie la plus agréable. Junior a été oublié par son peuple, et c'est dur pour un homme, en particulier pour quelqu'un d'aussi fier que lui.

— Il dit que les Tappacolas pensent qu'il a tué sa femme et Son Razko, annonça Lacy.

Wilton hocha la tête un long moment.

— C'est vrai. C'est une bonne histoire, facile à retenir, facile à répéter. Il les a surpris ensemble dans le lit et les a tués.

— Vous avez donc appelé votre frère ? insista Hugo.

— Oui, hier. Il a droit à vingt minutes de téléphone par jour. Je sais la raison de votre visite.

— Il nous a raconté que vous vouliez travailler au casino mais que cela a été impossible. Pourquoi ? s'enquit Lacy.

— C'est simple. La tribu est divisée. En deux camps retranchés. Cela date du vote. Les gagnants ont construit le casino et le chef dirige tout, y compris l'embauche au Treasure Key. J'étais du mauvais côté. Alors pas de place pour moi. Il faut deux mille personnes pour faire tourner le casino et la plupart sont des gens de l'extérieur. Les Tappacolas qui veulent y travailler doivent faire allégeance.

— Il y a donc beaucoup de ressentiment, conclut Hugo.

Wilton lâcha un grognement ironique.

— On est quasiment deux tribus, et ennemis jurés ! Il n'y a eu aucun effort de réconciliation. D'ailleurs personne n'en a envie.

Lacy insista :

— Selon Junior, Son et lui ont eu tort de se battre contre le casino parce que c'est finalement un bien pour la tribu. Vous êtes de cet avis ?

Il y eut un long silence le temps qu'il organise ses pensées. Sa petite-fille se mit à pleurer et fut emmenée à l'intérieur. Il but une gorgée de thé. Enfin il répondit :

— Il est toujours difficile d'admettre qu'on s'est trompés, mais je suppose que c'est le cas. Le casino nous a sortis de l'indigence, nous a apporté de bonnes choses, et ce n'est pas rien. Nous sommes plus heureux, plus en sécurité, en meilleure santé. C'est plutôt satisfaisant de voir tous ces gens de l'extérieur venir nous donner leur argent. On a enfin l'impression d'aller quelque part. Une forme de revanche. Toutefois, certains s'inquiètent des effets d'une vie fondée à ce point sur l'assistanat. L'indolence n'est pas sans poser problème. La consommation d'alcool augmente. La drogue aussi.

— Si la vie est si douce, fit remarquer Hugo, pourquoi n'y a-t-il pas plus d'enfants ?

— À cause de la bêtise. Le conseil est dirigé par des imbéciles et ils promulguent des lois idiotes. Quand une fille atteint dix-huit ans, elle a droit à avoir son chèque mensuel. Mais si elle se marie, cette somme est divisée en deux. Moi, je touche cinq mille dollars. Mais mon épouse n'a que deux mille cinq cents. Donc, de plus en plus de jeunes femmes hésitent à se marier. Les hommes boivent, posent des problèmes… pourquoi s'encombrer d'un mari quand on a assez d'argent pour vivre ? Il y a aussi une autre thèse : moins il y a de gens, plus les parts sont grosses. Encore une mauvaise idée ! Une société qui n'investit pas dans sa jeunesse est une société malade.

Lacy jeta un coup d'œil à Hugo.

— Parlons de la juge McDover.

— Je sais très peu de choses sur elle. J'ai assisté au procès. Je me suis dit qu'elle était trop jeune, trop inexpérimentée. Elle n'a rien fait pour protéger les droits de mon frère. Elle a été critiquée en appel, mais son jugement n'a jamais été cassé, même si parfois ça s'est joué à un cheveu.

— Vous avez lu les transcriptions des débats ? s'étonna Hugo.

— J'ai tout lu, monsieur Hatch. De long en large. Mon frère est condamné à mort pour des crimes qu'il n'a pas commis. Le moins que je puisse faire, c'est d'éplucher les détails et de l'aider. Et, comme vous le voyez, j'ai beaucoup de temps libre.

— Son Razko avait une liaison avec la femme de Junior ? demanda Hugo.

— C'est peu vraisemblable, mais on ne sait jamais, en ce domaine tout peut arriver. Son était un homme de principes et son mariage ne battait pas de l'aile. Personnellement, je n'ai jamais cru qu'il avait une histoire avec ma belle-sœur.

— Qui les a tués alors ?

— Je ne sais pas. Peu après l'ouverture du casino, on a commencé à recevoir notre part du gâteau – bien sûr le montant était moindre qu'aujourd'hui. À l'époque, j'étais chauffeur routier, non syndiqué évidemment, et avec mon salaire, la paye de ma femme comme cuisinière, plus nos dividendes, on est parvenus à mettre de côté vingt-cinq mille dollars. J'ai donné l'argent à un détective privé de Pensacola. Il était censé être le meilleur. Il a fouiné pendant un an et n'a rien trouvé. Mon frère a eu un avocat totalement nul au procès, un novice complètement paumé, mais après il a été représenté en appel par des pointures. Eux aussi ont creusé, pendant plusieurs années, mais ont fait chou blanc. Je ne peux vous donner aucun nom, monsieur Hatch. J'aimerais bien, vous pouvez me croire. Mon frère est victime d'un coup monté, et l'État de Floride va finir par l'exécuter.

— Vous connaissez un certain Vonn Dubose ? reprit Lacy.

— Le nom me dit quelque chose. Mais je ne l'ai jamais rencontré.

— Qu'est-ce que vous savez sur lui ?

Wilton agita ses glaçons et parut soudain très las. Lacy compatissait. Ce devait être un lourd fardeau… avoir son frère dans le couloir de la mort, en le sachant innocent. Finalement, il trouva l'énergie de répondre :

— On racontait ici qu'un chef mafieux, votre Dubose, a conçu tout le projet – le casino, les installations autour, le développement urbain d'ici jusqu'à la côte. La rumeur y incluait les meurtres de Son et d'Eileen. Mais c'est vieux tout ça. Les ragots se sont éteints, étouffés par le bruit des roulettes, la frénésie du jeu, l'argent, les cris des enfants sur les toboggans, les happy hours et bien sûr par la naissance de notre nation providence. Tout le monde s'en fiche parce que la vie est douce aujourd'hui. Si cet homme existe vraiment et qu'il se sucre au passage, personne n'y trouvera rien à redire, personne n'ira cracher dans la soupe. S'il passait les portes du casino et avouait la vérité, il serait accueilli en héros. C'est grâce à lui, tout ça.

— Et vous ? Vous en pensez quoi ?

— Quelle importance, ce que je crois ou non, monsieur Hatch ?

— Certes. Mais je suis quand même curieux.

— Très bien. Oui, je pense qu'il y a une organisation criminelle impliquée dans la construction du casino, et que ces gens, sans nom, sans visage, prennent toujours leur pourcentage. Ils sont armés et ont intimidé notre chef et ses copains.

— Quelles sont nos chances de trouver quelqu'un dans les murs qui acceptera de nous parler ? insista Lacy.

Cette fois, il rit carrément.

— Vous ne comprenez pas.

Il agita à nouveau ses glaçons, le regard vague, comme s'il contemplait quelque chose de l'autre côté de la rue. Lacy et Hugo échangèrent un regard et attendirent. Finalement, il reprit :

— En tant que tribu, peuple, race, nous nous méfions des étrangers. Nous ne parlons pas. Bien sûr, je suis là avec vous, mais je ne vous dis rien de spécifique, que des généralités. Nous ne confions jamais les secrets, à personne, en quelque circonstance que ce soit. Ce n'est pas dans nos gènes. Je méprise mes frères qui sont dans l'autre camp, mais je n'irai jamais vous raconter quoi que ce soit sur eux.

— Un employé mécontent ? avança Lacy. Quelqu'un qui n'aurait pas votre sens de la discrétion ? Avec toutes ces dissensions, cette rancœur, on doit bien trouver deux ou trois personnes qui n'apprécient pas le chef et sa bande ?

— Certains détestent Cappel, mais gardez à l'esprit qu'il a récolté soixante-dix pour cent des suffrages aux dernières élections. Il a son petit cercle. Ils se tiennent les coudes. Tout le monde a sa part du gâteau et personne ne veut que ça change. Ce sera mission impossible de dénicher quelqu'un dans le casino prêt à jouer les balances.

Il se fit à nouveau silencieux. Il y eut encore une longue pause. Les deux enquêteurs du BJC prirent leur mal en patience. Apparemment, les silences ne dérangeaient pas Wilton.

— Je ne saurais trop vous conseiller de rester en dehors de tout ça, déclara-t-il finalement. Si la juge McDover est en cheville avec les gangsters, alors elle sera protégée par des gars qui ne craignent ni la violence ni les mesures drastiques. Vous êtes en terre indienne, madame Stoltz, et toutes ces législations qui gouvernent une société policée, toutes ces choses en lesquelles vous croyez, ne s'appliquent pas ici. Nous sommes maîtres chez nous. Nous faisons nos lois. Ni l'État de Floride, ni le gouvernement fédéral ne se mêlent de nos affaires, d'autant plus quand cela concerne le casino.

* * *

Lacy et Hugo s'en allèrent une heure plus tard, sans avoir eu aucune information, sinon des mises en garde, et rejoignirent la quatre-voies grâce à laquelle l'État récupérait quelques dollars. À la lisière de la réserve, ils s'arrêtèrent au péage et payèrent cinq dollars pour avoir le droit de poursuivre leur route.

— J'imagine que c'est cette barrière qu'a bloquée la juge avec son injonction.

— Tu as lu le dossier ? demanda Lacy en réaccélérant.

— Juste la note de Sadelle. McDover a prétendu que ce péage était un danger public, a interdit la route à la circulation, et y a posté des policiers pendant six jours. C'était en 2001, il y a dix ans.

— Ça a dû chauffer entre elle et Dubose.

— Elle a eu de la chance de ne pas finir en passoire.

— Non, elle est trop futée pour ça. Et Dubose aussi. Ils ont trouvé un terrain d'entente et l'injonction a été levée.

Sitôt franchie la barrière de péage, des enseignes multicolores leur annoncèrent qu'ils entraient désormais sur les terres de la tribu. D'autres panneaux indiquaient la direction de Rabbit Run. Au loin, on apercevait les lignes sinueuses d'immeubles et de maisons bordant les fairways. Les limites du domaine étaient adjacentes à la frontière de la réserve. Comme Greg Myers l'avait dit, on pouvait se rendre à pied du golf au casino en cinq minutes. Sur une carte, la démarcation avait plus de circonvolutions qu'une conscription électorale passée à la moulinette du Congrès. Dubose & Cie avait acquis quasiment tous les terrains autour du domaine. Et quelqu'un, sans doute Dubose lui-même, avait choisi l'emplacement du site du Treasure Key pour qu'il soit au plus près de ses propres terres. Un stratagème brillant.

Passé une longue courbe, le casino se dressa soudain devant eux, avec son porche impressionnant, éclairé par une myriade de néons et de spots tourbillonnants. Le bâtiment était flanqué de deux grands hôtels. Lacy et Hugo se garèrent dans le parking bondé et montèrent dans une navette pour rejoindre l'entrée du temple. Ils se séparèrent et, pendant une heure, se promenèrent dans les allées. Ils se retrouvèrent à 16 heures pour boire un café dans un bar qui surplombait les tables de black-jack et de craps, et observèrent les joueurs en action. Au son de musiques d'ambiance, les bandits manchots recrachaient les pièces des gagnants. Des cris hystériques montaient des tables de dés ; et partout la rumeur bruyante de gens ayant trop bu. À l'évidence, des flots d'argent changeaient de main.

9

Le directeur de la Commission des jeux de Floride était Eddie Naylor, un ancien sénateur ravi de troquer son siège à la chambre contre le gros salaire qu'offrait la nouvelle agence quand arrivèrent les casinos dans les années 1990 et que l'État voulut réguler le secteur. Le rendez-vous fut facile à organiser car son bureau se trouvait à trois rues de celui de Lacy. Et pourtant, on était à mille lieues des locaux décrépis du BJC. Naylor occupait une belle suite au sommet d'un bâtiment moderne, joliment meublée, avec une armée d'assistants et apparemment aucune limite de budget. La Floride était ravie que l'industrie du jeu se soit implantée chez elle, et elle ne cessait de trouver de nouvelles taxes pour faire rentrer de l'argent.

Au premier regard sur Lacy, Naylor jugea judicieux de quitter son grand bureau pour aller bavarder avec elle autour de la table basse. À deux reprises, avant que le café arrive, Lacy surprit son regard qui s'attardait sur ses jambes, que laissait voir une jupe presque trop courte. Après quelques politesses d'usage, Lacy entra dans le vif du sujet :

— Comme vous le savez, notre service enquête sur des affaires concernant des juges de cet État. On croule sous les plaintes et nous sommes débordés. Nos investigations sont confidentielles, je vous demanderai donc la plus grande discrétion.

— Cela va sans dire, répondit Naylor.

Ce type ne lui inspirait pas confiance. Avec son regard baladeur, son sourire mielleux, son costume mal taillé et sa chemise trop étroite qui lui boudinait le ventre, tout chez lui inspirait la méfiance. Il est sans doute plein aux as, songea la jeune femme. On aurait dit l'un de ces lobbyistes qui maraudaient dans les couloirs du capitole à Tallahassee.

Pour l'impressionner, il présenta l'étendue des pouvoirs de « sa commission ». Tous les jeux d'argent avaient été placés sous la houlette d'une seule agence, et il était le boss. Courses de chevaux, de lévriers, loteries, machines à sous, casinos comme bateaux de croisière, jusqu'aux matchs de pelote. Tout cela entrait dans ses attributions. Cela semblait une tâche pharaonique, mais il était prêt à relever le défi.

— Quelle est votre marge de manœuvre concernant les casinos indiens ? demanda-t-elle.

— Tous les casinos en Floride appartiennent aux Indiens. Les Séminoles prennent la plus grosse part du gâteau. Pour tout vous dire, nous n'avons quasiment aucun contrôle concernant les affaires indiennes. Une tribu reconnue officiellement par le gouvernement fédéral est une nation indépendante, elle dicte ses propres lois. En Floride, nous avons passé des accords avec tous les opérateurs des casinos, cela nous permet de récupérer quelques miettes. Ce n'est pas grand-chose, mais c'est mieux que rien. Il y a aujourd'hui neuf casinos sur le territoire, et tous sont des succès.

— Vous pouvez aller dans un casino et voir comment ça se passe ?

Il secoua la tête d'un air grave.

— Non, pas plus que demander à voir les comptes. Chaque casino publie un relevé tous les trimestres où apparaissent les recettes brutes et les bénéfices, et c'est à partir de ces documents comptables que nous les imposons. Mais nous n'avons aucun moyen de vérification. Nous devons les croire sur parole.

— Un casino peut donc déclarer ce qu'il veut ?

— Oui. C'est comme ça et ce n'est pas près de changer.

— Et un casino ne paie pas d'impôts au niveau fédéral ?

— Exact. Pour les convaincre de verser un peu d'argent au niveau local, on doit les caresser dans le sens du poil. On construit une route ici ou là, on offre des services, comme de l'assistance médicale, ou des formations professionnelles. Et de temps en temps, ils nous demandent un coup de main pour quelque chose. Mais leur participation financière dépend uniquement de leur bonne volonté. Si une tribu refuse le moindre impôt de notre part, on ne peut rien y faire. Heureusement, ils ont tous joué le jeu.

— Combien ils versent ?

— Un demi pour cent de leurs bénéfices. L'année dernière, cela a représenté quarante millions. Cela assure le budget de fonctionnement de notre commission, et le reste va dans les caisses de Floride. Puis-je vous demander les raisons de ces questions ?

— Bien sûr. On a reçu une plainte concernant un juge de circuit. Il est question d'un promoteur qui est en affaire avec une tribu et son casino, ainsi qu'avec un juge à qui il graisse la patte.

Naylor posa sa tasse de café et agita la tête.

— Pour vous parler franchement, madame Stoltz, cela ne me surprend pas. Si des Indiens veulent maquiller les comptes d'un casino, piquer dans la caisse ou donner des dessous-de-table, on ne peut rien y faire. C'est l'endroit rêvé pour la corruption. Au départ, ce sont des gens plutôt simples et soudain, ils se retrouvent pleins aux as. Cela attire tout un tas d'escrocs, d'arnaqueurs qui veulent les aider. À cela, s'ajoute que tout est en liquide, de l'argent par essence intraçable. Ce sont les conditions parfaites. Et nous, ici, on bout sur place, parce qu'on n'a aucun pouvoir.

— Il y a donc bel et bien corruption ?

— Je n'ai pas dit que c'est le cas. Je dis que le terrain s'y prête.

— Personne ne surveille ?

Il croisa à nouveau ses grosses jambes, l'air pensif.

— Le FBI a autorité pour enquêter en cas de crime ou autre comportement illicite en terre indienne. J'imagine que ça doit en faire réfléchir certains. Encore une fois, ce sont des gens simples, et l'idée de voir les fédéraux débarquer les fait marcher droit. J'ajoute que la plupart de nos casinos ont des contrats avec des sociétés de gestion parfaitement respectables.

— Le FBI pourrait se ramener là-bas avec un mandat et saisir les livres de comptes ?

— Possible. Ça ne s'est jamais fait. Et ces vingt dernières années, le FBI ne s'est pas trop intéressé aux affaires indiennes.

— Pourquoi ?

— Je ne sais pas exactement. Sans doute une question de moyens. Le FBI est à fond dans la lutte contre le terrorisme et la cybercriminalité. Des magouilles dans un casino, c'est un détail pour eux. La vie n'a jamais été aussi douce pour les Indiens, du moins pas depuis deux cents ans.

Il lâcha un autre sucre dans son café et le remua avec son doigt.

— Votre casino… ce ne serait pas celui des Tappacolas ?

— Exact.

— Ça ne me surprend pas.

— Pourquoi donc ?

— Il y a des rumeurs depuis des années…

Il but une gorgée et attendit qu'on le sollicite.

— Quelles rumeurs ?

— On parle d'influence extérieure. Des types de l'ombre qui auraient été impliqués dès le début, et qui gagneraient des fortunes avec les installations autour du casino. Ce sont juste des on-dit. Nous ne sommes pas habilités pour enquêter sur les crimes. Donc nous ne nous mêlons pas de ça. Si nous découvrons quoi que ce soit, nous sommes censés en référer au FBI.

— Il paraît que des gens se servent dans la caisse. Vous êtes au courant ?

Il secoua la tête.

— Non, jamais entendu parler de ça.

— Rien non plus concernant un juge corrompu ?

Encore un mouvement de tête.

— Non. Et cela m'étonnerait que ce soit possible.

— Pourtant nous avons une source qui soutient le contraire.

— C'est vrai qu'il y a beaucoup d'argent en jeu, et l'argent a des effets inattendus sur bien des personnes. Mais, à votre place, je serais prudent, madame Stoltz. Très prudent.

— Vous semblez en savoir plus que vous ne voulez bien dire.

— C'est juste une impression.

— Très bien. N'oubliez pas s'il vous plaît que nos enquêtes sont confidentielles. Je compte sur votre discrétion.

— Vous pouvez me faire confiance.

* * *

Pendant que Lacy se rendait pour la première et dernière fois à la Commission des jeux de Floride, son partenaire faisait ses premiers et derniers pas sur un parcours de golf. À la suggestion de Michael Geismar, qui lui prêta ses clubs pour l'occasion, Hugo demanda à Justin Barrow, son collègue du BJC, de le faire entrer à Rabbit Run. Justin avait un ami qui connaissait quelqu'un au club-house. Après de longues palabres et moult affabulations, il parvint à lui obtenir un passe invité. Justin était un joueur du dimanche. Il connaissait suffisamment les règles de base et l'étiquette pour ne pas éveiller les soupçons. Quant à Hugo, il était totalement novice, et n'avait aucun intérêt pour ce sport. Dans le monde où il avait grandi, le golf se pratiquait entre Blancs dans des clubs de Blancs.

Le départ du premier trou se trouvant derrière le practice, personne ne remarqua que seul Justin tapa dans la balle. Il était 10 h 30, en août, déjà près de trente-cinq degrés à l'ombre, et le parcours était désert. Hugo se contentait de conduire la voiturette. Même s'il ne connaissait rien à ce sport, il ne se gênait pas pour critiquer les loupés de son collègue. Quand Justin ne parvint pas, à trois reprises, à sortir d'un bunker, Hugo se moqua ouvertement de lui. Sur le troisième green, Hugo attrapa son putter et une balle, en s'imaginant qu'il était enfantin d'atteindre le trou. Quand, à seulement deux mètres de distance, il se révéla incapable de trouver le godet, Justin tint sa revanche et le railla sans vergogne.

Grâce à des photos satellites, ils avaient repéré les quatre appartements que possédait, de manière officieuse, la juge Claudia McDover. Geismar voulait une visite *in situ* et des clichés de près. Au quatrième trou, Hugo et Justin contemplèrent le grand par cinq qui obliquait sur la gauche, pour observer l'enfilade des immeubles de standing deux cent cinquante mètres plus loin, bordant le côté droit du fairway.

— Puisque tous tes coups partent hors limite, annonça Hugo, balance donc ta balle vers les apparts. Un beau slice dans les choux. Ta spécialité.

— Fais-le toi-même si tu es si fort. Vas-y, je te regarde.

— C'est parti !

Hugo planta un tee dans l'herbe, posa sa balle dessus, répéta le mouvement, détendit ses épaules, et lâcha un grand swing. La balle s'envola et commença lentement à dévier vers la gauche. La déviation s'accentua, et la balle disparut dans les bois. Sans un mot, il sortit une autre balle de sa poche, la posa sur le tee, et frappa avec encore plus de détermination. Le drive partit dans l'axe, bas et rapide, et lentement gagna de l'altitude. Il parut se diriger tout droit vers les constructions mais au dernier moment il s'éleva si haut qu'il passa carrément au-dessus.

— Au moins tu utilises tout le parcours. Ces deux coups sont à un kilomètre de distance et les deux hors limite.

— C'est ma première fois.

— C'est ce qu'on m'a dit. (Justin plaça son tee et regarda le fairway.) Il faut que je fasse attention sinon je risque de toucher les appartements. Je ne voudrais pas casser une vitre.

— Tais-toi et frappe. J'irai ensuite la chercher.

Le coup partit comme prévu, un beau slice qui roula dans le rough et se perdit dans les buissons.

— Parfait, annonça Hugo.

— Merci.

Ils sautèrent dans la voiturette et descendirent à toute allure le fairway, puis bifurquèrent à droite, vers les immeubles. Justin lâcha une balle dans l'herbe comme si c'était celle qu'il venait de jouer, et sortit un petit appareil ressemblant à un télémètre pour mesurer la distance entre sa balle et le drapeau. Mais en réalité, c'était une caméra, et pendant que Hugo s'approchait avec nonchalance du patio du 1614D, comme s'il cherchait une balle perdue, Justin faisait des gros plans de l'appartement. Hugo avait à sa ceinture un petit appareil photo qui prenait des clichés tandis qu'il fouillait les fourrés avec son fer 7.

Juste deux mauvais golfeurs cherchant leurs balles perdues. Cela arrivait tous les jours. Au cas où quelqu'un les observait.

Trois heures plus tard, après avoir couru derrière bien des mauvais drives, Hugo et Justin arrêtèrent les frais. Alors qu'ils s'éloignaient du club-house, Hugo se promit de ne jamais remettre les pieds sur un parcours.

Sur le chemin du retour vers Tallahassee, ils firent un crochet par Eckman, une petite bourgade où Al Bennet avait un joli cabinet dans la grande rue. L'avocat passait ses journées à rédiger des testaments

120

et fut ravi de la visite de Hugo. Justin s'installa dans un café pour tuer le temps.

Cinq ans plus tôt, Bennet avait voulu être juge et avait mené campagne pour la première et unique fois de sa vie. Sa rivale était Claudia McDover, la candidate sortante. Il y avait laissé des plumes et beaucoup d'argent, et n'avait recueilli que trente et un pour cent des votes. Il était rentré à Eckman en jurant qu'on ne l'y reprendrait plus. Au téléphone, Hugo ne lui avait rien dit, avait juste laissé entendre qu'il voulait lui poser quelques questions sur un juge du coin.

Une fois en tête à tête, Hugo lui expliqua que le BJC ouvrait une enquête sur la juge McDover ; les investigations étaient confidentielles et la plainte pouvait se révéler sans fondement. C'était une affaire sensible et Hugo voulait que Bennet lui promette de n'en piper mot à personne.

— Bouche cousue, s'empressa-t-il de répondre.

Ce gars avait remporté trente et un pour cent des suffrages ! Incroyable ! Il parlait à cent à l'heure, avait une voix de fausset carrément désagréable. Hugo ne parvenait pas à l'imaginer à la barre, face à un jury.

Cette rencontre n'était pas sans danger. Les avocats savaient garder un secret quand il s'agissait de leurs clients, mais pour le reste, c'étaient de vraies pipelettes. Plus Hugo interrogeait de témoins, plus le risque de fuite grandissait. Et sous peu McDover et son clan sauraient qu'ils étaient surveillés. Lacy était de cet avis, mais Geismar voulait entendre la version de Bennet.

— C'était une campagne difficile ? demanda Hugo.

— Disons que la fin a été rude. Je me suis fait battre à plate couture. Ça fait mal, mais j'ai survécu.

— Il y a eu des coups bas ?

Il réfléchit un moment, comme s'il hésitait à dire du mal de son adversaire.

— Les attaques n'ont pas été trop personnelles. Elle a affirmé que je manquais d'expérience pour cette fonction. Je ne pouvais pas dire le contraire, alors je lui ai renvoyé la balle. Elle non plus n'avait aucune expérience avant qu'elle soit élue. Mais ça m'a pris trop de temps pour contre-attaquer, et vous savez comment sont les électeurs, leur attention est limitée. En plus, il faut se souvenir que la juge McDover avait une très bonne réputation.

— Vous avez tenté de l'attaquer ?

— Pas vraiment. Je n'ai pas trouvé grand-chose.

— Personne n'a évoqué des comportements contraires à l'éthique de son côté ?

Il secoua la tête.

— Non. Quel genre de comportements au juste ? Sur quoi vous enquêtez ?

Hugo opta pour la prudence. Si Bennet avait mené campagne contre McDover, un combat sans merci, et qu'il n'avait pas entendu parler de corruption, Hugo n'allait pas se découvrir.

— Aucune rumeur sur elle ? insista-t-il.

Bennet haussa les épaules.

— Pas vraiment. Elle a eu un divorce difficile, il y a longtemps. Elle est toujours célibataire, seule, sans enfants, et ne s'implique pas dans la vie de la communauté. On n'a pas beaucoup fouillé et personne n'est venu nous raconter quoi que ce soit. Désolé.

— Ce n'est pas grave. Je vous remercie de m'avoir reçu.

En quittant Eckman, Hugo était certain qu'il avait perdu sa journée.

* * *

Lacy retrouva la veuve de Son Razko. Elle vivait dans un petit lotissement près de Fort Walton Beach, à environ une heure de route de la réserve des Tappacolas. S'étant remariée, elle n'était plus officiellement veuve. Elle s'appelait Louise et au début, elle ne voulait pas parler. Ce n'est qu'au second appel de Lacy qu'elle accepta une courte entrevue dans un Waffle House. À cause de son travail, elle n'était disponible qu'en fin de journée. Lacy fit donc trois heures de route pour la retrouver à 18 heures le jour où Hugo sillonnait les fairways de Rabbit Run dans sa voiturette de golf.

D'après le dossier, Louise Razko avait trente et un ans quand son mari avait été trouvé mort, et nu, dans le même lit que la femme de Junior Mace. Ils avaient deux enfants, aujourd'hui de jeunes adultes, partis vivre ailleurs dans le pays. Louise s'était remariée voilà quelques années et avait quitté la réserve.

Elle approchait des cinquante ans, avait des cheveux gris et était devenue boulotte. La vie ne lui avait pas fait de cadeau.

Lacy expliqua la raison de sa visite mais Louise ne parut guère intéressée.

— Je ne veux pas parler des meurtres et de tout ça, commença-t-elle.

— D'accord. Je comprends. Vous vous souvenez de la juge McDover ?

Elle aspira sur sa paille pour boire une gorgée de son thé glacé. Visiblement, elle aurait préféré se trouver ailleurs. Finalement, elle répondit dans un haussement d'épaules :

— Oui, au procès.

— Vous étiez donc dans la salle ? remarqua Lacy pour relancer la conversation.

— Bien sûr que j'étais là. À toutes les séances.

— Que pensez-vous d'elle ?

— Qu'est-ce que ça peut faire maintenant ? Le procès remonte à des années. Vous enquêtez sur quelque chose que la juge a fait à l'époque ?

— Non. Pas du tout. Dans la plainte dont on s'occupe quelqu'un prétend que la juge est associée à des malfaiteurs et touche des pots-de-vin. Tout tournerait autour du casino.

— Je préfère ne pas parler du casino. C'est une honte pour mon peuple.

Parfait, Louise ! Si nous ne pouvons parler ni du Treasure Key, ni de votre mari, qu'est-ce que je viens faire ici ? Lacy consigna des notes dans son carnet, comme perdue dans d'intenses réflexions.

— Des gens de votre famille travaillent au casino ?

— Pourquoi cette question ?

— Parce que nous avons besoin d'informations sur le casino. Et que c'est compliqué d'en avoir. Quelqu'un dans les murs nous serait d'une grande aide.

— Oubliez ! Personne ne parlera. Les gens qui travaillent là-bas sont contents d'avoir un emploi et un chèque. Ceux qui ne sont pas au Treasure Key sont jaloux, voire en colère, mais ils touchent aussi leurs chèques. On ne mord pas la main qui nourrit.

— Vonn Dubose ? Ce nom vous dit quelque chose ?

— Non. Qui est-ce ?

124

— Sans doute celui qui a commandité le meurtre de votre mari parce qu'il était en travers de sa route.

C'était effectivement la conviction intime de Lacy. Mais elle n'avait aucune preuve. Il s'agissait en fait de piquer la curiosité de Louise et de l'inciter à se livrer.

Louise tira une nouvelle fois sur sa paille et regarda par la fenêtre. Lacy avait compris quelques petites choses avec les Tappacolas. D'abord, et c'était prévisible, ils se méfiaient des gens de l'extérieur. On ne pouvait le leur reprocher. Secundo, ils prenaient leur temps avant de parler. Des adeptes de la lenteur, d'une parole réfléchie, et les Blancs dans une conversation ne leur faisaient pas peur.

Enfin Louise regarda à nouveau Lacy.

— Junior Mace a tué mon mari. Cela a été dit au procès. Et j'ai été humiliée.

Avec le plus de fermeté possible, Lacy répondit :

— Et si ce n'était pas lui ? Et si lui et Eileen Mace avaient été assassinés par les mêmes bandits qui ont gagné des fortunes avec les installations autour du casino, les mêmes gens qui se servent grassement dans la caisse ? Les mêmes encore qui ont soudoyé la juge McDover. Cela vous surprendrait vraiment, Louise ?

Ses yeux se mirent à briller. Une larme roula sur sa joue.

— Vous sortez ça d'où ?

On lui avait raconté une autre version depuis tant d'années… comment croire à celle-ci ?

— Nous sommes des enquêteurs. C'est notre métier.

— Mais la police a fait des recherches. Il y a des années.

— Le procès était truqué. Et ils ont condamné un innocent. Les deux témoins clés étaient des détenus soudoyés, par les flics et le procureur, pour mentir devant les jurés.

— J'ai dit que je ne voulais pas parler des meurtres.

— C'est vrai. Parlons alors du casino. Je sais que vous avez besoin d'y réfléchir avant d'accepter de collaborer avec nous. Mais nous avons besoin de noms, des gens qui pourraient nous aider, des gens de votre peuple qui savent ce qui se passe. Si vous me donnez un nom, voire deux, personne n'en saura jamais rien. Nous savons comment protéger l'identité de nos témoins.

— Je ne sais rien, madame Stoltz. Je n'ai jamais mis les pieds dans le casino. Et ça ne risque pas d'arriver. Ma famille non plus. La plupart des miens sont partis loin d'ici. Bien sûr, nous prenons les chèques parce que c'est notre terre, mais le casino a rongé l'âme de mes frères. Je ne sais rien. Je méprise cet endroit et les gens qui le dirigent.

Elle était convaincante. Lacy sut que la conversation était terminée.

Encore un coup d'épée dans l'eau.

10

Michael Geismar faisait les cent pas dans son bureau, cravate ouverte, manches relevées, avec l'air hagard du limier coincé dans une impasse. Lacy observait l'une des photos de l'appartement de McDover, en se demandant à quoi pourraient leur servir ces images. Hugo, comme de coutume, buvait une boisson énergisante à la caféine pour ne pas dormir debout. Sadelle pianotait sur son portable, cherchant d'éventuelles pistes qu'ils auraient manquées.

— On n'a rien, lâcha Michael. Quatre apparts au nom d'une société offshore, propriété d'un individu mystérieux que nous ne sommes pas fichus d'identifier. Quand on attaquera, la juge, via son armada d'avocats, niera être propriétaire de ces biens, ou prétendra que ce sont de simples placements financiers. Ce genre d'investissements peut paraître louche, au vu de son salaire, mais cela n'a rien de répréhensible légalement, rien qui puisse nuire à l'exercice de son métier. Inutile de vous dire qu'elle va nous attaquer à son tour en diffamation pour les dix ans à venir. Il nous faut plus que ça.

— Je ne retourne pas au golf ! lança Hugo. C'est une perte de temps, dans tous les domaines.

— D'accord, d'accord, concéda Geismar. C'était une mauvaise idée. Vous avez une proposition ?

— On ne va pas abandonner, Michael, intervint Lacy. On en a découvert suffisamment pour savoir que Greg Myers dit la vérité, du moins qu'il y a beaucoup de vrai. On ne peut pas fermer les yeux.

— Ce n'est pas ce que je dis. Pas question de laisser tomber. Pas encore. Dans trois semaines, soit nous présentons l'affaire à McDover, soit nous annonçons à Myers que sa plainte ne mérite ni notre temps ni notre argent. Mais vous comme moi savons qu'elle tient debout. Nous allons donc lui révéler la plainte, et demander à avoir accès à tous ses dossiers. À partir de ce moment-là, elle sera protégée par un bataillon d'avocats qui contestera toutes nos demandes. Supposons que cet accès nous soit accordé. On saisit les pièces dans son bureau, les transcriptions, les arrêtés, tous les documents légaux, tous les dossiers des affaires qu'elle a jugées ou qu'elle suit aujourd'hui. Parfait, mais on ne pourra pas demander à voir ses archives personnelles si on n'a pas la preuve qu'elle est impliquée dans une affaire de corruption ou de détournements de fonds.

— C'est bon, on connaît le règlement, répliqua Hugo.

— Ne monte pas sur tes grands chevaux ! Je fais le point objectivement, c'est mon job de patron. Tu veux retourner au parcours ?

— Non. Pas ça.

— Quelqu'un suffisamment futé pour opérer derrière des sociétés écrans ne risque pas de garder des livres de comptes compromettants chez lui ou en un quelconque endroit que nous pourrions fouiller. J'ai raison ou pas ?

Lacy et Hugo opinèrent du chef, décidés à ne pas contrarier le boss.

128

Il y eut un silence. Michael recommença à marcher de long en large, en se grattant le cuir chevelu. Hugo sirotait son concentré de caféine, tentant de réactiver ses synapses. Lacy griffonnait dans son calepin, l'esprit en ébullition. On entendait juste le tapotis des doigts de Sadelle sur son clavier.

Au bout d'un moment, Geismar se tourna vers elle.

— Tu ne dis rien ?

— Je ne suis qu'assistante juridique, répliqua-t-elle.

Elle toussa, manqua de s'étouffer et reprit :

— Je suis remontée onze ans en arrière, et ai étudié trente-trois projets d'aménagement dans le comté de Brunswick. Tout y passe : parcours de golf, centres commerciaux, lotissements, une galerie marchande à Sea Stall, et même un cinéma multiplex avec quatorze salles. La Nylan Title des Bahamas apparaît souvent. Mais ce n'est pas la seule. Il y a aussi une dizaine d'autres sociétés domiciliées dans des paradis fiscaux, propriétaires elles-mêmes d'autres sociétés offshore, ainsi qu'une ribambelle de cabinets sous contrôle de compagnies étrangères. Quelqu'un veut se cacher, ça crève les yeux. Et ça pue à dix pas. De plus, une opération de cette ampleur, je n'ai jamais vu ça. Autant de sociétés s'intéressant à un trou paumé comme le comté de Brunswick ? J'ai fouillé un peu ailleurs, dans les autres comtés du nord-ouest – Okaloosa, Walton, et même Escambia où se trouve Pensacola. Tous ont un taux de développement bien supérieur à Brunswick, mais très peu de sociétés étrangères impliquées.

— Aucun espoir du côté de la Nylan Title ? s'enquit Hugo.

— Aucun. Les lois des Bahamas rendent toute pénétration impossible. Sauf à appeler le FBI, bien sûr.

— On fera ça en dernier recours, répondit Michael Geismar avant de se tourner vers Lacy : Tu as parlé à Myers récemment ?

— Non. C'est lui qui me contacte quand il en a envie.

— Il est temps d'avoir une nouvelle conversation avec lui. Il faut l'avertir, lui expliquer que sa plainte est en danger. S'il ne peut pas nous donner d'autres infos, et vite, nous serons obligés de lâcher l'affaire.

— C'est sérieux ? s'inquiéta Lacy.

— Non. Pas encore. Mais mettons-lui la pression. C'est lui qui a un informateur dans les murs.

* * *

Il fallut deux jours à Lacy et des dizaines de coups de fil sur trois différents portables pour obtenir une réponse de Myers. Quand il rappela enfin, il paraissait tout excité et leur dit qu'il pensait justement organiser une nouvelle rencontre. Il avait de la matière pour eux. Lacy voulait le retrouver dans un endroit plus pratique. St Augustine était charmant, mais c'était à trois heures et demie de route. Ils avaient un emploi du temps serré. Et pas lui. Pour des raisons évidentes, il préférait éviter de s'approcher du nord-ouest de l'État.

— J'ai beaucoup d'ennemis là-bas, lança-t-il, avec une pointe de fanfaronnade.

Ils se mirent d'accord pour Mexico Beach, une petite station balnéaire côté Golfe, à deux heures au sud-est de Tallahassee. Ils se retrouvèrent dans un restaurant près de la plage et commandèrent des crevettes grillées pour le déjeuner.

Myers raconta par le menu ses exploits de pêche près du Bélize et ses plongées dans les îles Vierges britanniques. Il avait encore bronzé, et paraissait plus svelte. À nouveau, Hugo envia en secret la vie que menait ce gars, se promener sur un beau bateau sans souci d'argent. Il buvait de la bière fraîche, dans une chope glacée, ça aussi c'était tentant. Lacy était loin d'être aussi séduite que son collègue. Au contraire, Myers l'agaçait de plus en plus. Elle se contrefichait de ses anecdotes de plaisancier. Elle voulait des faits, des détails, du concret pour juger si son histoire tenait debout.

La bouche pleine, Myers demanda soudain :

— Et de votre côté, comment avance l'enquête ?

— Pas vite, répondit Lacy. Notre patron nous met la pression. Soit on trouve du concret contre McDover, soit on abandonne l'affaire. Et le temps nous est compté.

Myers cessa de mâchonner ses crevettes, s'essuya la bouche du revers du poignet, et retira ses lunettes de soleil.

— Vous ne pouvez pas laisser tomber. J'ai déposé cette plainte en mon nom, sous serment. McDover est propriétaire de ces quatre appartements et elle les a reçus en pot-de-vin.

— Comment le prouver ? intervint Hugo, puisque tout est caché par des sociétés offshore. On se retrouve dans une impasse. Tous les titres sont enfouis à la Barbade, à Grand Cayman, au Bélize. On a tout épluché. Tous les paradis des Caraïbes. Pas une piste. Déclarer sous serment que McDover est derrière ces sociétés, c'est bien gentil, mais il nous faut des preuves, Greg.

Myers esquissa un sourire et avala une goulée de bière.

— Des preuves, j'en ai justement. Un peu de patience.

Lacy et Hugo se lancèrent un regard en coin. Greg embrocha une autre crevette au bout de sa fourchette, la plongea dans sa sauce cocktail, et l'enfourna.

— Vous ne mangez pas ?

Leurs fourchettes en plastique plongeaient rarement vers les gambas. Ni l'un ni l'autre n'avaient faim. À l'évidence, Myers n'avait pas mangé depuis longtemps, et il avait grand soif aussi, mais il cherchait aussi à gagner du temps. En effet, un couple, à l'accoutrement bizarre, était installé à la table d'à côté, à portée d'oreilles. Quand la serveuse apporta à Myers sa deuxième bière, ils partirent enfin.

— Alors ? s'impatienta Lacy.

— C'est bon, c'est bon. (Il prit une gorgée, s'essuya encore la bouche du revers de la main.) Le premier mercredi de chaque mois, la juge quitte son bureau de Sterling une heure plus tôt et se rend dans l'un de ses appartements de Rabbit Run, à vingt minutes en voiture. Elle gare dans l'allée sa voiture, une Lexus, et se dirige vers l'entrée de l'immeuble. Il y a quinze jours, elle portait une robe bleu marine et des talons aiguilles Jimmy Choo. Elle avait son sac à main Chanel, le même qu'en quittant le bureau. Elle a marché jusqu'à la porte et l'a ouverte avec sa clé. C'est bien la preuve que c'est elle la proprio. Preuve numéro un. J'ai les photos. Environ une heure plus tard, un SUV Mercedes s'est garé à côté de la Lexus et un type est descendu, côté siège passager. Le chauffeur est resté derrière le volant, et n'a pas bougé. J'ai aussi les photos et – roulement de tambour ! – je crois que nous avons enfin une image de notre insaisissable Vonn Dubose ! Il portait une sacoche de cuir qui paraissait bien lourde. Au moment d'appuyer sur la sonnette, il a regardé autour de lui. Il semblait plutôt nerveux. Elle l'a fait entrer. Il est resté trente-six minutes, et quand il est réapparu il avait à la main apparemment la même sacoche, mais à la façon dont il la portait, elle paraissait beaucoup plus légère. Il avait sans doute laissé quelque chose. Quoi ? Mystère. Il est remonté dans sa Mercedes et il est parti. La rencontre a lieu, comme je l'ai dit, le premier mercredi de chaque mois, et fort probablement c'est une routine qui ne requiert ni appel téléphonique ni e-mail.

Myers but une autre gorgée et de sa serviette de cuir qui ne le quittait jamais il sortit deux pochettes sans étiquette. Il jeta un regard circulaire et en donna une à chacun. À l'intérieur : des photographies – des tirages en couleur, format A4, des clichés apparemment pris du trottoir d'en face. La première photo montrait l'arrière de la Lexus, la plaque minéralogique parfaitement lisible.

— Bien entendu j'ai vérifié, précisa Myers. La voiture appartient à notre Claudia, l'une de ses rares possessions qui soient à son nom. Achetée l'année dernière, dans une concession de Pensacola.

La photo numéro deux était une image de McDover, en pied, son visage en partie caché par ses grandes lunettes de soleil. Lacy examina son exemplaire et demanda :

— Comment savez-vous d'où viennent ces chaussures ?

— La taupe les a reconnues.

Sur la photo trois, la juge était de dos et ouvrait la porte, sans doute avec une clé, même si sous cet angle on ne la voyait pas.

La numéro quatre, c'était le SUV noir garé à côté de la Lexus. Ses plaques aussi étaient lisibles.

— Le véhicule appartient officiellement à un homme qui habite une tour dans les environs de Destin, et bien sûr, il ne s'appelle pas Vonn Dubose. Mais on cherche. Regardez la photo cinq.

On y voyait l'homme en question, plutôt agréable à regarder, bronzage *made in Florida*. Il avait le crâne dégarni, et une montre en or au poignet.

— À ma connaissance – bien sûr j'ignore ce que le FBI a dans ses archives – c'est la seule photo de Vonn Dubose.

— Qui l'a prise ? s'enquit Lacy.

— Quelqu'un avec un appareil photo. On a aussi des vidéos. Disons que la taupe a des ressources.

— Ce n'est pas assez, Greg ! répliqua Lacy avec agacement. Quelqu'un surveille les faits et gestes de McDover, d'accord. Qui est-ce ? Vous jouez encore au chat et à la souris avec nous. Pourquoi ?

— Greg, nous devons vous faire confiance, renchérit Hugo, mais il faut qu'on sache ce que vous savez. Quelqu'un suit McDover. Qui est-ce ?

Comme de coutume, une habitude agaçante, Myers regarda autour de lui. Rassuré, il retira ses lunettes d'aviateur et répondit à voix basse :

— J'ai mes informations par mon intermédiaire, et non, je ne vous dirai pas qui c'est. C'est lui qui est en contact avec notre taupe, je ne connais pas son nom et je ne tiens pas à le savoir, pour tout dire. Quand la taupe a quelque chose d'important à nous dire, mon intermédiaire me transmet l'info, et je vous la donne. Si vous n'appréciez pas cet arrangement, vous m'en voyez désolé. Gardez toutefois à l'esprit que la taupe, l'intermédiaire, moi ou vous, comme tous ceux qui se mêleront de cette affaire, pourraient être retrouvés morts, avec une balle entre les deux yeux. Peu m'importe que vous me fassiez confiance ou non. Mon travail est de vous transmettre l'information pour que vous puissiez coincer la juge McDover. Qu'est-ce qu'il vous faut de plus ? (Il but une petite gorgée de sa bière, avec son verre constellé de buée.) Maintenant, veuillez s'il vous plaît reporter votre attention sur la photo numéro cinq. Nous ne savons pas avec certitude si ce type est Vonn Dubose, mais il y a de fortes chances pour que ce soit bien lui. Regardez son porte-documents. Cuir marron, grand, plus un cartable de docteur qu'une serviette, usé, patiné comme il faut diront certains, en tout cas un sac de bonne taille. On n'a pas affaire au porte-documents tout fin pouvant accueillir deux chemises. Ce sac a servi à transporter quelque chose. Mais quoi ? Notre taupe pense que McDover et Dubose se rencontrent chaque premier mercredi du mois pour faire un échange. Pourquoi Dubose, déguisé en golfeur, aurait-il besoin d'une sacoche aussi grande en fin de journée ? À l'évidence, il joue les livreurs. Examinez à présent le cliché numéro six. Il a été pris trente-six minutes après le numéro cinq. Même type. Même sacoche. Mais quand on regarde la vidéo, il est patent que le sac est beaucoup plus léger à la façon qu'il a de le porter.

— Il lui apporterait l'argent, conclut Lacy. Tous les mois ?

— En tout cas, il apporte quelque chose.

— De quand datent ces photos ? s'enquit Hugo.

— Douze jours. Du 3 août.

— On n'a aucun moyen de vérifier qu'il s'agit de Vonn Dubose ? insista Lacy.

— Pas que je sache. Encore une fois, Dubose n'a jamais été arrêté. Il n'a pas de casier, pas d'identité. Il paie tout en liquide. Il se cache derrière ses subalternes, ses associés, et ne laisse aucune trace. On a essayé de creuser, et vous aussi, j'en suis certain, mais il n'y a rien à son nom. Ni permis de conduire, ni numéro de sécurité sociale, ni passeport. Rien dans tout le pays. Il a un chauffeur, comme vous pouvez le constater. Il pourrait être un vulgum pecus, avec des papiers en règle, qu'on ne verrait pas la différence !

Myers sortit de sa sacoche magique deux autres pochettes. Il en tendit une à Lacy, l'autre à Hugo.

— Qu'est-ce que c'est ? demanda-t-elle.

— Le détail des voyages de McDover sur les sept dernières années. Destinations, hôtels, avions, le grand jeu. Elle se déplace quasiment tout le temps avec sa copine Phyllis Turban. C'est d'ailleurs elle qui commande les jets privés, qui paie les billets. Turban réserve aussi les chambres quand elles descendent à l'hôtel. Elle gère toute la logistique. Rien au nom de McDover.

— Et en quoi est-ce si précieux ?

— Pris séparément, ça n'a aucune valeur, mais ensemble cela étaie la thèse que ces deux filles mènent grand train et dépensent un paquet de fric pour sillonner la planète, et sans doute s'acheter plein de trucs avec de l'argent sale. Nous savons ce qu'un juge gagne. Et j'ai une bonne idée des revenus de Turban, qui sont encore moindres. Il viendra peut-être un

136

temps où il sera nécessaire de faire une étude comparative entre les salaires de McDover et son niveau de vie. Alors je rassemble toutes les données que je peux trouver.

— Continuez à chercher, renchérit Hugo. Il nous faut de la matière.

— Vous n'êtes pas sérieux quand vous dites que vous allez laisser tomber ? Regardez ces photos ! Comment pourrait-elle ne pas être propriétaire de cet appartement, alors que ça fait sept années qu'elle y vient et qu'elle a la clé ? Il appartient à une société écran du Bélize et est estimé, aujourd'hui, à un million de dollars. Au bas mot.

— Elle y dort ? Y reçoit des amis ? demanda Lacy.

— Je ne crois pas.

— J'y suis passé la semaine dernière, précisa Hugo. Soi-disant pour jouer au golf et j'ai fait des photos depuis le fairway.

Myers le regarda avec intensité.

— Et ? Vous avez trouvé quelque chose ?

— Rien de rien. Une perte de temps complète, comme jouer au golf.

— Essayez plutôt la pêche ! C'est beaucoup plus amusant.

* * *

Lacy se vernissait les ongles tout en regardant un vieux film avec Cary Grant, quand son téléphone sonna – appel masqué. C'était peut-être Myers, lui dit une petite voix, et elle avait raison.

— J'ai des nouvelles, lança-t-il. Demain, c'est vendredi.

— C'est le scoop du siècle !

— Les filles partent pour New York. McDover va prendre un avion à Panama City vers midi, je n'ai pas l'heure exacte ; lorsqu'on loue un jet privé, on décolle quand on veut. Un Lear 60, numéro N38WW, appartenant à une société basée à Mobile. Sa copine avocate sera déjà à bord ; elles vont aller prendre du bon temps, sans doute avec un sac rempli de billets pour faire du shopping. Au cas où vous n'êtes pas au courant, il n'y a pratiquement aucun contrôle quand on voyage en jet privé. Pas de scan des bagages, pas de fouilles corporelles. Faut croire que nos petits génies à la Sécurité intérieure se disent que les riches n'ont aucune envie de faire sauter leur propre jet en vol. Bref, on peut prendre cinquante kilos d'héroïne et l'emmener partout dans le pays.

— Intéressant. Mais ça nous sert à quoi ?

— À votre place, j'irais traîner du côté de l'aviation générale – le terminal s'appelle Gulf Aviation –, histoire de jeter un coup d'œil. Laissez Hugo dans la voiture, parce qu'on ne voit pas beaucoup de Noirs dans les jets privés. Il vaut mieux qu'il ne se montre pas. Mais donnez-lui un appareil pour qu'il prenne quelques photos. Phyllis descendra peut-être de l'avion pour aller se refaire une beauté aux toilettes. On ne sait jamais ? Vous pouvez en apprendre beaucoup, en tout cas voir à qui vous avez affaire.

— Je risque de me faire remarquer.

— Ma chère Lacy, vous ne passez jamais inaperçue. Vous êtes bien trop jolie. Mettez un jean, ramenez vos cheveux en arrière, essayez d'autres lunettes. Et ça ira. Il y a un salon, avec des magazines et des journaux. Il y a toujours du monde. Si quelqu'un

138

vous pose des questions, dites que vous attendez un passager. L'endroit est ouvert au public. Vous ne ferez donc rien d'illégal. Observez bien Claudia. Regardez sa tenue, et aussi ce qu'elle a à la main. Je ne pense pas qu'elle aura des billets plein les poches, mais elle aura à coup sûr un sac ou deux sous le bras. Ce ne sera pas super excitant, mais il y a pire façon de passer son temps. Perso, j'aimerais bien voir de près la juge la plus corrompue de toute l'histoire du pays. Celle qui bientôt va faire la une de tous les journaux et qui n'en sait encore rien. C'est tentant, non ?

— Je vais y réfléchir.

11

La juge McDover se gara à côté de l'endroit où
Hugo attendait dans la Prius de Lacy, le visage caché
derrière un journal, son appareil photo sur le siège, à
portée de main. Pour compléter sa collection de clichés parfaitement inutiles, il avait pris des vues du
Lear 60 sur le tarmac. Pendant que McDover se dirigeait vers les portes, tirant derrière elle sa valise à
roulettes, il fit quelques photos de sa chute de reins.
À cinquante-six ans, elle était mince et, vue de dos du
moins, en paraissait quarante. Sous cet angle, il devait
le reconnaître, elle était bien mieux fichue que Verna
qui, depuis l'arrivée du numéro quatre, avait du mal
à retrouver la ligne. C'était plus fort que lui, il fallait
qu'il regarde les fesses de toutes les jolies femmes.

Après qu'elle eut disparu dans le terminal, Hugo
rangea son appareil, son journal, et s'endormit.

* * *

Après des années dans l'illégalité, Claudia Mc-
Dover avait acquis les bons réflexes de survie. Elle
remarquait tout, du type noir sur le siège passager de
la Toyota lisant son journal, ce qui était plutôt bizarre
à midi, à la belle rousse qui travaillait au comptoir
et qui lui fit un grand sourire. Il y avait aussi le type

en costume, l'air soucieux, dont le vol avait visiblement du retard, et la jolie fille sur le canapé qui feuilletait un exemplaire de *Vanity Fair*. Elle ne semblait pas vraiment à sa place. En une poignée de secondes Claudia avait sondé le hall et jugé qu'il n'y avait pas de danger, et mémorisa par précaution chaque visage. Dans son monde, tous les téléphones pouvaient être sur écoute, tous les inconnus être des espions, toutes les lettres lues, tous les e-mails piratés. Mais elle n'était pas paranoïaque, et ne vivait pas dans la peur. Elle était simplement prudente et, après des années de pratique, c'était devenu une seconde nature.

Un jeune homme dans un uniforme impeccable s'approcha, annonça qu'il était l'un des pilotes, et prit sa valise. La jolie rousse appuya sur un bouton, des portes s'ouvrirent et Claudia quitta le terminal. Une telle sortie, quoique discrète, sans tambour ni fanfare, lui donnait toujours un petit frisson de plaisir. Alors que le commun des mortels faisait la queue, prisonnier de files interminables, attendait des heures des avions surbookés, retardés, annulés, et quand enfin, il avait la chance de monter à bord, il y était parqué comme du bétail dans des cabines sales, coincé dans des sièges bien trop exigus pour la largeur du fessier de l'Américain moyen. Mais elle, la grande Claudia McDover, juge du vingt-quatrième district judiciaire de Floride, avançait comme une reine vers son jet privé, où le champagne était au frais pour égayer un vol qui serait à l'heure et sans escale.

Phyllis l'y attendait. Une fois les pilotes sanglés et occupés à faire leur check-list, Claudia l'embrassa et lui prit la main. Après le décollage, quand l'avion fut à son altitude de croisière, Phyllis déboucha la bouteille de Veuve Clicquot et les deux femmes trinquèrent, comme à chaque voyage, à la santé des Tappacolas.

Elles s'étaient rencontrées en seconde année de faculté de droit à Stetson. Elles avaient tellement de points communs. Toutes les deux sortaient d'un mariage calamiteux. Toutes les deux avaient choisi le droit pour de mauvaises raisons. Claudia avait été répudiée, humiliée par son mari et sa meute d'avocats, et voulait se venger. Quant à Phyllis, le tribunal lors de son divorce avait ordonné à son ex de couvrir ses frais d'études. Elle avait choisi les études de médecine, parce que c'étaient les plus longues et les plus coûteuses, mais s'était fait recaler au concours. Elle s'était alors tournée vers le droit, et lui avait fait payer trois ans supplémentaires en troisième cycle. Elle et Claudia se fréquentèrent en cachette en troisième année, puis, une fois leur diplôme en poche, chacune avait pris des chemins différents. Elles entraient dans un marché très fermé et n'avaient pas l'embarras du choix. Claudia se retrouva dans une agence immobilière d'une petite ville. Phyllis travailla au service d'aide juridictionnelle de Mobile, jusqu'à ce qu'elle en ait assez de défendre des petites frappes et intègre un cabinet privé. Maintenant que les Indiens avaient fait leur fortune, elles voyageaient en jet, vivaient dans le luxe, et prévoyaient de prendre une retraite dorée dans un lieu qui restait à définir.

Une fois la bouteille vide, les deux femmes s'endormirent. Depuis dix-sept ans, Claudia faisait bien son travail, parce qu'elle voulait se faire réélire. Phyllis aussi passait de longues heures dans son petit cabinet. Toutes les deux manquaient cruellement de sommeil. Deux heures et demie après avoir quitté la Floride, l'avion atterrit à Teterboro dans le New Jersey, qui accueillait sur son tarmac plus de jets privés que n'importe quel aéroport de la planète. Une voiture noire les attendait et les emporta aussitôt. Vingt minutes plus tard, elles arrivaient à leur immeuble de Hoboken, une tour élancée dominant l'Hudson, juste en face du Financial District. De leur perchoir au quatorzième étage, elles avaient une vue magnifique sur Manhattan. La statue de la Liberté était à un jet de pierre. L'appartement était spacieux, et à peine meublé. C'était plus un placement financier qu'un foyer, juste un pied-à-terre en attendant le grand départ. Bien entendu, le propriétaire officiel était une société offshore, domiciliée aux îles Canaries.

Phyllis prenait beaucoup de plaisir à ce jeu de cache-cache, et passait son temps à déplacer l'argent, à changer de société écran, dans une quête du meilleur paradis fiscal. Avec le temps et l'expérience, elle était devenue une experte en investissement furtif.

Le soir, elles passèrent des jeans, et filèrent en voiture à SoHo, pour dîner dans un restaurant français. Plus tard, dans un bar à la lumière tamisée, elles burent quelques coupettes de champagne, pour fêter tout le chemin qu'elles avaient parcouru, pas géographiquement, mais dans la vie.

* * *

Papazian était un nom arménien et elles ne savaient toujours pas si c'était son patronyme ou son prénom. Ça n'avait aucune importance. Elles menaient leur affaire dans l'ombre de toute façon. Jamais de questions, personne ne voulant vraiment de réponses. Il sonna à 10 heures le samedi matin, et après les politesses d'usage, il ouvrit sa mallette. Sur la table de la cuisine, il étala un feutre bleu et disposa ses pierres – diamants, rubis, saphirs. Comme d'habitude, Phyllis lui servit un double expresso, qu'il dégusta tranquillement tout en leur présentant chaque gemme. Depuis quatre ans qu'ils étaient en commerce, elles savaient que Papazian ne vendait que de la qualité supérieure. Il avait une joaillerie en centre-ville. C'est là qu'elles l'avaient rencontré pour la première fois, mais aujourd'hui il était ravi de se déplacer jusque chez elles. Il ne savait rien des deux femmes, pas même d'où elles venaient. Sa seule préoccupation, c'était la transaction, et l'argent. En moins d'une demi-heure, elles sélectionnèrent une poignée de son « trésor de poche » comme disait Phyllis et lui donnèrent les billets. Il compta lentement les deux cent trente mille dollars en liasse de cent, à mi-voix dans sa langue natale. Quand tout le monde fut satisfait, il vida sa tasse d'un trait et prit congé.

Maintenant qu'elles avaient fait le plus délicat, elles s'habillèrent et se rendirent en ville. Elles achetèrent des chaussures chez Barneys, déjeunèrent au Bernardin et finalement passèrent dans le quartier des joailliers et rendirent visite à l'un de leurs marchands préférés. En liquide, elles achetèrent un assortiment de nouvelles pièces d'or hors circulation – des Krugerrands d'Afrique du Sud, des Maple Leafs canadiennes, et, pour soutenir l'économie nationale, des American Eagles. Tout en liquide, pas de factures, pas de traces. La sécurité de la petite boutique était assurée par au moins quatre caméras de surveillance, et c'était un problème. Quelqu'un, quelque part, pouvait les espionner, mais il fallait passer outre. Dans leur domaine d'activité, le risque zéro n'existait pas. Le secret, c'était de choisir ceux qui étaient acceptables.

Le samedi soir, elles allèrent voir une comédie musicale sur Broadway, dînèrent au Orso mais ne repérèrent aucune célébrité. Elles allèrent se coucher après minuit, satisfaites – encore une journée de blanchiment rondement menée. En fin de matinée, le dimanche, elles emballèrent leur butin avec leurs escarpins hors de prix, et partirent en voiture à Teterboro où le jet les attendait pour les ramener dans le Sud.

12

Hugo était en retard à la réunion. En l'attendant, Michael Geismar regardait les nouvelles photos, lisait le résumé des voyages de McDover et Lacy répondait à ses e-mails.

— Tu sais pourquoi cela ne remonte que jusqu'à sept ans ? Pourquoi pas davantage ?

— Non. Myers n'en sait rien non plus, mais il suppose que la taupe est arrivée sur scène à ce moment-là. À l'évidence, c'est une proche de McDover. Et elle a dû commencer à l'espionner dès qu'elle a été en place.

— En tout cas, cette taupe est prête à dépenser de l'argent pour la faire tomber. J'ai du mal à croire que ces photos ont été prises simplement du trottoir d'en face, par quelqu'un assis dans une voiture. Je pense plutôt que le photographe était en planque dans un appartement.

— Il y en a quatre, juste de l'autre côté de la rue. Deux sont dispos, à mille dollars la semaine. La taupe doit en avoir loué un et y a installé un appareil photo, parce qu'elle savait précisément quand McDover et Dubose allaient se montrer. Cela suppose pas mal de recherches en amont.

— Absolument. Myers sait de quoi il parle, Lacy. Ces rencontres sont louches. Je ne suis pas sûr que l'on puisse le prouver, mais ces clichés sont édifiants. Je me demande ce que va pouvoir dire McDover quand on les lui mettra sous le nez ?

— On le saura bien assez tôt.

La porte s'ouvrit d'un coup et Hugo apparut.

— Désolé, je suis à la bourre ! Encore une nuit difficile.

Il jeta sa mallette sur la table et but une gorgée de café dans son gobelet magnum.

— Je serais arrivé plus tôt mais j'étais au téléphone avec un type qui ne voulait pas me donner son nom.

Geismar hocha la tête, attendant la suite, une photo toujours dans la main.

— Un souci ? s'enquit Lacy.

— Il a appelé une première fois à 5 heures du matin. Un peu tôt, mais j'étais réveillé. Il disait qu'il bossait au casino et qu'il avait des infos qui pourraient nous être utiles. Il sait qu'on enquête sur la tribu et la juge et il veut nous aider. J'ai voulu le cuisiner un peu mais il a raccroché. Une heure plus tard, il a rappelé, avec un autre numéro. Il a dit qu'il voulait nous voir et négocier un accord. Je lui ai demandé quel genre d'accord mais il est resté très vague. Selon lui, il se passe des choses pas claires là-bas et ça va péter sous peu. C'est un membre de la tribu, il connaît le chef et les gens qui dirigent le casino. Et il ne veut pas se trouver pris dans la nasse quand ça tournera à l'aigre.

Hugo marchait de long en large dans le bureau. Une habitude qu'il avait prise dernièrement. S'il s'asseyait, le sommeil lui tomberait dessus.

— Cela peut être intéressant, fit remarquer Lacy.

Michael Geismar s'affala dans son fauteuil et croisa les mains sur sa nuque.

— Autre chose ?

— Non. Mais il veut nous voir ce soir. Après le travail. Pas avant 21 heures.

— Ça vous paraît crédible ? demanda Geismar.

— Comment savoir ? En tout cas, il était nerveux et a utilisé deux téléphones, sans doute des portables à cartes prépayées. Il a insisté pour que je n'en parle à personne et voulait savoir à quel point nous protégions nos témoins. Il disait que plein de gens chez eux en avaient assez de toute cette corruption mais qu'ils avaient peur de parler.

— Où veut-il qu'on le rencontre ? demanda Lacy.

— Il n'habite pas très loin du casino, sur la réserve. Il va trouver un endroit et nous indiquer le lieu exact quand on sera en chemin.

— Il faut faire attention, déclara Geismar. C'est peut-être un piège.

— Je ne crois pas, répondit Hugo. J'ai plutôt l'impression qu'il était affolé et qu'il voulait nous aider.

— Quel téléphone as-tu utilisé ?

— Celui du BJC. Je connais les règles, patron.

— Et comment a-t-il eu ton numéro ? insista Geismar. Pour l'instant, à qui avez-vous donné vos coordonnées ?

Hugo et Lacy échangèrent un regard, fouillant leur mémoire.

Lacy fut la première à répondre :

— Myers, Junior Mace, le directeur de la prison, Wilton Mace, la veuve de Razko, Al Bennet – l'avocat qui s'est présenté contre McDover il y a cinq ans –, Naylor de la Commission des jeux. C'est tout je crois.

— Oui. Personne d'autre. Je me suis posé la même question en chemin.

— Cela fait déjà beaucoup de monde, constata Geismar. Une fuite est possible.

— Mais aucune de ces personnes n'est en affaire avec Dubose, répliqua Lacy.

— Pour autant qu'on le sache, précisa Hugo.

— Vous voulez y aller ? demanda leur patron.

— Évidemment, rétorqua Lacy.

Geismar se leva et se dirigea vers sa petite fenêtre.

— C'est peut-être notre chance. Quelqu'un dans les murs.

— Alors, ne la laissons pas passer, insista Lacy.

— Entendu. Mais soyez prudents.

* * *

Ils attendirent jusqu'à 23 heures, dans la Prius, garés au bout du parking du casino. Leur contact devait leur indiquer le lieu de la rencontre. On était lundi soir, un jour tranquille aux tables et aux machines à sous. Pendant que Lacy faisait des recherches sur son iPad, bien sûr Hugo piquait un roupillon. À 22 h 56, l'homme appela enfin. Les deux enquêteurs quittèrent le parking du Treasure Key, roulèrent trois kilomètres sur une route de campagne sinueuse jusqu'à un hangar abandonné. À en croire l'ancien écriteau rouillé, il y avait ici jadis une salle de loto. On apercevait les lumières d'une maison au loin. Les feux du casino éclairaient la nuit à l'horizon. Il faisait chaud et humide, l'air était chargé de moustiques. Hugo sortit de la voiture et s'étira. Avec son mètre quatre-vingts, ses cent kilos, et son arrogance d'ancien footballeur, il ne se laissait pas facilement impressionner. Lacy était rassurée par sa présence. Elle n'aurait pas fait le voyage seule. Hugo rappela le numéro, mais personne ne décrocha.

Il y eut un mouvement dans l'ombre sur le côté du bâtiment.

— Il y a quelqu'un ? lança Hugo.

Lacy sortit à son tour de la Prius.

— Avancez de trois pas, répondit une voix.

Une silhouette se tenait droit devant, immobile. L'homme portait une casquette et le bout rouge de sa cigarette allait et venait à sa bouche. Lacy et Hugo s'approchèrent.

— Pas plus loin, les arrêta la voix. Je ne veux pas que vous voyiez mon visage.

— Mais vous pouvez voir les nôtres, je suppose, répliqua Hugo.

— Vous êtes assez près comme ça. C'est vous, Hatch ?

— Exact.

— Et la fille ? Qui c'est ?

— Je m'appelle Lacy Stoltz. Nous sommes collègues.

— Vous ne m'avez pas dit que vous viendriez accompagné.

— Vous ne m'avez rien demandé. C'est ma partenaire et nous travaillons ensemble.

— Je n'aime pas ça.

— Faudra vous y faire.

Un silence, le temps de tirer une bouffée et d'évaluer la situation. Il s'éclaircit la gorge, lâcha un crachat.

— Il paraît que vous en avez après la juge.

— Nous travaillons pour le BJC, l'inspection judiciaire, répondit Lacy. Nous sommes avocats, pas

150

policiers. Notre travail est d'enquêter quand on reçoit une plainte concernant un juge.

— McDover mérite la prison, elle et tout un tas de gens, riposta l'homme avec nervosité.

Il souffla sa bouffée et un nuage de fumée s'éleva dans l'air.

— Vous travaillez donc au casino ? dit Hugo.

Encore un silence.

— Oui, j'y travaille. Qu'est-ce que vous savez sur la juge ?

— On a reçu une plainte faisant état de comportements contraires à l'éthique, répondit Lacy. Nous ne sommes pas autorisés à vous en dire plus.

— Contraires à l'éthique ? répéta-t-il avec un rire amer.

Il jeta sa cigarette par terre. Elle y brilla un moment avant de s'éteindre.

— Vous pouvez arrêter les gens ou juste, comme on dit, fouiller la merde ?

— Nous ne pouvons arrêter les gens, répondit Hugo.

Il y eut un autre rire nerveux.

— Alors je perds mon temps. J'ai besoin de quelqu'un qui a un peu de pouvoir.

— Mais nous avons autorité pour mener l'enquête et relever un juge de ses fonctions si nécessaire.

— La juge n'est pas notre plus gros problème ici.

Ils attendirent la suite, mais elle ne vint pas. Ils scrutèrent l'obscurité. La silhouette semblait avoir disparu.

Hugo avança de quelques pas.

— Vous êtes encore là ?

Pas de réponse.

— C'est fini, conclut Lacy. Il est parti.

Ils patientèrent quelques secondes encore dans le noir.

— Je pense que tu as raison, concéda Hugo.

— Je n'aime pas ça. Allons-nous-en.

Ils rouvrirent les portières et montèrent en voiture. Elle longea le hangar en marche arrière. Pas âme qui vive. Elle revint sur la route et prit la direction du casino.

— C'est bizarre, constata Hugo. On aurait pu avoir cette conversation au téléphone.

Des phares approchaient au loin.

— Tu crois que je lui ai fait peur ? s'enquit-elle.

— Va savoir ? Si ce n'était pas du flan, il allait nous balancer des infos qui risquaient de causer des problèmes à certains de ses frères. À mon avis, il s'est déballonné et s'est barré.

Hugo tapota sa taille.

— La ceinture de sécurité vient encore de sauter. C'est la troisième fois ce soir. Tu attends quoi pour la faire réparer ?

Lacy jeta un coup d'œil vers lui, s'apprêtant à lui répondre, quand Hugo poussa soudain un cri. Des lumières aveuglantes fondaient sur eux. Un pickup avait franchi la ligne blanche. La collision fut frontale, pare-chocs contre pare-chocs, l'impact si violent que la Prius décolla du sol et fit un cent quatre-vingts degré. Avec ses trois tonnes, deux fois plus que la Toyota, le pickup, un gros Dodge Ram, eut largement le dessus. Il termina sa course dans le fossé, la calandre enfoncée.

L'airbag de Lacy s'ouvrit, frappa sa poitrine et son visage, la sonnant d'un coup. Le haut de son crâne heurta le plafond de la Prius au moment où il s'écrasa sous le choc, lui ouvrant le cuir chevelu. L'airbag côté passager ne se déclencha pas. Sans ceinture ni airbag, Hugo fut propulsé tête la première dans le pare-brise qui vola en éclats. Le verre lui lacéra le visage et lui entailla le cou.

Il y avait partout des débris de métal et de verre. La roue avant droite du pickup tournait dans le vide. Le chauffeur sortit lentement de la cabine, retira son casque et ses protections, et regarda derrière lui. Un autre pickup arrivait. Il étira ses jambes, frotta son genou gauche, et s'approcha en boitant de la voiture en accordéon. Il vit la femme, son visage couvert de sang, le coussin de l'airbag déployé pendant sur le volant. Il vit aussi l'homme qui perdait son sang de multiples blessures. Il resta un moment à les observer puis il recula et monta dans le deuxième pickup. Une fois à bord, il attendit en se frottant la jambe. Il s'aperçut qu'il saignait du nez. Le chauffeur, qui était sorti, remonta au volant et démarra, tous feux éteints. Le véhicule tourna dans un champ et disparut. Les secours furent appelés.

L'habitation la plus proche se trouvait à cinq cents mètres. La maison des Beale. Iris, la mère, entendit la collision, sans comprendre de quoi il s'agissait. Mais elle était convaincue que ce n'était pas normal. Elle réveilla Sam, son mari, le força à enfiler des vêtements pour qu'il aille aux nouvelles. Le temps que Sam arrive sur place, un véhicule s'était arrêté. En quelques minutes, on entendit des sirènes, et des gyrophares strièrent la nuit. Deux voitures de patrouille de la police des Tappacolas arrivèrent. Suivies par deux véhicules de pompiers de la réserve. Presque aussitôt, un hélicoptère de l'hôpital à Panama City fut appelé en renfort.

Hugo fut sorti de la carcasse par l'ouverture béante du pare-brise. Il était encore en vie, mais inconscient et son pouls filant. Il fallut utiliser des pinces hydrauliques pour ouvrir la portière côté conducteur et désincarcérer Lacy. Elle voulut dire quelque chose, mais ne put sortir que des grognements inintelligibles. Elle fut placée dans une ambulance et emportée à la clinique de la tribu qui se trouvait à côté du casino. L'hélicoptère viendrait la récupérer. Elle perdit connaissance en chemin. Elle n'entendit pas la nouvelle : Hugo était décédé. Elle fit le court vol jusqu'à l'hôpital, en solo.

Sur les lieux de l'accident, la police accomplit son travail de routine – photos, vidéos, mesures et recherche de témoins. À l'évidence, il n'y avait personne sur les lieux. Et pas plus de chauffeur dans l'autre véhicule. L'airbag dans le pickup s'était ouvert. Pas trace de sang ni de blessures, mais une bouteille de whisky cassée sur le plancher, au pied du siège côté passager. Le chauffeur s'était évanoui dans la nature. Avant même que le pickup soit remorqué, la police savait que le véhicule avait été volé six heures plus tôt dans un centre commercial à Foley, en Alabama. La Prius de Lacy fut chargée sur le plateau d'une dépanneuse et emportée au dépôt de la police.

Le corps de Hugo fut emmené à la clinique de la réserve, placé dans la chambre froide au sous-sol où l'on gardait de temps en temps un cadavre. De l'autre côté de la rue, le chef de la police tribale, Lyman Gritt, s'assit à son bureau et contempla les effets personnels de la victime : un jeu de clés, quelques billets, un peu de monnaie, un portefeuille. Un sergent était assis en face de lui, silencieux comme une momie. Aucun des deux ne voulait passer le coup de fil.

Gritt finalement ouvrit le portefeuille et récupéra la carte de visite de Hugo. Il alla sur Internet consulter le site du BJC et trouva le numéro de Michael Geismar.

— C'est plutôt à lui d'appeler, non ? lâcha le policier. Après tout, c'est son employé, il connaît ce M. Hatch, et sans doute aussi sa famille.

— C'est sûr, répondit le sergent.

À 2 h 20 du matin, Michael Geismar décrocha son téléphone. Une voix lui dit :

— Je suis désolé de vous appeler à cette heure, mais je crois que vous travaillez avec M. Hugo Hatch. Je suis le chef de la police de la tribu des Tappacolas, dans le comté de Brunswick.

Geismar se leva d'un bond tandis que sa femme allumait la lumière.

— Oui ! Que se passe-t-il ?

— Il y a eu un accident, un accident grave. Et M. Hatch est mort. Quelqu'un pourrait-il prévenir sa famille ?

— Quoi ? Non, ce n'est pas possible. Qui est à l'appareil ?

— Je suis Lyman Gritt, monsieur, le chef de la police. Je vous assure que je suis sérieux. L'accident est survenu sur la réserve il y a deux heures environ. La jeune femme, Lacy Stoltz, a été emmenée à l'hôpital de Panama City.

— Non…

— Je regrette, mais c'est la vérité. Il a une famille ?

— Une famille ? Bien sûr qu'il a une famille ! Une charmante épouse et quatre enfants. C'est un cauchemar.

— Encore une fois, je suis désolé. Vous pouvez les prévenir ?

— Moi ? Pourquoi moi ? Ce n'est pas vrai. Qu'est-ce qui me dit que ce n'est pas une mauvaise plaisanterie ?

— Allez sur notre site et vérifiez. Vous pouvez aussi appeler l'hôpital de Panama City. Mme Stoltz doit être dans leur fichier d'admission à présent. Je vous assure que c'est bien réel. Et dans pas longtemps, les journalistes vont l'apprendre et appeler eux-mêmes la famille.

— Ça va, ça va. Donnez-moi une seconde.

— Prenez tout le temps qu'il vous faudra.

— Et Lacy ? Elle va s'en sortir ?

— Je ne sais pas. Elle est blessée, mais en vie.

— Entendu. J'y vais tout de suite. Donnez-moi votre numéro au cas où.

— Bien sûr. N'hésitez pas à appeler si je peux être utile en quoi que ce soit.

— D'accord. Et merci. Je sais que ce ne doit pas être facile pour vous.

— Non, monsieur Geismar. Juste une question : c'était pour le travail qu'ils étaient ce soir sur la réserve ?

— Oui. Pour le travail.

— Je peux vous demander ce qu'ils faisaient ? C'est pour mon rapport.

— Désolé. Plus tard peut-être.

* * *

Geismar resta avec Verna et les enfants jusqu'à ce que sa mère arrive, puis se sauva de la maison. Il

vivrait à jamais avec cette horreur, cette abomination
– la souffrance d'une famille tout entière apprenant
que le mari, le papa, ne rentrerait pas à la maison,
jamais, tous refusant d'accepter la réalité, croyant
encore que ce n'était pas vrai. Il était le méchant, le
messager noir, celui qui devait les convaincre que
Hugo était bel et bien mort. Pourquoi lui ?

Jamais, il n'avait connu cette ignominie, cette
dévastation, jamais il ne pourrait endurer à nouveau
un tel cauchemar. Il s'aperçut qu'il pleurait en quittant
Tallahassee aux petites heures de l'aube. Il arriva à
Panama City peu après 6 heures.

13

L'état de Lacy était stationnaire, mais elle était toujours inconsciente. Le premier examen avait révélé une plaie au niveau de l'os temporal gauche nécessitant vingt-quatre points de suture, un traumatisme crânien ayant causé un œdème cérébral, des tuméfactions au visage, suite à l'ouverture de l'airbag, des lacérations au cou, à l'épaule gauche, au coude, à la main et au genou. On lui avait rasé le crâne et les médecins, pour lui éviter une souffrance inutile, avaient décidé de la plonger dans un coma artificiel pour au moins vingt-quatre heures. L'un d'eux expliqua à Geismar qu'il leur fallait encore un jour ou deux pour se prononcer, mais que pour l'instant, ils ne voyaient pas d'autres dommages et le pronostic vital n'était pas engagé.

La mère de Lacy, Ann Stoltz, arriva de Clearwater à 8 heures, avec sa sœur Trudy et son mari Ronald. Ils assaillirent de questions Geismar qui répondit de son mieux avec le peu d'informations qu'il avait.

Une fois qu'ils furent installés, Geismar s'en alla, pour mettre le cap sur la réserve. Il attendit une demi-heure au poste de police que Lyman Gritt se présente à son bureau. L'officier de police lui annonça qu'ils enquêtaient encore sur les circonstances de l'accident, mais qu'ils savaient déjà l'essentiel : la collision, à l'évidence, était due au fait que le pickup avait franchi la ligne blanche et percuté la Prius. Le véhicule était volé, et appartenait à quelqu'un en Alabama. Aucune trace du conducteur. Il semblait toutefois qu'il avait bu. Personne ne l'avait vu s'enfuir. Et on n'avait trouvé aucune trace de lui. Dans la Toyota, l'airbag côté passager ne s'était pas déclenché et M. Hatch ne portait pas sa ceinture de sécurité. Ses blessures étaient graves, en particulier au crâne. Il avait perdu trop de sang, ce qui avait entraîné sa mort.

— Vous voulez voir les photos ?

— Pas tout de suite, s'il vous plaît.

— Et les véhicules ?

— Oui. Je veux bien.

— Parfait. On va vous y conduire, et ensuite on vous emmènera sur le lieu de l'accident.

— Il semble y avoir pas mal de zones d'ombre.

— Nous enquêtons toujours, monsieur Geismar. Peut-être pourriez-vous nous éclairer sur ce que faisaient vos agents hier soir dans la réserve ?

— Plus tard, si vous voulez bien. Plus tard.

— Une enquête nécessite une coopération complète. J'ai besoin de tout savoir. Que faisaient-ils ici ?

— Je ne peux pas vous donner de détails maintenant, répondit Geismar, sachant qu'il ne faisait que renforcer la suspicion du policier.

Pour le moment, il ne faisait confiance à personne.

— Un de mes hommes a été tué dans un accident de voiture plus que suspect. Il faut que vous me promettiez que personne ne va s'approcher des véhicules, qu'ils sont bien gardés.

— Vous pensez que quelqu'un pourrait s'y intéresser ? Qui donc ?

— Je ne suis sûr de rien.

— Je vous rappelle que les faits se sont produits sur le territoire des Tappacolas et que c'est nous qui menons l'enquête. Nous ne sommes sous les ordres de personne.

— Bien sûr. Je comprends. Je suis juste un peu ébranlé. Donnez-moi un peu de temps, s'il vous plaît.

Lyman se leva et se dirigea vers une table dans le coin de la pièce.

— Regardez ça, dit-il.

Sur la table : un grand sac à main et un jeu de clés. À côté, un autre tas : un portefeuille et d'autres clés. Michael s'approcha et regarda fixement les objets.

— Quand il y a des morts, d'ordinaire, nous examinons les effets personnels pour en faire un inventaire détaillé. Je ne l'ai pas encore fait. J'ai ouvert le portefeuille uniquement pour récupérer la carte de visite. C'est comme ça que j'ai pu vous contacter. Je n'ai pas encore fouillé le sac à main.

— Où sont les téléphones ?

Lyman secoua la tête.

— Pas de téléphones. On a cherché dans les poches de la victime, dans la voiture. Rien. Pas un seul.

— C'est impossible. Quelqu'un les a pris.

— Vous êtes sûr qu'ils en avaient ?

— Bien sûr ! Tout le monde a un mobile sur lui. Il y avait dedans leurs derniers appels, y compris celui du correspondant qui leur a donné le rendez-vous ici.

— Et qui est-ce ?

— Je ne sais pas. Je vous l'assure.

Geismar se frotta les yeux. D'un coup, il pâlit.

— Et leurs mallettes ?

Lyman secoua à nouveau la tête.

— Aucune mallette.

— Il faut que je m'assoie.

Il se laissa tomber sur une chaise et contempla les affaires de ses deux agents.

— Un verre d'eau ?

— Oui, ce n'est pas de refus.

Dans les mallettes, il y avait les dossiers, et dans ces dossiers, il y avait tout ! La nausée le gagna. Vonn Dubose, Claudia McDover… les photos des appartements, celles de Dubose en personne, et de McDover se rendant à leurs entretiens mensuels, des photos de la juge montant dans un jet privé pour se rendre à New York, le relevé complet de ses voyages depuis sept ans, la copie de la plainte de Greg Myers, les notes de Sadelle, tout. Tout !

Michael Geismar but à même la bouteille d'eau minérale, essuya son front trempé de sueur. Quand il eut trouvé la force de se relever, il déclara :

— Je reviens demain récupérer leurs affaires et jeter un coup d'œil dans les voitures. Pour l'instant, il faut que je retourne au bureau. Surveillez bien tout ça, je vous en prie.

— On connaît notre travail, monsieur Geismar.

— Et il me faudrait les clés, si vous n'y voyez pas d'inconvénients.

— Pas de problème.

Michael Geismar récupéra le trousseau, remercia le policier et s'en alla. Il appela Justin Barrow au BJC et lui demanda de se rendre immédiatement chez Lacy et de trouver le gardien. Il fallait lui expliquer le drame, lui annoncer que son patron arrivait avec les clés et qu'il devait désactiver l'alarme.

— En attendant, surveille l'appartement. Assure-toi que personne ne rentre.

En retournant à Tallahassee, Michael tenta de se rassurer : Lacy et Hugo n'avaient pas pris leur mallette avec eux. C'était possible, non ? Ils allaient rencontrer un inconnu en pleine nuit. Pourquoi emporter avec eux toutes ces pièces ? Mais Geismar savait que, comme tout enquêteur, comme tout avocat, ses agents avaient toujours tous leurs dossiers avec eux. Il s'en voulait de n'avoir pas été plus explicite sur ce point de sécurité. Mais cela allait de soi, non ? Toutes leurs enquêtes étant confidentielles. Protéger leurs données était une évidence. Il n'avait même pas songé à rappeler ce point de précaution élémentaire.

Il fit deux arrêts afin de boire un café et se dégourdir les jambes. Pour chasser la fatigue, il passa des coups de fil. Il appela Justin, qui était arrivé à l'appartement de Lacy. Le gardien ne voulait pas le laisser entrer avant que son patron vienne avec les clés. Tout en roulant et buvant des lampées de café, il répondit aux questions de deux journalistes qui l'avaient contacté au bureau. Il appela aussi Verna et parla à l'une de ses sœurs. Bien sûr, elle n'avait pas grand-chose à dire. Verna était dans la chambre, avec ses deux grands enfants. Michael voulait savoir si quelqu'un avait vu la mallette et le téléphone de Hugo, mais le moment ne paraissait pas opportun. Ils avaient d'autres soucis en tête. Sa secrétaire organisa une réunion par téléphone avec son équipe et Michael fit de son mieux pour répondre à leurs questions. Comme c'était prévisible, ils étaient tous sous le choc.

Le gardien tenait à entrer avec eux chez Lacy. Michael trouva la bonne clé et ouvrit la porte. Le gardien neutralisa rapidement l'alarme. Frankie, son bouledogue, aboyait. Il avait faim et soif et avait mis un beau bazar dans la cuisine.

— C'est bon, déclara le gardien. Je vais nourrir ce monstre pendant que vous faites votre tour. Mais vite fait.

Pendant que l'employé cherchait la nourriture pour chien, les deux enquêteurs passèrent de pièce en pièce. Justin trouva la mallette de Lacy sur une chaise dans la chambre. Avec appréhension, Geismar l'ouvrit et récupéra un carnet de notes et deux chemises. C'était les documents officiels du BJC, chacun avec un numéro de dossier. Tout était là. Ils trouvèrent son iPhone personnel, en charge sur une tablette dans la salle de bains. Ils remercièrent le gardien qui nettoyait le sol de la cuisine en maugréant en sourdine – mais assez fort pour que sa mauvaise humeur soit audible –, et s'en allèrent avec le téléphone et la mallette.

— Je ne peux pas retourner chez Hugo, annonça Michael arrivé à côté de sa voiture. Pour eux, je suis le porteur de mauvaise nouvelle. Il faut que tu y ailles. Demande à Verna de chercher la mallette de Hugo et son téléphone. Dis-lui que c'est très important.

Michael Geismar était le patron. Justin n'avait pas trop le choix.

* * *

La maison des Hatch fut facile à repérer. Une file de voitures étaient garées devant, sur les deux côtés de la rue, et des groupes d'hommes conversaient sur la pelouse, comme s'il y avait trop de monde à l'intérieur. Justin s'approcha, guère à l'aise, les salua.

163

Ils se montrèrent polis mais peu loquaces. Le visage de l'un d'eux – un Blanc en chemise et cravate – lui était vaguement familier. Justin lui expliqua qu'il était un collègue de Hugo. Le gars s'appelait Thomas et il travaillait dans le service du procureur général. Lui et Hugo avaient fait leur droit ensemble et étaient restés très proches. Presque dans un murmure, Justin lui donna la raison de sa visite. Il était essentiel de retrouver la mallette de Hugo et de la mettre à l'abri. Elle contenait des informations sensibles, ce genre de choses… Thomas comprenait très bien. Et le téléphone aussi était manquant. Peut-être l'avait-il laissé chez lui ? « C'est peu vraisemblable », répondit Thomas avant de retourner dans la maison.

Deux femmes sortirent sur le perron, en larmes, et furent réconfortées par leurs maris. À en juger par le nombre de voitures garées dans la rue, la maison devait être bondée. Tout le monde était venu, famille comme amis.

Après une éternité, Thomas réapparut, les mains vides. Les deux hommes s'éloignèrent pour avoir un peu d'intimité.

— Sa mallette est bien là. J'ai expliqué la situation à Verna et elle m'a laissé y jeter un coup d'œil. Tout semble en ordre, mais elle ne veut pas que je l'emporte. Je lui ai demandé de la mettre en lieu sûr. Je crois qu'elle a compris le problème.

— Je ne vous demande pas comment elle va.

— Elle est cloîtrée dans une pièce. Elle arrive à peine à parler. La mère de Hugo est allongée sur le canapé. Il y a du monde partout. Des oncles, des tantes. Il y a un médecin avec eux. C'est vraiment horrible.

— Et le téléphone ? Aucune trace ?

— Non. Il l'avait sur lui. Il a appelé hier soir vers 22 heures pour savoir si tout allait bien à la maison. Il se servait de son téléphone pro pour tout.

Justin prit une longue inspiration.

— Merci encore.

Sur le chemin du retour, Justin joignit Geismar pour le tenir au courant.

* * *

Plus tôt dans l'après-midi, le corps de Hugo fut transféré dans une société de pompes funèbres de Tallahassee, en vue d'être préparé pour les funérailles, quoique Verna n'eût encore rien organisé.

Lacy resta en unité de soins intensifs toute la journée. Ses constantes vitales étaient bonnes, les médecins satisfaits de son évolution clinique. Un autre scanner confirma la réduction de l'œdème. Si tout allait bien, on prévoyait de la faire sortir du coma dans trente-six ou quarante-huit heures. Lyman Gritt voulait lui parler, mais on lui fit savoir qu'il devrait attendre.

* * *

Après une nuit agitée, Michael Geismar se rendit au bureau à l'aube et attendit l'arrivée de Justin. Encore sonné par le cauchemar de la veille, il lut l'article qui faisait la première page du journal du matin. Il y avait deux photos de Hugo. L'une, quand il jouait dans l'équipe de Florida State, et l'autre en costume, récupérée sur le site du BJC. Les prénoms des quatre enfants de Hugo étaient cités et Michael en eut les larmes aux yeux. La cérémonie aurait lieu samedi, dans trois jours. Encore une épreuve.

Avec Justin, il partit pour la réserve à 7 heures du matin. Lyman Gritt avait fait l'inventaire du contenu du portefeuille de Hugo, compté l'argent, tout photographié. Il demanda à Michael de signer le relevé, et lui remit le tout. Il s'en alla aussi avec le sac à main de Lacy. Ils descendirent la rue jusqu'à un petit parking grillagé, fermé par un portail, où se trouvait une dizaine de voitures accidentées. Sans toucher à rien, ils examinèrent les deux véhicules. Le pickup empestait le whisky. La Prius était bien plus endommagée, et il y avait tant de sang à l'intérieur que les deux hommes ne voulaient pas trop s'approcher. C'était le sang de leurs amis, encore frais.

— Il va y avoir un recours en justice, annonça Michael d'un ton solennel (une simple supposition de sa part). Il est donc impératif que personne ne touche à ces deux véhicules. C'est possible ?

— Aucun problème, répondit Gritt.

— Les compagnies d'assurances vont s'en mêler et ils vont envoyer leurs experts.

— On a l'habitude, monsieur Geismar.

— Vous avez cherché partout ? Pas de téléphone ?

— Non, comme je vous l'ai dit. On n'a rien trouvé.

Michael et Justin échangèrent un regard, sceptiques. Ils demandèrent à prendre des photos. Gritt leur donna le feu vert. Quand ils eurent terminé, ils suivirent le chef de la police sur la petite route où le drame avait eu lieu. Ils aperçurent la maison des Beale au loin, le vieux hangar. Aucune autre construction alentour.

Michael contempla la chaussée.

— Il n'y a pas de traces de pneus.

— Pas une, confirma Gritt. La conductrice n'a pas eu le temps de réagir. À mon avis, le pickup s'est déporté et les a percutés ici. (Il se tenait au milieu de la voie de gauche.) La voiture a été projetée et on l'a retrouvée dans cette position, l'avant par là. Mais toujours sur sa voie. Le pickup, qui était bien plus lourd, s'est arrêté ici, dans le fossé. À l'évidence, il a franchi la ligne blanche d'un coup. Elle n'a rien pu faire.

— On a une idée de leur vitesse à l'impact ?

— Non, les experts vont l'établir bientôt.

Michael et Justin étudièrent les lieux, remarquèrent les taches d'huile, les morceaux de verre, les débris de métal. Au bord de la route, à la lisière du bas-côté, ils virent une flaque de sang séchée. Dans l'herbe, un lambeau de vêtement, lui aussi taché. L'un de leurs collègues avait été tué ici, un autre gravement blessé. C'était un endroit si incongru pour mourir.

Ils prirent encore quelques photographies, puis ils partirent. Vite.

* * *

Frog Freeman tenait une épicerie-station-service à cinq kilomètres de Sterling. Il vivait juste à côté dans une vieille maison que son grand-père avait construite, et parce qu'il était toujours là, parce que sa boutique était toute sa vie, il restait ouvert jusqu'à 22 heures tous les jours de la semaine. Au vu de l'activité le soir, dans ce comté rural, il aurait pu fermer à 18 heures. Mais il n'avait rien d'autre à faire. Ce lundi soir, il n'était pas fermé à 22 heures parce qu'il y avait une fuite dans l'armoire des bières. Frog vendait beaucoup de bières, et les clients en voulaient des fraîches. Un

167

réfrigérateur en panne, c'était inconcevable ! Bricoleur dans l'âme, il avait décidé de régler le problème lui-même. Il était en pleine réparation quand un client débarqua pour lui acheter de la glace, de l'alcool à quatre-vingt-dix degrés et deux canettes de bière.

Un curieux assortiment, songea Frog en s'essuyant les mains pour encaisser les emplettes de l'inconnu. Il avait cette boutique depuis cinquante ans et il n'avait pas son pareil pour connaître les projets des clients rien qu'à leur liste de courses. Il avait tout vu, mais de la glace, de l'alcool à quatre-vingt-dix, et de la bière, c'était bizarre.

Frog avait été braqué à trois reprises, deux fois avec un pistolet, et il avait décidé de réagir. Quelques années plus tôt, il avait fait installer six caméras de surveillance autour de la boutique. Quatre visibles, pour que les voleurs y réfléchissent à deux fois, et deux cachées, dont une juste au-dessus de l'entrée.

Frog rejoignit son minuscule bureau derrière la caisse et observa son moniteur. Un pickup blanc, des plaques de Floride. Un jeune gars assis sur le siège passager. Il avait un problème avec son nez. Il tenait dessus un linge et le tissu paraissait taché. Le conduc-teur entra dans le champ de la caméra avec sa poche de glace, le sac en papier contenant le désinfectant et les bières. Il remonta derrière le volant, dit quelque chose à son passager et repartit.

— Il y a eu de la bagarre, lâcha Frog en retournant à sa réparation.

Les accidents de la circulation étaient rares au comté de Brunswick. Le lendemain matin, au café, les discussions allaient bon train. Un Noir et une fille blanche de Tallahassee s'étaient perdus sur la réserve et un ivrogne les avait percutés. Un pickup volé, et le chauffard avait pris la fuite. Évanoui dans la nature. Plus trace de lui nulle part ! Cette histoire de type saoul qui sort du pickup accidenté, et disparaît dans les profondeurs de la réserve avec l'espoir de s'échapper, ça c'était croustillant ! Rires, spéculations, incrédulité, tout s'en mêlait.

— Il ne tiendra pas une heure là-bas ! lança un des habitués.

— Il doit être encore en train de tourner en rond, répondit un autre.

— Le gars n'a pas de mouron à se faire. Les Indiens vont encore merder, répliqua un troisième.

Plus tard dans la journée, à mesure que les détails s'accumulaient, Frog recolla les morceaux. Il connaissait bien le shérif, et celui-ci ne portait pas la police des Tappacolas dans son cœur. À cause de leur richesse, la police de la tribu avait deux fois plus d'effectifs et de moyens que celle de tout le comté. La rancœur était inévitable.

Frog appela donc Clive Pickett, le shérif du comté, et annonça qu'il avait quelque chose d'important à lui dire. Pickett passa à la boutique après le travail et regarda la vidéo.

— C'est bizarre, lâcha-t-il.

La soirée du lundi avait été tranquille dans ce comté désert, comme tous les soirs de la semaine d'ailleurs, la seule oasis de vie étant le casino. Personne n'avait appelé pour une bagarre, une agression, un voyeur ou un quelconque type au comportement louche. Tout était calme jusqu'à ce que deux véhicules se percutent de plein fouet.

— Cela s'est passé pas très loin. À dix, quinze kilomètres, de chez toi.

— Oui. À vol d'oiseau.

— Et l'heure correspond ?

— Apparemment.

Le policier se gratta le menton, plongé dans ses pensées.

— Si le gars au nez cassé conduisait le pickup volé, comment a-t-il pu se faire la belle aussi vite ? Il aurait fait du stop et se serait arrêté ici un quart d'heure plus tard ?

— Je ne sais pas. C'est toi le shérif.

— Peut-être qu'il n'a pas fait du stop. Mais qu'on est venu le récupérer ?

— C'est un peu ce que je me dis.

Frog accepta de faire une copie de la vidéo et de l'envoyer au shérif par e-mail. Ils décidèrent de ne rien dire aux Indiens pour l'instant.

14

En fin d'après-midi, le mercredi, Michael rassembla le reste de son équipe. Les deux enquêteurs de l'annexe de Fort Lauderdale n'étaient pas conviés. Justin Barrow, avec six ans d'ancienneté, était désormais le doyen de l'équipe. Il avait joué au golf avec Hugo une semaine plus tôt, connaissait dans les grandes lignes la plainte de Greg Myers, mais ignorait l'ampleur de la corruption en arrière-plan. Il s'occupait de ses propres dossiers. Maddy Reese, qui était arrivée un an auparavant, ne savait rien de l'affaire.

Michael commença par le début : Greg Myers. Et leur raconta tout par le menu. Ils l'écoutèrent avec un mélange de stupeur et d'incrédulité. Selon lui, Myers ne pouvait pas prouver ce qu'il avançait dans sa plainte et il doutait fortement que le BJC ait les moyens de le faire. Toutefois, il était convaincu que Hugo et Lacy avaient été victimes d'un guet-apens.

— Cet accident est louche. Ils ont été attirés dans cet endroit par un informateur. On ignore s'ils l'ont rencontré. On en saura plus quand Lacy pourra parler. Sur une route toute droite, par temps clair, et sans aucune circulation, ils ont été percutés de plein fouet par un chauffeur ivre qui s'est évanoui dans la nature. L'airbag, comme la ceinture, côté passager, ont été probablement trafiqués. Et leurs téléphones pro ont disparu. Sans doute volés. Nous comptons mener l'enquête, mais nous avons affaire aux autorités de la tribu, pas à notre police classique.

— Vous dites que Hugo aurait été assassiné ? s'enquit Maddy.

— Pour l'instant, je dis juste que les circonstances de cet accident sont plus que suspectes.

— Et le FBI ? C'est leur prérogative, non ?

— Certes, et nous leur demanderons de l'aide en temps voulu. Pour l'instant, c'est trop tôt.

Maddy s'éclaircit la voix.

— Que va-t-il se passer en attendant ?

— Le dossier est sur mon bureau. Je ne sais pas trop quoi en faire, mais cette affaire, jusqu'à nouvel ordre, est au BJC.

— Sans vouloir être désobligeant, intervint Justin, nous ne sommes pas de taille. S'il s'agit d'une activité criminelle, on n'a pas à s'en mêler. Il faut des types avec des armes, des badges de flics, et tout le tralala pour s'en charger. Pourquoi aller au front tout seuls comme ça ?

— Je suis d'accord. Et je risque de le regretter jusqu'à ma mort. Nous savions qu'il y a du danger. Notre plan était de chercher discrètement, à la périphérie, et voir ce qu'on pourrait trouver. Une plainte en bonne et due forme avait été déposée, et une fois chez nous, nous étions tenus d'ouvrir une enquête. On aurait dû être plus prudents. J'aurais dû leur dire de ne pas aller à la réserve cette nuit-là.

— C'est vrai, mais ces deux-là ne sont pas du genre à se laisser impressionner, répondit Maddy. (Il y eut un long silence.) Quand pourrons-nous voir Lacy ?

172

— Si tout va bien, ils vont la faire sortir du coma. Je vais passer à l'hôpital ce matin. Avec un peu de chance, je pourrai lui parler. Il va falloir lui dire pour Hugo. Dans un jour ou deux, vous pourrez lui rendre visite. Et n'oubliez pas, les funérailles ont lieu samedi. On doit tous être là.

— Une vraie partie de plaisir…, railla Justin.

* * *

La police de Foley, en Alabama, apprit que le Dodge Ram volé se trouvait dans un dépôt d'une réserve indienne de Floride. Ils avertirent le propriétaire, qui en informa sa compagnie d'assurances. Le mercredi après-midi, un homme se présenta au poste en annonçant qu'il avait des informations sur le vol. C'était un détective privé, connu de certains agents, dont la mission était de surveiller une jeune épouse, parce que son mari pensait qu'elle fréquentait quelqu'un d'autre. Le détective était en planque dans sa voiture sur le parking d'un centre commercial quand il avait vu un pickup Honda avec des plaques de Floride se garer à côté du Dodge Ram en question. Il y avait deux hommes dans la cabine, mais ils ne descendirent pas du véhicule. Pendant un quart d'heure, ils regardèrent les voitures et les piétons passer. C'était bizarre. Le passager finalement est sorti et s'est approché du Dodge. À ce moment, l'enquêteur, parce qu'il s'ennuyait ferme et qu'il n'avait rien d'autre à faire, se mit à filmer la scène avec son téléphone.

Le voleur, avec adresse, ouvrit la portière à l'aide d'une tige plate – visiblement, ce n'était pas un débutant. En quelques secondes il démarra le moteur et s'en alla avec le pickup, suivi de son copain dans le Honda. Sur la vidéo, on pouvait lire le numéro sur les plaques de Floride. Rarement un vol de voiture n'avait été aussi vite élucidé. La police de Foley garda la vidéo et remercia le citoyen au grand sens civique. Ils firent une recherche rapide. Le pickup Honda appartenait à un homme habitant Defuniak Springs, en Floride, dans le comté de Walton, à environ vingt kilomètres du casino. L'homme en question, un certain Berl Munger, avait déjà un beau casier, un petit escroc patenté, en ce moment en liberté conditionnelle. Comme il s'agissait simplement d'un vol de voiture, pas d'un délit plus sérieux, et parce que les faits s'étaient produits dans un autre État, les flics de Foley placèrent le dossier sur la pile des affaires à traiter, mais sans urgence.

* * *

Greg Myers avait amarré le *Conspirator* à Naples en Floride et buvait un verre en feuilletant les journaux de Pensacola, Tallahassee et Jacksonville. Vivre à bord lui donnait l'impression de ne pas avoir d'attache, il ne savait jamais où il serait le lendemain. Lire les nouvelles de son ancienne terre natale, c'était une façon de garder un lien avec son passé, du moins concernant les moments heureux, un rite devenu essentiel pour lui. En outre, il se connaissait beaucoup d'ennemis et il voyait de temps en temps passer leurs noms dans les journaux.

Il eut un choc quand il apprit que Hugo avait péri dans un accident de la circulation, le lundi soir, sur la réserve des Tappacolas, et que sa partenaire, Lacy Stoltz, était grièvement blessée. C'était une nouvelle terrible, en bien des manières. Il y aurait enquête, on remonterait toutes les pistes, les langues allaient se délier. Comme toujours, Myers redoutait le pire : Dubose était derrière l'accident, même si rien ne le laissait supposer.

Plus il avançait dans sa lecture, plus il se sentait mal. Il n'avait rencontré Lacy et Hugo que trois fois, mais il les appréciait, les admirait. Ils étaient intelligents, n'avaient aucune arrogance, ne gagnaient pas beaucoup d'argent mais étaient entièrement dévoués à leur travail. À cause de lui, ils étaient sur la piste d'une juge véreuse et de ses complices. À cause de lui, l'un des deux était mort.

Greg Myers quitta le bateau et marcha sur la jetée. Il trouva un banc face à la baie et s'y assit longtemps, plein de remords. Ils s'étaient engagés sur un champ de mines.

15

Michael Geismar arriva à l'hôpital dès 8 heures, le jeudi matin. Il passa à la salle d'attente pour prendre des nouvelles auprès de Ann Stoltz qui était seule. Les constantes de Lacy étaient bonnes. Les médecins avaient arrêté les barbituriques dans la nuit. Elle sortait lentement du coma. Trente minutes plus tard, une infirmière vint les avertir que Lacy était réveillée.

— Je vais lui annoncer la nouvelle pour Hugo, déclara Geismar. Allez-y d'abord, je vous rejoins ensuite.

Comme elle était en unité de soins intensifs, Michael ne l'avait pas encore vue. Quand il entra dans la chambre, il fut saisi par l'état de son visage. Une forme meurtrie, pourpre et rouge, parsemée d'écorchures, de plaies, tellement enflée que Lacy était méconnaissable. Dans le fin interstice entre ses paupières bouffies, il aperçut ses prunelles. Une sonde trachéale sortait du coin de sa bouche, tenue en place par du sparadrap. Il lui toucha doucement la main et lui dit bonjour.

Elle hocha la tête, tentant de marmonner quelque chose, mais le tube lui encombrait la gorge. Ann Stoltz s'assit sur une chaise et s'essuya les yeux.

— Comment ça va, Lacy ? articula-t-il, lui aussi au bord des larmes.

Un si beau visage, réduit en charpie.

Elle hocha encore lentement la tête.

Ann murmura :

— Je ne lui ai rien dit.

Une infirmière entra dans la chambre et se posta à côté de Ann.

Michael se pencha vers la jeune femme.

— Tu as eu un accident de voiture, Lacy. Un choc frontal. Terrible. (Geismar déglutit, jeta un regard à Ann.) Lacy… Hugo ne s'en est pas sorti. Il est mort.

Elle poussa un gémissement et ferma ses yeux boursouflés. Elle serra sa main.

La vue de Geismar se troubla.

— Ce n'est pas de ta faute, Lacy. Il faut que tu te mettes ça dans la tête. Tu n'y es pour rien.

Elle poussa un autre gémissement et tourna la tête d'un côté et de l'autre.

Un médecin s'approcha du lit.

— Lacy, je suis le docteur Hunt. Vous êtes restée inconsciente quarante-huit heures. Vous m'entendez ?

Elle acquiesça et prit une longue inspiration. Une petite larme perla entre ses paupières déformées et roula sur sa joue.

Il l'ausculta rapidement, lui posa des questions simples, agita des doigts devant elle, lui demanda de regarder divers objets dans la pièce. Elle fit un sans-faute, quoique avec quelques hésitations.

— Vous avez mal à la tête ? s'enquit-il.

Elle acquiesça avec vigueur.

Le Dr Hunt se tourna vers l'infirmière et prescrivit des antalgiques. Puis il regarda Michael.

— Vous pouvez lui parler quelques minutes encore, mais pas de l'accident. Je sais que la police veut l'interroger. Il lui faut toutefois encore un peu de temps. On verra comment elle se sent dans un jour ou deux.

Il s'écarta du lit et sortit de la chambre sans un mot de plus.

Michael se tourna vers Ann.

— Nous devons parler de sujets confidentiels. Si vous voulez bien nous laisser. Il n'y en aura pas pour longtemps.

Ann se leva et quitta à son tour la pièce.

— Lacy, tu avais ton téléphone pro avec toi lundi soir ?

Elle hocha la tête.

— Il a disparu. Et celui de Hugo aussi. La police a fouillé la voiture et le lieu de l'accident. Ils ont cherché partout. Vos téléphones ne sont nulle part. Pourquoi, je n'en sais rien. Mais s'ils sont tombés entre de mauvaises mains, ils vont pouvoir retrouver Myers.

La fente de ses yeux s'ouvrit légèrement. Elle ne cessait de secouer la tête d'incrédulité.

— Nos gars de l'informatique disent que c'est quasiment impossible de pirater nos téléphones. Mais il y a toujours un risque. Tu as le numéro de Myers quelque part ?

Elle acquiesça.

— Dans ton dossier ?

Un nouveau hochement.

— D'accord. Je m'en occupe.

Un second médecin débarqua dans la chambre et voulait faire d'autres tests. Michael avait eu son compte pour une seule visite. Il avait accompli sa mission inhumaine. Il ne l'interrogerait pas sur les circonstances de l'accident. Plus tard. Il se pencha vers la jeune femme.

— Lacy, je dois m'en aller. Je vais dire à Verna que tu vas bien et que tu penses à eux.

Lacy pleurait à nouveau.

* * *

Une heure plus tard, les infirmières lui retirèrent le respirateur et la désintubèrent. Ses constantes vitales étaient revenues à la normale. Elle somnola toute la matinée, mais vers midi elle n'en pouvait plus de dormir. Elle avait la voix rauque et faible, mais ça s'améliorait d'heure en heure. Elle parla avec sa mère, avec la tante Trudy et son mari qui finalement n'était pas si antipathique.

Les places étaient chères en unité de soins intensifs. Maintenant que Lacy était stabilisée et hors de danger, l'équipe médicale décida de la transférer dans une chambre en chirurgie. Ce transfert coïncida avec l'arrivée de Gunther, le grand frère de Lacy. Comme à son habitude, on l'entendit avant de le voir. Il était dans le couloir, à se disputer avec une infirmière au sujet du nombre de visiteurs acceptés par chambre. La règle était de trois. Gunther jugeait ce chiffre ridiculement petit. Il venait de faire tout le trajet d'Atlanta en voiture et rien ne l'empêcherait de voir sa petite sœur. Qu'elle appelle la sécurité si ça lui chantait ! Lui, appellerait ses avocats sur-le-champ !

Les esclandres de Gunther étaient d'ordinaire synonymes de problèmes, mais cette fois, ses éclats de voix étaient aux oreilles de Lacy une mélodie rassurante. Cela la fit même rire, bien qu'un éclair de douleur la traversât du crâne jusqu'aux genoux.

— Ton frère est arrivé, constata Ann.

Trudy et son mari Ronald se raidirent comme en prévision d'une revue de détail. Visiblement, ils s'attendaient au pire.

La porte s'ouvrit d'un coup et Gunther s'engouffra dans la chambre, avec l'infirmière à ses trousses. Il fit une bise à sa mère sur le front, ignora avec superbe sa tante et son oncle, et plongea littéralement sur Lacy.

— Nom de Dieu, ma vieille, qu'est-ce qu'ils t'ont fait !

Il l'embrassa sur le front aussi. Elle tenta de sourire.

Il jeta un coup d'œil par-dessus son épaule.

— Salut Trudy, salut Ronald. Dis au revoir à tout le monde, tonton, on t'attend dans le couloir. Sinon, notre Miss Ratched va appeler les vigiles, tout ça à cause de leur règlement stupide de bouseux !

— On repasse dans une heure ou deux, annonça Ronald tandis que Trudy attrapait son sac à main.

Ils sortirent rapidement de la chambre, ravis de s'éloigner de Gunther. Il foudroya du regard l'infirmière et lui tendit deux doigts.

— Deux visiteurs. Moi et ma mère. Le compte y est ! Maintenant que nous sommes en règle, si vous voulez bien nous laisser que je puisse parler à ma sœur en privé.

L'infirmière s'en alla aussi sans demander son reste. Ann secoua la tête. Lacy avait envie de rire mais vu son état, cela lui aurait fait mal partout.

Selon les années, voire les mois, Gunther Stoltz était soit dans le top 10 des promoteurs en vogue d'Atlanta, soit dans le top 5 des flops. À quarante et un ans, il avait fait faillite près de cent fois, et se destinait à rester à jamais sur la corde raide au-dessus du précipice comme la plupart de ses collègues. Quand l'argent était moins cher – époque bénie ! – il avait beaucoup emprunté, construit à tour de bras, et brûlé la chandelle par les deux bouts comme si elle ne semblait n'avoir pas de fin. Mais quand le marché s'était retourné, sans le dire aux banques, il avait bradé ses biens immobiliers. Avec Gunther, il n'y avait pas de juste milieu, pas de demi-mesure, et jamais d'économies en prévision des temps de disette. Quand il traversait une mauvaise passe, il ne cessait de spéculer sur un avenir meilleur, et quand il était au sommet, il dépensait sans compter, ne tirant aucune leçon de ses derniers déboires. Atlanta ne cesserait de s'agrandir, et sa mission sur terre était de participer à son expansion en construisant des centres commerciaux, des appartements, des immeubles de bureaux.

À peine arrivé, Lacy avait déjà un indice capital : il était venu en voiture d'Atlanta, et non dans un jet privé. Autrement dit, ses affaires n'étaient pas au beau fixe.

Son nez touchait presque le sien quand il lui souffla :

— Je suis désolé de n'avoir pas pu venir plus tôt. J'étais à Rome avec Melanie. Je suis rentré le plus vite possible. Comment tu te sens, sœurette ?

— Mieux, répondit-elle de sa voix éraillée.

Il y avait peu de chances qu'il fût à Rome. Pour épater la galerie, Gunther laissait toujours entendre qu'il était dans des endroits de rêve. Melanie était son épouse numéro deux. Lacy ne l'aimait pas et la voyait le moins possible.

— Elle n'est réveillée que depuis ce matin, précisa Ann toujours assise sur sa chaise. Cela n'aurait servi à rien de venir plus tôt.

— Et toi, maman, ça va ? demanda-t-il sans quitter Lacy des yeux.

— Bien. Merci de poser la question. Tu avais besoin d'être si grossier avec ton oncle et ta tante ?

Les vieilles tensions familiales remontaient déjà à la surface. Contre toute attente, Gunther poussa un soupir et ne releva pas la pique. Il regardait sa petite sœur.

— C'est dans tous les journaux. C'est horrible. Et ton ami est mort ? Je n'en reviens pas. Que s'est-il passé ?

— Les médecins ont dit qu'il ne faut pas lui parler de l'accident, le sermonna Ann.

Gunther lui retourna un regard noir.

— Je me fiche des toubibs. Je suis ici pour parler à ma sœur et personne ne va me dire quel sujet je peux aborder ou non.

Il reporta son attention sur Lacy.

— Que s'est-il passé ? Qui conduisait l'autre véhicule ?

— Elle ne se souvient pas de tout, Gunther. Elle était dans le coma depuis lundi soir. Lâche-la un peu.

Mais la réserve n'était pas dans ses gènes.

— J'ai un ami avocat, une pointure, et nous allons poursuivre ce connard. C'est lui le responsable, n'est-ce pas ?

Ann poussa un long soupir, le plus ostensible possible, puis se leva et quitta la chambre.

Lacy secoua faiblement la tête.

— Je ne me souviens pas.

Elle ferma les yeux et s'endormit.

* * *

Au milieu de l'après-midi, Gunther avait annexé la moitié de la chambre de Lacy. Il avait réagencé deux chaises, un chariot, une table de nuit où étaient installés la lampe de chevet et le petit canapé en un bureau de fortune, pour accueillir son ordinateur portable, son iPad, ses deux téléphones, et ses piles de papiers. Miss Ratched (ce surnom, en allusion à la méchante infirmière de *Vol au-dessus d'un nid de coucou*, lui collerait définitivement à la peau) avait voulu mettre son veto mais avait vite compris que toutes ses remarques ne récolteraient que mépris, voire menaces. Trudy et Ronald passèrent deux fois prendre des nouvelles, mais eurent l'impression désagréable d'être des intrus. Finalement Ann jeta l'éponge. En fin de journée, elle annonça à ses deux enfants qu'elle retournait à Clearwater pour un jour ou deux ; elle reviendrait le plus vite possible ; si Lacy avait besoin de quoi que ce soit, il lui suffisait d'appeler.

Quand Lacy dormait, Gunther soit passait ses coups de fil dans le couloir, soit travaillait en silence dans la chambre. Quand elle était réveillée, il était planté devant elle, ou au téléphone, à essayer de sauver un nouveau projet du déluge. Il houspillait les infirmières et les aides-soignantes, leur demandant une rallonge de café, et voyant que sa commande n'arrivait pas, il filait à la cafétéria, furieux, et pestait contre la nourriture infâme qu'on y vendait. Les médecins, faisant leurs rondes, lui lançaient des regards chargés de suspicion, comme s'ils avaient affaire à un pitbull. Et veillaient à ne pas le provoquer.

Pour Lacy, toutefois, l'énergie de Gunther était contagieuse, et vivifiante. Il l'amusait, même si elle avait encore peur de rire. Une fois, quand elle s'éveilla, elle le découvrit assis au bord du lit, les larmes aux yeux.

À 18 heures, Miss Ratched apparut et annonça que son service était terminé. Elle demanda à Gunther ce qu'il comptait faire.

— Je reste, répliqua-t-il. Ce canapé-lit n'est pas là pour rien. Et si vous voulez vous rendre utile, trouvez-moi donc quelque chose de mieux. Même un lit de camp de l'armée serait plus confortable !

— Je passerai le mot, dit-elle. À demain, Lacy.

— Quelle salope ! marmonna Gunther, juste assez fort pour qu'elle l'entende en fermant la porte.

Pour le dîner, Gunther lui fit manger de la glace et des bonbons Haribo. Lui, n'avala rien. Ils regardèrent de vieux épisodes de *Friends* jusqu'à ce qu'elle pique du nez. Pendant qu'elle dormait, il repartit à son bureau de fortune, répondre fébrilement à ses e-mails.

Durant la nuit, les infirmières allaient et venaient. Au début, Gunther les tançait, à cause du bruit qu'elles faisaient, mais se calma quand une jolie à qui il avait fait du gringue vint lui donner un Xanax. À minuit, il ronflait malgré l'inconfort du canapé.

* * *

Vers 5 heures du matin, Lacy s'agita dans son lit et se mit à gémir. Elle rêvait. Et son rêve n'était pas plaisant. Gunther lui tapota le bras, lui murmura que tout allait bien, qu'elle allait bientôt rentrer à la maison. Elle se réveilla en sursaut, le souffle court.

— Qu'est-ce qui se passe ? demanda-t-il.

— J'ai soif.

Il lui tendit un verre avec une paille. Elle aspira une longue goulée. Il lui essuya la bouche.

— Je l'ai vu, Gunther. J'ai vu le pickup juste avant qu'il nous percute. Hugo a crié et j'ai regardé devant moi. Et il y avait des phares juste devant nous. Et tout est devenu noir.

— Magnifique. Et côté son, tu te souviens de quelque chose ? La collision peut-être, ou l'explosion de l'airbag quand il t'a pété au visage ?

— Peut-être. Je ne sais pas trop.

— Tu as vu le conducteur ?

— Non. Juste les lumières. C'était aveuglant. C'est arrivé si vite, Gunther. Je n'ai pas eu le temps de réagir.

— Bien sûr, sœurette. Ce n'est pas de ta faute. Le pickup a franchi la ligne blanche.

— Oui. D'un coup, il était face à nous.

Elle ferma à nouveau les yeux. Quelques secondes s'écoulèrent avant qu'il ne s'aperçoive qu'elle pleurait.

— C'est fini, petite sœur. C'est fini.

— Hugo n'est pas mort. Dis-moi que ce n'est pas vrai.

— Si, Lacy. Il faut que tu l'acceptes, que tu arrêtes de te raconter des choses. Hugo est mort. C'est comme ça.

Elle pleurait et Gunther ne pouvait rien y faire. Il imaginait sa peine. Il la voyait frissonner, se faire lentement à l'idée que son ami n'était plus de ce monde. Enfin, comme une bénédiction, le sommeil l'emporta.

16

Après le ballet matinal des médecins, infirmières et aides-soignantes, le calme revint dans la chambre et Gunther put reprendre son travail. L'état de Lacy s'améliorait d'heure en heure. Son visage désenflait, et ses hématomes passaient du pourpre à un camaïeu de bleus. Vers 9 heures, Michael Geismar arriva et eut un temps d'arrêt en découvrant la métamorphose de la pièce en bureau. La jeune femme était réveillée et buvait un café à la paille.

Gunther se présenta. Il était en chaussettes, la chemise débraillée, la barbe naissante. Aussitôt, il se méfia de ce type en costume noir.

— Tout doux, Gunther, c'est mon patron.

Les deux hommes se serrèrent la main de part et d'autre du lit et les hostilités s'évanouirent.

— Comment tu te sens ? demanda Geismar. Suffisamment en forme pour parler ?

— Essayons toujours.

— Lyman Gritt est le chef de la police de la réserve. Il va passer pour t'interroger. Il vaut peut-être mieux qu'on prépare une version qui se tienne.

— D'accord.

Michael se tourna vers Gunther qui ne bougea pas d'un iota.

— Il s'agit d'affaires confidentielles. Des données relatives à une enquête en cours, insista-t-il.

— Je reste ici. C'est ma petite sœur et elle a besoin de mes conseils. Je sais garder un secret, pas vrai Lacy ?

Elle était coincée.

— Oui. Il peut rester.

Michael n'était pas d'humeur à batailler. De plus, Gunther avait une lueur inquiétante dans les yeux. *Alea jacta est*, songea-t-il.

— Pas de nouvelles de Myers. J'ai appelé aux trois numéros que j'ai trouvés dans ton dossier. Et personne n'a décroché. Il n'y avait même pas de répondeur.

— Je ne pense pas qu'ils puissent remonter jusqu'à lui.

— Qui c'est ce Myers ? intervint Gunther.

— Je t'expliquerai, répondit Lacy.

— Ou pas, répliqua Geismar. Revenons à lundi soir. Parle-moi de la rencontre avec l'informateur. De quoi tu te souviens ?

Lacy ferma les yeux et poussa un soupir, suivi aussitôt d'un rictus de douleur.

— De pas grand-chose, articula-t-elle. On est allés jusqu'au casino. On a attendu sur le parking. Puis on a pris une petite route de campagne jusqu'à un hangar.

Elle se tut, parut s'endormir.

— Tu l'as vu ?

Elle secoua la tête.

— Je ne sais pas, Michael. Je ne me rappelle plus.

— Hugo a eu le type au téléphone ?

— Je crois, oui. Oui, forcément. Il nous a dit où le retrouver. Oui, ça me revient.

— Et l'accident ? Qu'est-ce qui s'est passé juste avant ? Tu as des souvenirs de l'autre véhicule ?

Elle ferma les yeux à nouveau comme si sa mémoire fonctionnait mieux dans le noir.

Pendant cette pause, Gunther annonça :

— Tôt ce matin, elle a fait un cauchemar. Elle s'est réveillée et a parlé de lumières juste devant elle ; Hugo a crié, et avant qu'elle ait eu le temps de réagir, le pickup était sur eux. Elle se souvient que c'était un pickup. Elle ne se rappelle pas du bruit, de l'impact. Ni du reste. Aucun souvenir des secours, de l'ambulance, des infirmiers, de son arrivée aux urgences. Rien.

L'un des téléphones de Gunther vibra, une trépidation si urgente que l'appareil semblait vouloir sauter de la table et rejoindre à petits bonds son propriétaire. Gunther le regarda s'agiter et résista à la tentation, comme un soiffard devant une bière bien fraîche.

Il attendit que le téléphone retombe inerte.

Michael désigna la porte d'un mouvement de tête et les deux hommes sortirent dans le couloir.

— Vous avez parlé aux médecins ?

— Pas beaucoup. Je crois qu'ils m'ont dans le nez.

Quelle surprise !

— Ils m'ont dit que la mémoire lui reviendra peu à peu, expliqua Michael. Le mieux est de stimuler son cerveau, en particulier en discutant avec elle. Faites-la parler. Faites-la rire. Dès qu'elle sera en état, achetez-lui des magazines et voyez si elle peut lire. Elle aime les vieux films, alors regardez-en avec elle. Qu'elle dorme moins, qu'il y ait du bruit. Que ça s'agite, que ça vive. C'est ça qu'il lui faut.

Gunther était tout ouïe, tout excité d'être en charge de cette mission.

— Compris.

— On va parler aux médecins et jouer la montre, il faut empêcher le chef de la police indienne de s'approcher d'elle. Il veut savoir ce qu'elle et Hugo faisaient sur sa réverse, et, pour tout dire, je ne veux pas qu'il le sache. C'est top-secret.

— D'accord, Michael. Mais je veux connaître les détails de l'accident. Tout. Dites-moi ce que vous savez pour l'instant. Je flaire un truc pas clair.

— Et c'est le cas. Allez chercher vos chaussures et allons prendre un café.

* * *

Après le déjeuner, le vendredi, alors que Gunther arpentait les couloirs avec son téléphone rivé à l'oreille, tentant de sauver ses projets qui, un à un, tombaient à l'eau, Lacy écrivit un e-mail :

Chère Verna,

C'est Lacy, sur l'iPad de mon frère. Je suis encore à l'hôpital, mais j'ai retrouvé suffisamment de force et de clarté d'esprit pour prendre des nouvelles. Je ne sais pas par où commencer, ni quoi dire. J'ai encore du mal à croire que ce soit arrivé. C'est un cauchemar. Je ferme les yeux et je me dis que je ne suis pas ici, que Hugo va bien, et que lorsque je me réveillerai tout sera revenu à la normale. Mais quand je me réveille, je m'aperçois que cette tragédie est réelle, que Hugo nous a quittés, et que toi et les gosses connaissez une souffrance qui dépasse l'entendement. Tu n'as pas idée comme je suis désolée, pas seulement pour la mort de Hugo, mais pour mon rôle dans ce drame. Je ne me souviens pas de ce qui s'est passé, à part que j'étais au volant et que Hugo était mon passager. Mais peu importent mes remords, je devrai porter ça jusqu'à la fin de mes jours. Je voudrais tant être avec toi, te serrer dans mes bras, toi et les enfants. Je vous aime et j'ai hâte de vous retrouver. Je ne pourrai pas être là pour la cérémonie, ça me fend le cœur. J'en ai les larmes aux yeux rien que d'y penser. Je pleure beaucoup, mais sûrement moins que toi. Je suis avec toi, Verna, avec toi et avec les petits. Vous êtes dans toutes mes pensées, dans toutes mes prières.

Avec tout mon amour.

Lacy

Vingt-quatre heures plus tard, il n'y avait toujours pas eu de réponse à son e-mail.

* * *

La messe pour Hugo Hatch commença à 14 heures, le samedi, dans une grande église en banlieue, avec une nef monumentale pouvant accueillir près de deux mille personnes. Hugo et Verna avaient rejoint l'église du Tabernacle depuis plusieurs années, et ils y étaient des membres actifs. La congrégation ne comptait quasiment que des Afro-Américains, à laquelle s'ajoutaient famille et amis. À l'approche des 14 heures, la foule s'installa, sombre et solennelle, chacun se préparant aux vagues d'émotions qui allaient déferler. Il restait quelques places libres, mais pas beaucoup.

D'abord il y eut une projection de photos sur un grand écran au-dessus de l'autel. La sono diffusa des chants funèbres, tandis que les images de Hugo défilaient, chacune rappelant à l'assistance à quel point il était parti trop tôt : Hugo en poupon adorable ; Hugo à l'école élémentaire, avec ses dents du bonheur ; Hugo en footballeur, dans toutes les poses ; Hugo à son mariage ; Hugo jouant avec ses enfants. Il y en avait des dizaines… il y eut beaucoup de larmes et ce n'était que le début de l'office. Enfin, après une demi-heure poignante de projection, l'écran fut relevé et le chœur prit place, composé de cent chanteurs en robes bordeaux chatoyant. Leur mini-concert passait tour à tour des complaintes mélancoliques au gospel endiablé, et toute l'assistance chanta.

Les Blancs n'étaient pas nombreux dans la salle. Michael et sa femme avaient pris place au balcon. En scrutant les rangs, Geismar repéra tous ses collègues du BJC. Il nota que la plupart des Blancs s'étaient installés à l'étage, comme s'ils voulaient garder leur distance avec le chahut dans la nef. Geismar, qui avait grandi avec les années 1960 et la ségrégation raciale, y voyait une sorte d'ironie de l'histoire. Cette fois c'étaient les Blancs qui semblaient bannis et relégués aux places du poulailler.

Au bout d'une heure, quand la salle fut bien chauffée, le pasteur entra en scène et parla pendant un quart d'heure pour son oraison d'ouverture. Il était bon orateur, avec une voix de baryton. Il offrit sa compassion à la famille en deuil, et tira de nouvelles larmes à l'assemblée. Le premier éloge funèbre fut dit par le frère aîné de Hugo. Il raconta plusieurs anecdotes amusantes de leur enfance, mais à chaque fois il ne put les finir, à cause de l'émotion. Ensuite, l'entraîneur de son équipe de football du lycée passa au pupitre. Un vieux Blanc bourru qui ne put aligner trois phrases sans se mettre à sangloter comme un enfant. Le troisième laïus, ce fut un ancien coéquipier des Seminoles de Florida State qui s'en chargea. Le quatrième, l'un de ses professeurs à la faculté de droit. Puis une soprano fit une magnifique reprise de « How

Great Thou Art ». Et quand elle entonna les dernières notes, tout le monde pleurait, y compris Geismar.

Verna, au premier rang, parvenait à se contenir. Elle était entourée par les siens et avait ses deux aînés à côté d'elle. Une tante s'occupait de Pippin et de l'avant-dernier. Alors que les gens tout autour geignaient et se pâmaient de douleur, Verna fixait du regard le cercueil, à trois mètres devant elle, et se tamponnait les yeux sans émettre le moindre bruit.

Sur les conseils d'un ami médecin, et malgré la tradition, elle avait décidé de fermer le couvercle. Une grande photo de son mari trônait à côté sur un chevalet.

Pendant que la cérémonie se poursuivait, Michael jetait malgré lui des coups d'œil à sa montre. Il était un presbytérien assidu et dans son église, les sermons étaient limités à vingt minutes, les mariages à trente, et si des funérailles dépassaient les quarante-cinq minutes le prêtre se faisait remonter les bretelles.

Mais le temps n'importait plus à l'église du Tabernacle. C'était le dernier chant, la dernière danse pour Hugo Hatch, et il fallait finir en fanfare. Le cinquième éloge funèbre fut assuré par un cousin qui avait été incarcéré pour trafic de drogue et qui, aujourd'hui, avait retrouvé le droit chemin et un travail, grâce à Hugo.

C'était très touchant, mais au bout de deux heures, Michael n'en pouvait plus. Dans son malheur, il avait au moins une bonne chaise capitonnée et n'avait pas à se présenter derrière le lutrin. Les Hatch lui avaient demandé au début s'il « accepterait » de dire quelques mots aux funérailles, mais la proposition avait rapidement été retirée par Verna. La rancœur naissait. La mort de Hugo, qu'elle soit accidentelle ou non, aurait pu être évitée si son patron ne l'avait pas envoyé en terrain miné. Le grand frère de Hugo avait appelé Michael à deux reprises. Il voulait avoir des détails sur cette expédition nocturne en réserve indienne. La famille se remettait du choc, et les questions arrivaient. Michael sentait les problèmes pointer leur nez.

Le sixième à passer au pupitre fut Roderick, le fils aîné de Hugo et Verna. Il avait écrit trois pages d'hommage à son père, et le texte fut lu par le pasteur. Même Michael Geismar, pourtant un presbytérien à sang froid, versa sa larme.

Le pasteur termina par une longue oraison puis, sous la psalmodie du chœur, les porteurs sortirent le cercueil de Hugo. Verna suivait derrière, un enfant à chaque bras, mâchoires serrées, menton relevé, les joues luisantes de pleurs. Dans son sillage, les proches, en rangs serrés, certains faisant entendre à la cantonade leur douleur.

L'assemblée quitta l'église et se dispersa sur le parking. Pour la plupart, ils se retrouveraient au cimetière où les attendait une autre cérémonie aussi longue que poignante. Pas une fois, il n'y eut une parole de reproche envers le responsable de la mort de Hugo. Bien sûr, personne ne connaissait son nom. « Un chauffard saoul, dans un pickup volé, qui s'est enfui », telle était la version acceptée de tous. Donc le prêtre et tous ceux qui s'étaient succédé au pupitre étaient restés sans haine et très dignes.

Quand Hugo Hatch fut mis en terre, seuls Michael et quelques autres savaient que sa mort n'était pas accidentelle. Pas très loin, tout au fond du cimetière, deux hommes dans une voiture surveillaient aux jumelles les gens présents à l'inhumation.

17

Vers midi, ce même samedi, les infirmières et les médecins avaient trouvé un stratagème pour se débarrasser de Gunther. Un plan imparable : transférer sa sœur dans un autre hôpital. Le vendredi, Lacy avait parlé à un docteur ; elle voulait rentrer à Tallahassee. Il y avait pléthore d'hôpitaux là-bas, et pas des plus mauvais. Puisqu'elle récupérait bien, et n'avait pas besoin d'être opérée, pourquoi ne la renvoyait-on pas dans sa région ? Peu de temps après cette conversation, une infirmière avait fait une entrée bruyante dans la chambre de Lacy, réveillant tout le monde sans vergogne, la patiente comme le visiteur, et la situation avait rapidement dégénéré. Gunther, en son langage fleuri, lui rappela le droit à la vie privée, et les règles fondamentales du « respect humain ». Il fallait que tout le personnel cesse de débarquer comme ça à toute heure du jour et de la nuit ! Une deuxième infirmière arriva à la rescousse, ce qui ne fit qu'accentuer la virulence de Gunther. Ce fut la goutte de trop.

Au moment où Hugo était enterré, Lacy quittait l'hôpital de Panama City en ambulance, pour deux heures de route jusqu'à Tallahassee. Gunther s'en alla aussi, mais non sans avoir fait connaître à l'équipe médicale le fond de sa pensée. Il suivait derrière dans sa Mercedes S600 anthracite qui lui coûtait trois mille cent dollars par mois sur quatre ans. À l'évidence, l'hôpital de Panama City avait prévenu le personnel à Tallahassee, car au moment où Lacy était emmenée sur un chariot vers sa nouvelle chambre au troisième étage, deux gros vigiles rappliquèrent et regardèrent Gunther d'un air mauvais.

— Laisse tomber, souffla Lacy à son frère.

La nouvelle chambre était plus grande. Et Gunther passa un certain temps à se confectionner son nouvel espace de travail. Après la tournée d'inspection des médecins et du bataillon d'infirmières, Gunther s'approcha de sa sœur :

— On va marcher un peu. J'ai l'impression que ces · toubibs sont moins nuls que les précédents, et ils ont dit qu'il fallait que tu fasses de l'exercice. Sinon, gare aux escarres ! Tes jambes n'ont rien, alors en route !

Avec précaution, il la fit descendre du lit, lui enfila la paire de mules fournie par l'hôpital.

— Prends mon bras.

Ils sortirent de la chambre. Il désigna une fenêtre tout au bout du couloir

— On va jusque là-bas et on revient. C'est tout.

— D'accord. Mais j'ai vraiment mal partout.

— Je sais. Prends ton temps. Si tu n'en peux plus, dis-le-moi, on s'arrête.

— OK.

Ils progressèrent, ignorant les regards en biais des infirmières, cramponnés l'un à l'autre, tandis que Lacy faisait un pas, puis un autre. Son genou gauche était blessé, et chaque flexion la faisait souffrir. Elle serra les dents, bien décidée à impressionner son frère. Il la tenait fermement. Et cette poigne, c'était rassurant. Ils atteignirent la fenêtre, puis firent demi-tour.

196

Sa chambre lui paraissait si loin. Quand enfin ils arrivèrent à destination, son genou rendait grâce. Il l'aida à remonter dans le lit.

— Parfait. Nous allons faire ça une fois par heure jusqu'à l'heure du coucher. C'est clair ?

— Si tu peux le faire, je peux aussi.

— Bravo, sœurette !

Il remonta les draps et la borda. Puis s'assit sur le bord du matelas et lui tapota le bras.

— Ton visage reprend forme d'heure en heure.

— Tu parles ! Je ressemble à un hamburger !

— D'accord, mais dans un morceau de choix. Du filet de bœuf au moins, qualité supérieure, nourri à l'herbe bio ! Maintenant, on va parler, et parler encore, je ne vais pas te lâcher, jusqu'à ce que tu me demandes grâce ! Hier, j'ai taillé le bout de gras avec ton boss Michael – un type bien – et il m'a mis au parfum. Je ne sais pas tout sur ton enquête, et c'est tant mieux, mais j'en sais assez. Toi et Hugo êtes allés dans la réserve lundi soir pour retrouver un indic. C'était un piège, un guet-apens. Et vous n'étiez pas de taille. Une fois attirés dans la nasse, vous étiez fichus. Leur terre, leurs règles. Ce n'était pas un accident. On vous a percutés sciemment. Le type conduisait un pickup volé et juste après la collision lui, ou quelqu'un avec lui, a fouillé ta voiture et a récupéré vos téléphones et ton iPad. Ces salopards se sont ensuite barrés. On ne les retrouvera sans doute jamais. Tu me suis jusque-là ?

— Oui, je crois.

— Alors voilà le topo. On va commencer par le début, quand toi et Hugo rouliez vers la réserve. Je veux savoir l'heure, la route, ce qu'il y avait à la radio, les e-mails que tu as reçus. Tout. Je veux tout savoir.

Puis on va refaire le trajet jusqu'au lieu du rendez-vous pour retrouver ton indic. Je vais te poser un tas de questions, des centaines, jusqu'à ce que j'aie des réponses. Et dans une demi-heure, quand je t'aurai bien cuisinée, sœurette, on fera une pause ; tu pourras dormir un peu si tu veux. Et puis je te réveillerai pour notre petite promenade jusqu'au bout du couloir. Ça te va ? Joli programme, non ?

— Y a mieux.

— Désolé, mais c'est comme ça. Il n'y a pas que tes deux jambes qu'il faut bouger. Il est temps de dérouiller aussi ton cerveau. Tu es prête ? Première question : à quelle heure avez-vous quitté Tallahassee lundi soir ?

Elle ferma les yeux, passa sa langue sur ses lèvres enflées.

— C'était en début de soirée. Il ne faisait pas encore nuit. En gros 19 h 30.

— Pourquoi être partis si tard ?

Elle réfléchit un moment, puis se mit à hocher la tête, en souriant.

— Ça me revient. Le gars travaillait jusqu'à 21 heures au casino.

— Parfait. Comment étais-tu habillée ?

Elle ouvrit les yeux.

— Sérieux ?

— Absolument, Lacy. Fouille ta mémoire et réponds à mes questions. Ce n'est pas un jeu.

— Un jean, je crois et un chemisier. Il faisait chaud. Je m'étais changée en rentrant. Je n'étais plus en tenue de bureau.

— Quelle route vous avez prise ?

— L'Interstate 10, comme d'habitude. Il n'y a pas d'autre route. Puis la State 288, au sud, et enfin à gauche pour récupérer la quatre-voies à péage.

— La radio ? Allumée ?

— Allumée, mais en sourdine. Parce que Hugo dort toujours quand je conduis.

Sa gorge se noua à ce souvenir et un sanglot monta dans sa gorge. Ses lèvres boursouflées se mirent à trembler. Des larmes roulèrent sur ses joues. Gunther les essuya avec un mouchoir en papier sans rien dire.

— Les funérailles ? C'était aujourd'hui ? demanda-t-elle.

— Oui.

— J'aurais bien voulu y être.

— Pour quoi faire ? Hugo ne saura pas si tu étais là ou non. Les funérailles sont une perte de temps. C'est juste une cérémonie pour les vivants. Le mort s'en fout. Aujourd'hui, on ne dit plus « funérailles », mais « célébration », c'est le nouveau mot à la mode. Qu'est-ce qu'on célèbre au juste ? Pour le mort, je t'assure, il n'y a pas de quoi faire la fête.

— Pardon. Je n'aurais pas dû aborder ce sujet.

— Revenons à lundi soir.

* * *

La nouvelle se répandit : Lacy était de retour en ville. Et dès le début de soirée, les visites se succédèrent. Comme tout le monde se connaissait, l'ambiance fut rapidement festive au grand dam des infirmières. Gunther occupa le devant de la scène. Il était de toutes les conversations, accaparait l'attention et houspillait le personnel. Lacy était épuisée et contente que son frère divertisse tout ce petit monde.

Au début, elle s'inquiétait de voir débarquer tous ces gens, ou plutôt que eux la voient dans cet état. Avec son crâne rasé, ses points de suture, ses ecchymoses, ses yeux enflés, ses joues tuméfiées, elle avait l'impression d'être une figurante dans un film de zombies. Mais Gunther la rassura. « Ces gens t'aiment. Ils savent que tu as réchappé à un choc frontal. Dans un mois, tu seras de nouveau belle à croquer et ces pauvres gens, eux, resteront aussi vilains. La beauté, elle est dans tes gènes. »

Les visites s'arrêtaient à 21 heures et les infirmières s'empressèrent de faire évacuer la chambre. Lacy dormait debout. Gunther n'avait arrêté ses séances de torture qu'avec l'arrivée des visiteurs ; quatre heures à la harceler de questions, à l'obliger à marcher jusqu'au bout du couloir. Et il lui avait promis pire encore pour le lendemain ! Il ferma la porte de la chambre, en disant qu'il aurait bien aimé pouvoir la verrouiller pour que personne ne vienne les déranger. Puis il éteignit les lumières et s'installa sur le canapé. Avec l'aide d'un sédatif, Lacy s'endormit aussitôt.

Ce cri ! L'horreur dans une voix qui n'a jamais crié, jamais montré d'émotion. La ceinture a des problèmes. Il dit qu'elle s'ouvre toute seule. Elle se tourne vers lui, et soudain il crie, s'arc-boute par réflexe contre le siège. Les lumières, aveuglantes, tout près, inévitables. Le choc. Son corps qui est projeté en avant, une fraction de seconde, puis repoussé violemment en arrière. Et ce bruit, comme une bombe explosant sur ses genoux, cinq tonnes d'acier, de métal, de verre, d'aluminium, de plastique qui se tordent, se déchirent. La claque aveuglante sur son visage, au moment où l'airbag se déploie, un mur de caoutchouc la heurtant à trois cents kilomètres à l'heure, pour lui sauver la vie, mais il y aura quand même de la souffrance. Sa voiture qui s'envole, tournoie dans l'air, projetant tout autour un essaim de débris. Puis plus rien. Combien de fois a-t-elle entendu les victimes dire : « J'ai dû perdre connaissance quelques secondes » ? Personne ne sait combien de temps. Jamais. Mais il y a un mouvement à côté d'elle. Hugo, encastré dans le pare-brise, agite les jambes, tente de se dégager. Par-devant. Par-derrière. Mais il est coincé. Il gémit. À gauche de Lacy, il y a une ombre, une silhouette, un homme courbé dans l'habitable. Il la regarde. Son visage ? Non, elle ne le distingue pas. Peut-être a-t-elle vu ses traits, mais elle ne s'en souvient plus. Puis la forme apparaît à l'autre portière, à côté de Hugo, à moins que ce ne soit une seconde personne. Étaient-ils deux à tourner autour de la voiture ? Elle entend les râles de son compagnon. Sa tête est en sang, fracassée. Il y a des bruits de pas, du verre qui crisse sous les semelles. Les phares d'un véhicule balaient l'habitacle en accordéon et disparaissent dans la nuit. Puis c'est l'obscurité. Le noir.

— Ils étaient deux, Gunther. Deux !

— D'accord, sœurette. C'est un rêve. Tu es tout en sueur. Tu t'agites depuis une demi-heure. Réveille-toi et parlons, d'accord ?

— Ils étaient deux.

— Tu l'as déjà dit. Je ne suis pas sourd. Maintenant, ouvre les yeux et regarde-moi. Ce n'est rien, petite sœur, juste un autre cauchemar.

Il alluma la lampe de chevet.

— Quelle heure est-il ? demanda-t-elle.

— Quelle importance ? Tu n'as pas un avion à prendre. Il est 2 h 30 du matin et tu as fait un sacré cauchemar.

— Qu'est-ce que j'ai dit ?

— Rien d'intelligible. Beaucoup de borborygmes et de gémissements. Tu as soif ?

Elle aspira une goulée à la paille et appuya sur un bouton pour redresser son lit.

— Je commence à me souvenir. Des images me reviennent.

— C'est bien, sœurette. Parle-moi de ces deux personnages. Dis-moi tout ce que tu as vu. L'un était le conducteur du pickup. L'autre devait être au volant de la voiture qui leur a servi à s'échapper. Qu'est-ce que tu as vu ?

— Je ne sais pas. Pas grand-chose. C'était deux hommes, je crois. Oui. Deux hommes, j'en suis sûre.

— Tu as vu leur visage ?

— Non. J'étais sonnée. Tout est confus.

— Je comprends. Où était ton téléphone ?

— Sur la console. Je ne me souviens plus, mais je le pose toujours là.

— Et celui de Hugo ? Il était où ?

— D'ordinaire, il l'avait dans la poche de son pantalon, sauf quand il avait sa veste.

— Et il n'avait pas de veste ?

— Non. Comme moi, il n'était plus en tenue de bureau.

— Quelqu'un a dû fouiller la voiture pour récupérer vos téléphones. Tu as des souvenirs de ça ? Tu revois quelqu'un te toucher, toi ou Hugo ?

Elle ferma les yeux, secoua la tête.

— Non. Je ne me souviens pas.

La porte s'ouvrit et une infirmière entra dans la chambre.

— Tout va bien ? s'enquit-elle. Votre pouls s'est affolé.

— Elle a rêvé, répondit Gunther. Tout va bien.

L'infirmière l'ignora et s'approcha pour toucher le bras de la jeune femme.

— Comment vous vous sentez, Lacy ?

— Ça va, murmura-t-elle, les yeux toujours clos.

— Il faut que vous dormiez, d'accord ?

— Comment voulez-vous qu'on dorme quand vous débarquez ici à tout bout de champ ! répliqua Gunther.

— Si vous voulez être tranquille, il y a un motel au coin de la rue.

Gunther ne releva pas. Et l'infirmière s'en alla.

18

Quand Lyman Gritt arriva au poste de police à 17 heures le dimanche après-midi, il eut un mauvais pressentiment. Le chef de la tribu ne demandait jamais de rendez-vous un dimanche et n'avait donné aucun détail. Il attendait sur le trottoir, avec son fils, Billy Cappel, quand Lyman gara son pickup. Billy était l'un des dix membres du conseil et était devenu un personnage influent de la tribu. Au moment où ils se disaient bonjour, Adam Horn, le président du conseil, arriva sur sa moto. Il n'y eut pas beaucoup de sourires. En entrant dans le bâtiment, Lyman s'attendait au pire. Cappel l'avait appelé tous les jours depuis l'accident, et visiblement il n'était pas satisfait du travail de son chef de la police. Lyman Gritt était aux ordres de Cappel et les deux hommes n'avaient jamais été très proches. Lyman se méfiait du chef, comme de son fils et d'Adam Horn. Personne dans la tribu ne les portait en très haute estime d'ailleurs.

Elias Cappel était le guide des Tappacolas depuis six ans et il menait sa communauté d'une main de fer. Ces trois-là avaient défait leurs rivaux et semblaient indéboulonnables. Ils réglaient les différends avec autorité, et personne n'y trouvait rien à redire puisque les chèques tombaient tous les mois.

Ils s'installèrent dans le bureau de Gritt. Le policier prit sa place dans le fauteuil. Face aux trois représentants de la tribu, il eut soudain l'impression d'être sur le gril. Le chef, un homme avare de mots et à la sociabilité limitée, attaqua bille en tête :

— Où vous en êtes concernant l'accident de lundi soir ?

— Il y a des points pas très clairs, ajouta Horn.

Lyman acquiesça :

— C'est vrai. Que voulez-vous savoir ?

— Tout, répondit le chef.

Lyman ouvrit un dossier, feuilleta les documents et sortit un compte rendu. Il résuma les faits : les conditions de l'accident, les véhicules impliqués, l'état des victimes, l'intervention des secours, le décès de Hugo Hatch. Le dossier faisait déjà cinq centimètres d'épaisseur, avec sa myriade de photos et de rapports. Toutefois, la vidéo que lui avait remise la police de Foley n'était pas dans la chemise, et ne figurait pas à l'inventaire des pièces. Gritt, pressentant les problèmes, avait compilé deux dossiers : un, officiel, sur son bureau, et un autre, secret, qu'il gardait en lieu sûr. Quant à la vidéo de Frog, elle provenait du shérif du comté. Il était donc possible que le chef de la tribu ait eu vent de son existence. Par prudence, Gritt l'avait placée dans le dossier officiel mais en avait gardé une copie chez lui.

— Qu'est-ce qu'ils faisaient ici, sur nos terres ? demanda Cappel.

Et à son ton, c'était le point le plus important.

— Je n'en sais rien encore. Je dois avoir un entretien avec Michael Geismar demain. Leur patron. Pour l'instant, il est resté assez évasif.

— Ces gens du BJC traquent les juges, n'est-ce pas ? s'enquit Horn.

— Exact. Ce ne sont pas des agents spéciaux comme au FBI. Juste des enquêteurs, des juristes.

— Alors qu'est-ce qu'ils fichaient ici ? répéta le chef de la tribu. Ils n'ont aucun droit de fouiner sur notre territoire. Et pourtant ils étaient ici, pour le travail, c'est évident, un lundi soir, à minuit. Pourquoi ?

— Je suis sur le coup, chef. Cela soulève beaucoup de questions et nous explorons toutes les pistes.

— Vous avez vu la fille ? Celle qui conduisait la voiture ?

— Non. J'ai essayé mais les médecins ne m'ont pas autorisé à l'interroger. Ils l'ont transférée à Tallahassee hier. Je vais me rendre là-bas dans un ou deux jours et voir ce qu'elle a à me dire.

Billy intervint :

— Vous auriez dû déjà lui parler.

Lyman se raidit mais ne laissa rien paraître.

— Comme je l'ai dit, les médecins mettaient leur veto.

La tension devenait palpable. L'entrevue allait tourner au vinaigre.

— Et les autres ? Vous les avez interrogés ? intervint Horn.

— Bien sûr. Ça fait partie de mon boulot.

— À qui avez-vous parlé, exactement ?

— Voyons ça… j'ai eu plusieurs conversations avec Geismar. Je lui ai demandé à deux reprises ce que ses agents faisaient chez nous et il ne m'a pas donné de réponse très claire. J'ai parlé aux médecins, mais cela a été sans intérêt. Les deux compagnies d'assurances ont envoyé leurs experts pour inspecter les véhicules. Je me suis entretenu avec eux également. Il y a eu d'autres gens encore. Je ne me souviens pas de tous. Mon travail est de poser des questions à tous ceux qui ont un lien de près ou de loin avec les faits.

— Vous en savez davantage sur le pickup volé ? demanda le chef.

— Non, rien de nouveau, répondit Gritt, en récitant les données de base, sans mentionner la vidéo de Foley.

— Aucune idée quant à l'identité du conducteur ? insista le chef.

— Pas jusqu'à ce matin.

Ses trois interlocuteurs se raidirent.

— Je vous écoute, grogna le chef.

— Le shérif Pickett est passé vendredi boire un café. Vous connaissez la boutique de Frog Freeman, au nord de Sterling ? Frog était resté ouvert tard ce lundi. Enfin, il n'était pas vraiment ouvert, mais pas fermé non plus, et un client est venu acheter de la glace. Frog s'est déjà fait braquer, alors il a installé des caméras. Vous voulez voir les images ?

Les trois hommes hochèrent la tête. Lyman pianota sur son clavier et tourna l'ordinateur vers eux. La vidéo apparut. Le pickup était garé devant la boutique, le chauffeur sortit, le passager resta dans l'habitacle, tenant un linge pressé sur son nez. Le conducteur disparut dans le magasin, et réapparut quelques minutes plus tard. Il remonta à bord et le pickup repartit.

— Et alors, lança le chef. Qu'est-ce que ça prouve ?

— Rien. Mais c'est bizarre, vu l'horaire et l'endroit, et le fait qu'il n'y a d'ordinaire personne sur cette route à une heure pareille.

— Vous forcez les conclusions. Nous sommes censés croire que ce gars avec son nez cassé conduisait le pickup volé ?

Lyman haussa les épaules.

— Je ne force rien du tout. Ce n'est pas moi qui ai fait cette vidéo. Je vous la montre seulement.

— Et le numéro d'immatriculation ? demanda Cappel.

— Des fausses plaques de Floride. Aucune trace dans le fichier. Pourquoi quelqu'un se donnerait-il la peine de changer les numéros si ce n'est pour faire un mauvais coup ? Si vous voulez une preuve, elle est là. Le passager s'est pris l'airbag dans la figure et s'est retrouvé à pisser le sang. Ils n'ont pas bien préparé leur coup et ont oublié de prendre de la glace dans l'autre véhicule, celui qu'on voit justement sur ces images. Ils ont pris la fuite et sont tombés sur Frog qui était encore ouvert. Tout ce qu'ils voulaient, c'était mettre les voiles. Ils n'avaient pas les idées claires et n'étaient pas très futés non plus. Ils n'ont pas pensé aux caméras de surveillance. Grossière erreur. On a leur visage, maintenant. On va les retrouver. Ce n'est qu'une question de jours.

— Mais cela ne va pas arriver, intervint le chef de la tribu, du moins pas pour l'instant, et pas avec vous. Vous êtes démis de vos fonctions, sur-le-champ.

Lyman encaissa le coup avec un flegme qui le surprit lui-même. Il observa les trois hommes, assis devant lui, les bras croisés sur leurs gros ventres.

— Pour quels motifs ? s'enquit-il finalement.

Cappel lui retourna un sourire sardonique.

— Je n'ai pas à vous donner de motif. Je vous licencie quand ça me chante, c'est précisé très clairement dans votre contrat. En tant que chef, j'embauche et je congédie tous les cadres de notre tribu. C'est ma prérogative et vous le savez.

— En effet.

Lyman regarda fixement le trio et décida de s'amuser un peu :

— Alors les grands manitous veulent étouffer l'affaire ? Cette vidéo ne verra jamais le jour. Et on ne saura jamais ce qui s'est passé. Un homme a été tué, et on laisse les tueurs s'enfuir. Cela vous semble juste, chef ?

— Je vous ordonne de partir sur-le-champ, grogna Cappel.

— C'est mon bureau, et j'ai toutes mes affaires.

— Ce n'est plus votre bureau. Trouvez-vous un carton et partez. Nous attendons.

— Vous plaisantez ?

— Je suis très sérieux. On est dimanche après-midi et on a autre chose à faire.

— Ce n'est pas moi qui ai demandé cette réunion.

— Ça suffit, Lyman. Remballez vos affaires. Rendez-nous vos clés et vos armes. Et laissez ces dossiers où ils sont. Prenez votre bordel et tirez-vous. Et il va sans dire, Lyman, qu'il est dans votre intérêt de la fermer.

— Évidemment. C'est ce que nous faisons tous, non ? Baisser la tête et nous taire, pour couvrir les autres.

— Voilà. Et pour ce qui est de la fermer, c'est maintenant et tout de suite.

Sans un mot de plus, Lyman commença à ouvrir ses tiroirs.

* * *

Michael toqua à la chambre de Lacy avec une certaine fébrilité. Quand il ouvrit la porte, ses craintes se révélèrent fondées : Gunther était toujours là ! Il était assis au bord du lit, un backgammon de poche entre eux deux. Il le rangea de mauvaise grâce et alla le poser sur le canapé dans son coin bureau.

— Je pourrais avoir quelques minutes seul à seul avec Lacy ? demanda Geismar avec prudence.

— Pour quoi faire ?

— Pour parler d'affaires délicates.

— Si c'est pour le boulot, ça peut attendre demain. On est dimanche soir et elle n'est pas en état. Si c'est au sujet de l'accident, de l'enquête, et de tout ce bordel, alors je ne bouge pas d'ici. Lacy a besoin d'une autre paire d'oreilles et de mes précieux conseils.

Lacy n'intervint pas. Michael leva les mains en signe de reddition.

— D'accord. Je ne parlerai pas du travail.

Il s'installa sur une chaise à côté du lit et contempla la jeune femme. Son visage avait dégonflé, les hématomes changé de couleur.

— Vous avez dîné ? s'enquit Gunther. À la cafétéria, il y a des sandwichs qui datent de deux ans. Durs comme du plâtre. Ce n'est pas très tentant, mais j'en ai mangé trois et j'ai survécu. Ça vous dit ?

— Sans moi. Merci.

— Du café alors ? Il n'est pas bon, mais ça reste buvable.

— Excellente idée. Merci.

L'important, c'était que le grand frère quitte la pièce. Gunther récupéra ses chaussures et sortit. Michael ne perdit pas de temps :

— Je suis passé chez Hugo cet après-midi. Comme tu t'en doutes, l'ambiance est lourde là-bas.

— J'ai envoyé deux e-mails mais n'ai pas eu de réponse. J'ai appelé deux fois aussi et ce n'est pas Verna qui a décroché. Il faut que je la voie.

— C'est justement de cela dont je veux te parler. Mais je ne veux rien dire devant ton frère. Cela doit rester entre nous. Verna est encore sonnée, elle est comme une somnambule. C'est normal. Après un tel drame. Mais elle recouvre peu à peu ses esprits et je ne suis pas sûr d'aimer ce que j'entends. Il y a un groupe d'amis, dont deux anciens de la fac de droit, et ils y vont tous de leurs conseils. Ils ont plein d'idées pour lancer un procès, avec pour cible les Tappacolas. C'est là qu'est la mine d'or, et ils rêvent d'avoir leur part du gâteau. Je ne suis pas un avocat pénaliste, mais je ne vois pas comment on pourrait établir leur responsabilité. Ce n'est pas parce que l'accident s'est produit sur leurs terres que c'est la faute des Indiens. En plus, c'est leur juridiction, et leurs lois ne sont pas les mêmes. Comme Hugo était employé par l'État, Verna touchera la moitié de son salaire jusqu'à la fin de ses jours – mais ce n'est pas grand-chose, tu le sais. Hugo avait une assurance-vie pour cent mille dollars ; Verna n'aura pas de difficulté à la toucher. Reste l'assurance-auto du côté du pickup volé. Le véhicule était couvert par la Southern Mutual pour deux cent cinquante mille dollars en responsabilité civile. D'après l'un des types là-bas, celui qui la ramène le plus, même si le pickup a été volé, il dit que l'assurance doit marcher, que ça se tente en justice. Moi, je ne partage pas son optimisme. La situation risque donc de se compliquer. Ils parlent aussi de poursuivre Toyota pour la ceinture de sécurité défectueuse, et pour l'airbag qui ne s'est pas déclenché. Tu te retrouverais impliquée, toi et ta compagnie d'assurances, je n'aime pas ça.

— C'est de la folie. Verna me juge responsable ?

— Pour l'instant Verna ne dit rien. Elle est choquée, terrifiée, et n'a pas les idées claires. Et je ne suis pas très sûr que ces gars soient de bon conseil pour elle. Ils sont assis à sa table, tiennent conciliabule, et tirent des plans sur la comète pour attaquer en justice tous ceux qui sont liés, de près ou de loin, à la mort de Hugo. Ton nom fait partie du lot et je n'ai pas entendu Verna protester.

— Ils parlent de ça devant toi ?

— Ils s'en fichent. La maison est pleine de gens, et de la nourriture n'arrête pas d'arriver. Tantes, oncles, cousins, c'est le défilé. Celui qui a un truc à dire prend une part de gâteau et tire une chaise pour expliquer aux autres son idée de génie. J'ai un mauvais pressentiment.

— Je n'y crois pas. Verna est une amie depuis des années.

— Il faudra du temps, Lacy. Du temps pour panser les plaies, les tiennes comme les siennes. Verna est une bonne personne. Quand elle aura dépassé le choc, elle reprendra ses esprits. Mais pour l'instant, à ta place, je me ferais oublier.

— Je n'en reviens pas.

Gunther arriva avec un plateau et trois gobelets de café fumant.

— Rien qu'à l'odeur, on sait que c'est du jus de chaussettes ! lança-t-il.

Il distribua les boissons et s'esquiva dans la salle de bains.

Michael se pencha vers Lacy.

— Quand est-ce qu'il s'en va ?

— Demain. Promis.

— Ce n'est pas trop tôt.

19

Ann Stoltz arriva en fin de matinée le lundi pour passer une journée ou deux avec sa fille. Par chance, son fils n'était pas dans la chambre, bien que, à l'évidence, son bureau de fortune fût encore opérationnel. Il était parti faire des courses. Restait la bonne nouvelle : il s'en allait à midi. Atlanta, bien sûr, allait s'écrouler. Sans lui la ville était perdue ! Mieux encore : son médecin comptait la laisser rentrer chez elle demain. Elle l'avait convaincu que ses cheveux repousseraient aussi bien à la maison.

Une infirmière lui retira les fils pendant que Ann racontait les derniers potins de Clearwater. Un kinési-thérapeute se présenta pour une séance d'étirements. Il donna à Lacy une liste d'exercices à faire chez elle. Gunther surgit avec un sac plein de victuailles et annonça qu'il devait rentrer de toute urgence. Une heure en compagnie de sa mère semblait au-dessus de ses forces. Cela tombait bien ; après quatre jours avec son grand frère, Lacy avait grand besoin d'une pause.

Les yeux humides, il lui dit au revoir. Il la supplia de l'appeler au moindre problème, en particulier si les vautours des assurances ou du barreau commençaient à lui tourner autour. Lui savait comment gérer ces parasites. Au moment de partir, il fit une petite bise à sa mère, et dans la seconde il avait disparu. Lacy ferma les yeux, savourant le silence.

* * *

Le lendemain, mardi, une aide-soignante l'emmena en fauteuil roulant jusqu'à la voiture de Ann. Lacy était tout à fait capable de marcher, mais l'hôpital avait ses procédures. Un quart d'heure plus tard, Ann se garait sur le parking devant chez sa fille.

— Cela ne fait que huit jours, articula la jeune femme en contemplant l'immeuble, mais j'ai l'impression qu'il s'est passé un mois.

— Je vais te chercher tes béquilles.

— Je n'en ai pas besoin, m'man. Je ne vais pas commencer maintenant.

— Mais le kiné a dit…

— S'il te plaît. Un, il n'est pas là ; deux, je sais ce que je peux faire ou non.

Elle marcha, sans la moindre claudication, jusqu'à sa porte. Simon, son voisin anglais, l'attendait dans l'appartement. Il s'était occupé de Frankie le Frenchie. Quand Lacy vit son chien, elle s'agenouilla pour le serrer dans ses bras.

— Quelle tête j'ai ? demanda-t-elle à Simon.

— Pas mal, quand on sait d'où tu reviens. Je m'attendais à pire.

— Tu ne m'as pas vue il y a une semaine !

— Bienvenue chez toi. On s'est fait un sang d'encre.

— Allez ! Prenons un thé.

C'était si bon de ne plus être à l'hôpital. Lacy bavarda avec Simon. Ann les écoutait plaisanter tous les deux, et rit avec eux. On ne parla ni de Hugo, ni de l'accident. Ces sujets reviendraient bien assez tôt sur le tapis. Lacy narra les hauts faits du chevalier Gunther, et tout paraissait si drôle maintenant que cela appartenait au passé.

— C'est la faute de ton père, répétait Ann. C'est lui qui l'a élevé. Pas moi.

L'après-midi, Lacy appela ses amis, fit une sieste, puis ses exercices, scrupuleusement. Elle avala ses antalgiques, grignota – des barres aux fruits et noisettes – et jeta un coup d'œil à ses dossiers.

À 16 heures, Michael arriva pour parler travail. Ann s'éclipsa et partit faire des emplettes. Il disait qu'il avait un lumbago et qu'il préférait rester debout. Il allait et venait devant la baie vitrée, soliloquant, visiblement sur les nerfs.

— Tu es sûre que tu ne veux pas prendre un congé ? On peut te verser ton salaire pendant trente jours.

— Qu'est-ce que je ferais pendant tout ce temps ? Me tirer sur les cheveux pour qu'ils repoussent plus vite ?

— Tu as besoin de repos. C'est ce qu'ont dit les médecins.

— Laisse tomber, répliqua-t-elle d'un ton sans appel. Je ne me ferai pas porter pâle. Je serai au bureau lundi prochain, avec les balafres et tout le reste.

— Je m'en doutais. Tu as parlé à Verna ?

— Non. Tu me l'as déconseillé, tu te souviens ?

— C'est vrai. Rien de nouveau depuis dimanche. Elle est à court d'argent, bien sûr, c'était prévisible, et pressée de toucher l'assurance-vie.

— Même avec le salaire de Hugo, ils vivaient au jour le jour. On ne peut rien faire pour elle ?

— Je ne vois pas trop comment. Aucun d'entre nous n'est surpayé. Mais elle n'est pas toute seule. Elle a une grande famille. Ils l'aideront jusqu'à ce que le chèque tombe. À long terme, toutefois, cela risque de coincer avec quatre gosses et seulement la moitié de la paye de son mari.

— À moins que les recours en justice ne portent leurs fruits.

— C'est la grande inconnue.

Il arrêta de faire les cent pas pour boire une gorgée d'eau. Lacy était étendue sur le canapé ; ses premières heures de liberté l'avaient épuisée.

— Il nous reste deux semaines, Lacy. Deux semaines pour étayer la plainte contre McDover ou pour jeter l'éponge. Tu veux que je passe le dossier à Justin ?

— Pas question. C'est mon enquête, encore plus maintenant.

— Je savais que tu dirais ça. Entre nous, je ne pense pas que Justin soit de taille pour cette affaire, et c'est une vraie patate chaude. Je suis sûr qu'il ne tient pas à s'en occuper.

— Je garde mon affaire.

— Entendu. Tu as un plan ? Pour l'instant on n'est pas très avancé : la plainte, signée de notre ami Greg Myers – qui se cache quelque part et n'a pas intérêt à montrer son nez –, reste très vague, et donne encore moins de preuves. On a les noms des sociétés offshore qui sont les propriétaires officiels des quatre appartements de Rabbit Run, mais nous ne pouvons démontrer que c'est la juge qui se cache derrière. On pourrait obtenir une injonction, saisir ses dossiers, ses livres de comptes, ce genre de choses, mais je doute fort qu'on découvre grand-chose. Si ce système de corruption est aussi sophistiqué que le prétend Myers, il y a peu de chances que McDover laisse traîner des documents compromettants. À mon avis, il vaut mieux garder cette arme légale pour plus tard. McDover va se défendre et nous opposer tout un bataillon d'avocats. Rien que d'y penser, ça donne le vertige. Chacune de nos demandes va être contestée d'arrache-pied. Et, au final, McDover prouvera qu'elle a acheté ces appartements comme placement financier, ce qui est un classique en Floride.

— Tu n'es pas très optimiste.

— Je ne suis jamais optimiste concernant nos affaires. Mais nous n'avons pas le choix. Aujourd'hui, toi comme moi croyons Myers. Ses accusations sont fondées, et il y a bel et bien une entente criminelle derrière, à grande échelle, avec détournements de fonds, blanchiment d'argent, et même meurtre à la clé.

— Un meurtre, oui… parlons-en justement. On a affaire à une véritable organisation mafieuse. D'abord il y a eu cet informateur qui nous a attirés dans un piège puis, le chauffeur du pickup qui nous est rentré dedans. Et l'autre type qui l'a rejoint pour l'évacuer. À cela s'ajoute le voleur du pickup. Et celui qui a saboté les ceintures et les airbags de ma voiture. S'il y a autant de soldats, c'est qu'il y a un général aux commandes. Et à mon avis, c'est Dubose – je ne vois pas qui ça peut être d'autre. C'est typiquement le mode opératoire de la pègre. Hugo a été assassiné et nous ne pouvons le prouver. Et les Tappacolas non plus.

— Tu penses que nous devrions alerter le FBI ?

— Toi et moi savons qu'on finira par faire appel à eux. La grande question, c'est le timing. Si nous les appelons maintenant, on va se mettre à dos Greg Myers, qui reste quand même notre meilleur atout par son contact avec la taupe. Si Myers panique et s'évanouit dans la nature, nous perdons notre principale source. C'est par lui que nous avons une chance de gagner. Alors il vaut mieux attendre. On va présenter la plainte concernant ces appartements ; McDover va voir tout rouge et se défendre bec et ongles, tu as raison. Mais elle ne saura pas ce que nous savons. Elle et Dubose vont se dire qu'on croit à cette histoire – le pauvre Hugo a été tué par un chauffard ivre et je suis une simple victime collatérale –, qu'on ne sait rien de son faible pour les jets privés, rien de ses voyages à New York, Singapour, à la Barbade et tout le reste. Jamais ils ne se douteront que nous connaissons l'existence de Phyllis Turban, sans parler de son implication. Pour eux, tout ce que nous avons, c'est cette misérable petite plainte signée par un parfait inconnu, un type qu'ils ne connaissent ni d'Ève ni d'Adam et qu'ils ne trouveront jamais.

— Pourquoi alors monter au front ? demanda Geismar.

Lacy était définitivement de retour, son cerveau avait retrouvé sa vivacité. Le traumatisme, le choc, l'œdème, tout ça n'avait laissé aucune séquelle. Comme de coutume, elle sériait les faits avec célérité et n'avait pas son pareil pour voir le schéma général derrière les détails.

— Pour deux raisons, et toutes deux d'égale importance. Premièrement, il s'agit de garder Myers dans notre poche et de l'inciter à creuser encore. Cette taupe en sait beaucoup plus et est, à l'évidence, dans l'entourage de notre juge. Deuxièmement, il nous faut voir comment va réagir McDover. Myers dit vrai : elle est dans sa bulle. Cela fait onze années qu'elle et Dubose envoient les bulldozers dans tout le comté, piochent dans la caisse du casino, soudoient tous ceux qui commencent à poser des questions, cassent des jambes ou pire encore. L'argent coule à flots et cela a endormi leur vigilance. Mets-toi à leur place, Michael. Cette manne tombe du ciel depuis des années et personne, aucune autorité, n'est venue y mettre son nez. Et voilà qu'on débarque avec notre petite plainte pour quatre appartements, qu'on donne un coup de pied dans la fourmilière.

Geismar cessa de marcher de long en large et regarda une chaise bizarre ayant quatre pieds dépareillés.

— Qu'est-ce que c'est que ça ?

— Du Philippe Starck. Une copie, bien sûr. Mais vas-y, c'est solide. Assieds-toi.

Avec précaution, Michael s'installa sur la chaise, tout étonné de ne pas la voir s'écrouler sous son poids. Il contempla le paysage derrière la fenêtre. Au loin, il apercevait le capitole.

— Jolie vue.

— Voilà en gros mon plan. Tu en as un meilleur ?

— Non. Pas pour l'instant.

20

Le mercredi, Lacy s'ennuyait déjà. Mais il était trop tôt pour retourner au travail. Même si son visage était bien plus présentable elle ne voulait pas que ses collègues la voient dans cet état. Ann faisait les courses, était aux petits soins pour sa fille, mais commençait aussi à saturer. Elle conduisit Lacy à l'épicerie, à son rendez-vous chez le médecin. Et aussi au bureau d'un expert de l'assurance qui lui remit un chèque de remboursement pour sa Prius, une somme ridicule. Ann était une très mauvaise conductrice et se traînait sur la route, qu'il y ait de la circulation ou non. Lacy était pâle de terreur, à voir tous ces véhicules autour d'elles, et la conduite erratique de sa mère n'arrangeait rien.

Lacy dormait bien et n'avait plus besoin d'antidouleur. Grâce aux exercices de kinésithérapie sa rééducation était en bonne voie et elle avait retrouvé l'appétit. Elle ne fut donc pas surprise quand le mercredi soir, au dîner, sa mère lui annonça qu'elle allait devoir rentrer chez elle. Avec finesse et diplomatie, Lacy l'encouragea à ne pas traîner. Elle appréciait les bons soins de sa mère, son attention, mais elle était en voie de guérison et en avait assez d'être maternée. Elle voulait un peu d'air, se retrouver tranquille chez elle.

Plus important encore, il y avait ce jeune et beau kiné qui était passé la veille au soir pour une courte séance d'exercices. Ann était restée dans la pièce, à observer tous ses faits et gestes. Il s'appelait Rafe, il avait une vingtaine d'années – autrement dit, il était d'au moins dix ans son cadet, mais Lacy s'en fichait. Il y avait eu quelques œillades entre eux, pendant qu'il manipulait son genou, et peut-être une autre quand ils s'étaient dit au revoir. Il ne semblait pas du tout rebuté par ses bleus et ses entailles. Elle lui envoya un petit coucou par e-mail le mercredi dans la nuit, et il répondit dans l'heure qui suivit. Après quelques échanges, il fut établi que l'un et l'autre étaient célibataires et partants pour aller boire un verre.

Enfin, peut-être quelque chose de bon dans cette histoire ! songea Lacy.

Au lit, alors qu'elle feuilletait un magazine, un e-mail de Verna arriva :

Lacy,

Désolée de ne pas t'avoir écrit plus tôt ni appelée. J'espère que ça va et que tu récupères bien. Je suis si soulagée de savoir que tes blessures sont moins graves qu'on ne le pensait. De mon côté, je suis au bord du vide. En fait, c'est carrément le vertige. Je suis totalement dépassée, par tout et n'importe quoi. Les enfants sont en vrac et refusent d'aller à l'école. Pippin pleure encore plus que d'habitude. Parfois, tout le monde pleure et je ne vois pas comment je vais pouvoir tenir le coup. Mais je ne veux pas craquer devant eux. Il faut que quelqu'un se montre fort, alors je vais me cacher dans la douche pour pleurer. Chaque jour est une épreuve. Je ne sais pas comment je tiens. Et penser à demain me terrifie. Demain sans Hugo. Il ne sera pas là non plus la semaine prochaine, ni le mois prochain, ni dans un an. Je n'arrive pas à me projeter. Et le présent est un cauchemar. Quant au passé, il me paraît déjà si loin, un temps béni, et ça me rend malade rien que d'y penser. Ma mère est là, avec ma sœur. J'ai donc plein d'aide pour les enfants. Mais tout me semble irréel. Elles ne pourront rester indéfiniment. Elles vont devoir partir et je vais me retrouver seule ici avec les quatre gosses, et pas de mari. Cela me ferait plaisir de te voir mais c'est trop tôt. Penser à toi me fait penser à Hugo et à la façon dont il est mort. Je suis désolée. Laisse-moi encore un peu de temps. Ne réponds pas non plus.

Verna

Lacy lut le message deux fois et retourna à son magazine. Elle penserait à Verna demain.

* * *

Ann s'en alla le jeudi, en fin de matinée, alors que Lacy espérait la voir partir dès potron-minet. Enfin seule ! Depuis dix jours qu'elle attendait ça ! Elle s'allongea sur le canapé avec Frankie, savourant le silence. Elle ferma les yeux. Pas un bruit. C'était si agréable. Puis elle songea à Verna et à tous ces bruits dans la maison des Hatch – les pleurs des enfants, la sonnerie du téléphone, tous ces gens qui vont et viennent. Elle se sentait presque coupable de tant de tranquillité.

Une douce torpeur la gagnait quand Frankie se mit à grogner en sourdine. Il y avait quelqu'un à la porte.

Lacy s'approcha de la fenêtre pour observer le visiteur. Le verrou était mis. Elle était en sécurité. Il lui suffisait d'appuyer sur un bouton pour déclencher l'alarme. Elle avait déjà vu cet homme – un type bronzé, de longs cheveux gris.

Lui ? Sur la terre ferme !

— Oui ? dit-elle dans l'interphone.

— Je voudrais parler à Lacy Stoltz.

— Et qui la demande ?

— Greg Myers.

Elle ouvrit la porte avec un grand sourire. Au moment où il entra, elle jeta un coup d'œil sur le parking, mais ne remarqua rien d'anormal.

— Où sont le panama et la chemise hawaïenne ? demanda-t-elle.

— Je les réserve pour le bateau. Qu'est-il arrivé à vos beaux cheveux ?

Elle désigna la cicatrice à son front.

— Vingt-quatre points de suture. C'est encore douloureux.

— Vous avez l'air en forme, Lacy. Je craignais que vous ne soyez gravement blessée. Les journaux n'ont pas donné beaucoup de détails sur votre état, juste que vous aviez eu un traumatisme crânien.

— Asseyez-vous, je vous en prie. J'imagine que vous voulez une bière ?

— Non. Je conduis. Juste de l'eau.

Elle sortit deux petites bouteilles d'eau pétillante du réfrigérateur et ils prirent place autour de la table basse.

— Alors comme ça, vous lisez la presse ?

— Oui. Une vieille habitude. Depuis que je vis sur un bateau.

— Je n'ai pas ouvert un journal depuis l'accident.

— Vous n'avez pas raté grand-chose. Ils ne parlent plus de vous et de Hugo. Ils sont passés à autre chose.

— Je n'ai pas été très difficile à trouver, je suppose ?

— Non. Mais vous ne cherchez pas non plus à vous cacher…

— Je ne vis pas comme ça, Greg. Pas dans la peur.

— Ce doit être bien agréable. Lacy, j'ai fait cinq heures de voiture, depuis Palm Harbor, pour vous voir. Que s'est-il passé ? Dites-le-moi. Ce n'était pas un accident, n'est-ce pas ?

— Non. Ce n'était pas un accident.

— Allez-y. Je vous écoute.

— Je vais vous raconter, mais d'abord une question. Vous utilisez les mêmes téléphones que le mois dernier ?

Il réfléchit un instant.

— Oui. Pour l'un d'entre eux du moins.

— Et où est ce téléphone en ce moment ?

— Sur le bateau. À Palm Harbor.

— Et Carlita est à bord ?

— Oui. Pourquoi ?

— Appelez-la et dites-lui de jeter le téléphone à l'eau. Faites-le. Tout de suite ! C'est important.

— D'accord.

Myers sortit un nouveau téléphone à carte prépayée et fit ce que lui demandait Lacy. Sitôt qu'il eut raccroché, il lança :

— Vous m'expliquez maintenant ?

— C'est justement une partie de l'histoire.

— Je suis tout ouïe.

* * *

Pendant qu'elle lui narrait les événements, Myers parfois montrait du remords, parfois une indifférence déconcertante. À plusieurs reprises il marmonna « Quelle erreur ! » quand Lacy lui détailla le piège dans lequel l'informateur les avait attirés.

— Il y a eu une autopsie ? s'enquit-il.

— Non. Pas à ma connaissance. Pourquoi ? Ils auraient dû ?

— Je ne sais pas. Simple curiosité.

Lacy ferma soudain les yeux et se mit à tapoter son front.

— Quoi ? Qu'est-ce qu'il y a ?

— Il avait une lampe ! Sur sa tête, comme un mineur ou un spéléologue.

— Une lampe frontale ?

— Possible. Je revois l'image. Il me regardait par la fenêtre. Il n'y avait plus de vitre, évidemment.

— Et son visage ? Vous le voyez ?

— Non. La lumière m'aveuglait.

Elle plaqua ses mains sur ses yeux, se massa doucement les tempes. Une minute s'écoula. Myers attendit.

— Et l'autre type ? demanda-t-il finalement. Vous l'avez vu ?

Elle secoua la tête.

— Non. Aucun souvenir. Je sais qu'ils étaient deux, il y avait deux silhouettes. Une avec ce machin sur la tête, et l'autre devait avoir une lampe de poche normale. J'entends encore leurs pas qui crissaient sur les débris de verre.

— Ils ont dit quelque chose ?

— Je ne me souviens pas. J'étais dans les vapes.

— Bien sûr, Lacy. Vous avez eu un sacré choc. Ça a perturbé votre mémoire.

Elle sourit, se leva et alla prendre dans le réfrigérateur du jus d'orange.

— Vos téléphones… quels modèles ?

— De vieux BlackBerry. Le BJC est fauché. (Elle remplit deux verres.) J'ai un iPhone perso mais je l'avais laissé ici. Hugo, en revanche, se servait de son téléphone pro pour tout. Je ne pense pas qu'il en ait un autre. Notre gars de l'informatique assure que nos BlackBerry ne peuvent pas être piratés.

— Il y a toujours un moyen. Ils ont de l'argent, ils peuvent trouver un hacker qui saura.

— D'après notre technicien, il ne faut pas s'inquiéter. Il a tenté de les repérer, mais il n'y a plus de signal. Cela veut dire qu'ils sont sans doute au fond de l'océan.

— Moi, je m'inquiète toujours. Par principe. C'est pour ça que je suis encore en vie.

Lacy se dirigea vers la petite fenêtre de la cuisine et contempla les nuages. Sans se retourner, elle demanda :

— Pourquoi, Greg ? À quoi ça leur servait de tuer Hugo ?

Myers se leva et s'étira. Il but une gorgée de jus d'orange.

— C'est de l'intimidation. Ils ont appris que vous commenciez à fouiner, alors ils ont réagi. Pour la police, c'est un accident. Mais en vous prenant vos téléphones, ils vous envoient un message à vous et au BJC.

— Je suis la prochaine sur la liste ?

— J'en doute. Vous étiez à leur merci. Ils auraient pu vous régler votre compte s'ils le voulaient. Un mort suffit pour un avertissement. Si quelque chose vous arrivait maintenant, ils auraient les fédéraux sur le dos.

— Et pour vous ?

— Oh, je ne suis en sécurité nulle part ! Leur priorité est de retrouver ce mystérieux Greg Myers et de l'éliminer discrètement. Mais ils ne m'auront jamais.

— Et la taupe ? Elle risque quelque chose ?

— Non, je ne crois pas.

— Cela fait beaucoup de suppositions, Greg.

Il la rejoignit à la fenêtre. Il commençait à pleuvoir. Les premières gouttes martelaient la vitre.

— Vous voulez abandonner ? murmura-t-il. Je peux retirer ma plainte et retrouver une existence normale. Et vous aussi. Vous avez vu assez de sang. La vie est courte.

— Non, je ne peux pas. Plus maintenant. Si je laisse tomber, les méchants auront encore gagné. Hugo sera mort pour rien. Et le BJC, la risée de tout le monde. Non, je continue.

— Comment vous voyez la fin de la partie ?

— On révèle la corruption. McDover, Dubose et compagnie sont inculpés et poursuivis en justice. La taupe touche son argent. Il y a une enquête sur la mort de Hugo et les responsables se retrouvent au tribunal. Junior Mace sort libre, après avoir passé quinze ans dans le couloir de la mort. Et ceux qui ont tué Son Razko et Eileen Mace sont arrêtés et jugés.

— Rien que ça ?

— Oui. Ça devrait m'occuper un mois ou deux.

— Vous ne pouvez y arriver toute seule. Il vous faut du soutien.

— Oui. Et c'est là que le FBI entre en jeu. Ils ont les moyens, l'expérience. Pas nous. Si vous voulez qu'on gagne, que les autres payent pour ce qu'ils ont fait, il faut que vous lâchiez du lest en ce qui concerne les fédéraux.

— Vous pensez qu'ils vont ouvrir une enquête ?

— Oui. Enfin j'espère.

— Quand comptez-vous les contacter ?

— Le FBI ne bougera que si nous avons avancé nos pièces. Comme vous le savez, ils n'aiment pas mettre leur nez dans les affaires indiennes. Mon plan, donc, est d'étayer au maximum le dossier contre McDover. Elle aura trente jours pour réagir. Procédons par étapes. Une chose après l'autre.

— Il faut que vous puissiez préserver mon anonymat tout du long, Lacy. Si vous n'êtes pas sûre de pouvoir le faire, je me retire du jeu. Et je ne veux pas travailler avec les fédéraux. C'est vous qui les gérerez. De mon côté, je vous donnerai toute la matière possible, je mettrai la pression sur la taupe. Mais je ne veux avoir aucun contact avec eux, c'est bien clair ?

— Limpide.

— Et soyez sur vos gardes. Ce sont des gens dangereux, ils sont prêts à tout.

— Je sais, Greg. Ils ont tué Hugo.

— Oui. Et je m'en veux. Je n'aurais jamais dû vous contacter.

— Il est trop tard pour faire machine arrière.

Il sortit un autre téléphone de sa poche, tout fin celui-là, et le lui tendit.

— Servez-vous de celui-ci pour ce mois-ci. J'ai son petit frère.

Elle le tint dans sa paume comme si c'était un objet illégal, puis hocha lentement la tête.

— D'accord.

— Le mois prochain, je vous en envoie un autre. Ayez-le tout le temps sur vous. S'il tombe entre de mauvaises mains, je suis un homme mort. Et je ne donne pas cher de vous non plus.

Elle le regarda s'en aller dans une voiture de location avec des plaques de l'Ohio, puis serra le téléphone. Comment avait-elle pu se mettre dans une telle situation ? En neuf ans au BJC, son affaire la plus intéressante avait été le cas d'un juge de circuit du comté de Duval qui avait un faible pour les jeunes épouses venant régler leur divorce dans son tribunal. Il harcelait également les greffières, les secrétaires du palais de justice, toutes les jolies femmes en fait qui avaient le malheur de croiser son chemin. Lacy l'avait contraint à démissionner et il s'était plus tard retrouvé en prison.

Mais rien de comparable à ça.

* * *

Le moment fatidique était arrivé, inévitable. Et Lacy ne se sentait pas du tout prête. Elle ne le serait sans doute jamais. Simon, son voisin, avait accepté de l'accompagner pour lui donner du courage. Guère rassurée, elle s'approcha de la petite Ford de location, un véhicule de remplacement que lui octroyait son assurance et qui avait été livré la veille. Elle ouvrit la portière et lentement s'installa. Malgré elle, ses mains se crispèrent sur le volant ; elle sentait le sang battre sous ses doigts. Simon monta à bord à son tour, boucla sa ceinture et lui conseilla de l'imiter. Elle inséra la clé de contact, démarra, mais resta tétanisée, tandis que la climatisation bourdonnait dans l'habitacle.

— Respire, ordonna-t-il. Ça va bien se passer. C'est rien du tout.

— Rien du tout ?

Elle engagea la marche arrière et lâcha le frein. Dès qu'elle sentit la voiture bouger, un vertige la saisit et elle écrasa les freins.

— Allez, jeune fille ! Finissons-en, lâcha-t-il avec son petit air pincé d'Anglais. Tu ne peux pas tergiverser indéfiniment.

— Je sais. Je sais.

Elle lâcha à nouveau la pédale et recula avec précaution. Elle braqua et sortit de sa place, s'arrêta, engagea la marche avant. Aucune voiture en mouvement sur le parking, mais elle n'était pas rassurée pour autant.

Avec un peu trop d'engouement, Simon lança :

— Maintenant, si tu veux que la voiture bouge, il faut lâcher cette pédale de frein.

— Je sais. Je sais, répéta-t-elle, dans un marmonnement.

La Ford commença à rouler. Lacy avança ainsi jusqu'à la rue et s'arrêta à nouveau, pour observer la circulation qui n'était pas trop chargée en pleine journée.

— Prends à droite, ordonna Simon. Tu peux y aller, il n'y a personne.

— J'ai les mains moites.

— Moi aussi. Il fait chaud. Tu t'en sors très bien. Tout baigne.

Elle s'engagea dans la rue et appuya sur l'accélérateur. Elle ne pouvait oublier la dernière fois qu'elle avait conduit, mais faisait de son mieux. Marmonner aidait, comme un mantra :

— Tout va bien. Tout va bien.

— Magnifique, Lacy. Tu peux rouler un peu plus vite si tu veux.

Elle jeta un coup d'œil au compteur : l'aiguille flirtait avec le 30. Elle ralentit à l'approche du premier panneau Stop. Elle dépassa un pâté de maisons, puis un autre. Un quart d'heure plus tard, elle était de retour à l'appartement, la bouche sèche, trempée de sueur.

— On recommencera ? demanda Simon.

— Donne-moi une heure. Il faut que j'aille m'allonger.

— Comme tu veux, très chère. Tu n'as qu'à me sonner.

21

Sterling, trois mille cinq cents âmes. Aucun des trois agents du BJC ne connaissait cette bourgade, mais en apercevant son palais de justice hideux, ils espérèrent ne jamais y remettre les pieds. Michael se gara en face, près d'un monument aux morts, et le trio descendit de voiture. Certains d'être observés, ils traversèrent d'un pas décidé le parvis et passèrent les portes. Pour l'occasion, Michael et Justin avaient enfilé un costume sombre, comme s'ils se rendaient à un procès médiatique. Justin jouait juste les escortes, en démonstration de force, pour montrer que le BJC avait des ressources et n'était pas à prendre à la légère.

Lacy portait un pantalon noir et des chaussures plates. Elle pouvait marcher sans boiter, mais son genou gauche était encore enflé. Pour le haut, elle avait un chemisier beige et un carré Hermès sur la tête. Elle s'était posé la question si elle devait venir tête nue, montrer son crâne rasé et sa cicatrice avec les traces encore fraîches des points de suture – pour que Claudia McDover voie les dommages qu'elle avait causés, qu'elle ait sous les yeux une victime de sa corruption. Mais la coquetterie avait eu le dessus.

Ils montèrent l'escalier jusqu'au deuxième étage pour se rendre au bureau de Son Honneur Claudia F. McDover, juge de la cour de circuit, vingt-quatrième district judiciaire. La secrétaire les accueillit sans un sourire.

— Je suis monsieur Geismar. On s'est parlé au téléphone. Nous avons rendez-vous avec madame la juge à 17 heures.

— Je vais la prévenir de votre arrivée.

17 heures sonnèrent. Puis 17 h 15. Enfin, la secrétaire alla ouvrir la porte du bureau.

— Madame la juge est prête à vous voir.

Ils entrèrent dans la pièce. Claudia McDover les reçut avec un sourire ostensiblement forcé. Lacy évita de lui serrer la main. Dans un angle, deux hommes installés à une grande table se levèrent de leur chaise et se présentèrent. C'étaient les avocats. Leur présence n'était pas une surprise. Michael avait appelé la veille pour convenir du rendez-vous. La juge avait eu vingt-quatre heures pour lever son armée.

Le plus vieux était Edgar Killebrew, un ténor du barreau de Pensacola. Il était grand, imposant, et portait un costume à rayures fait sur mesure. Ses cheveux gris clairsemés étaient coiffés en arrière et lui tombaient sous le col. Extravagant, flamboyant, il avait une réputation de tueur, toujours prêt à croiser le fer et avait rarement perdu devant un jury. Son partenaire était Ian Archer, un type froid et revêche qui refusa de les saluer.

Dans un silence lourd, tout le monde s'installa à la table – McDover sur un côté, flanquée de ses deux avocats, Michael en face, avec Lacy et Justin de part et d'autre. L'ambiance n'était pas aux mondanités d'usage. Ils n'étaient pas là pour parler de la pluie et du beau temps.

Michael entra aussitôt dans le vif du sujet :

234

— Une plainte a été déposée contre la juge Claudia McDover il y a quarante-cinq jours. Nous l'avons évaluée et, comme vous le savez, nos critères de sélection ne sont pas particulièrement drastiques. Quand il apparaît que la plainte a quelque mérite, nous la portons à la connaissance du juge en question. C'est la raison de notre présence aujourd'hui.

— On sait, lâcha Killebrew.

Lacy observait McDover, sidérée. Comment tout ça était possible ? Les pots-de-vin en rétribution de jugements favorables, le vol systématique de l'argent des Tappacolas, le meurtre de Hugo Hatch, les jets privés, l'argent qui coulait à flots, les appartements aux quatre coins du monde, la condamnation inique de Junior Mace. Comment croire que cette femme séduisante, une magistrate renommée d'une petite ville, puisse être impliquée dans de telles activités criminelles ! Et quelles étaient les pensées de McDover à cet instant ? Que se disait-elle en regardant Lacy, en voyant le foulard qui cachait sa cicatrice ? Voilà une fille qui a eu de la chance, qui devrait être morte à l'heure qu'il était ? Que représentait-elle ? Une gêne à éliminer ? Un danger ? Comment savoir ? La juge ne laissait rien paraître. Juste une froideur toute professionnelle.

McDover, à cet instant, ignorait ce que la taupe leur avait dit, et c'était là toute l'astuce du plan de Lacy. Oui, ils savaient pour l'argent, les jets, les biens, les maisons, tout ce luxe, toute cette opulence. McDover était sur le point d'apprendre que quatre appartements à Rabbit Run avaient éveillé les soupçons. Juste ça. Elle ne saurait rien d'autre.

— On peut voir cette plainte ? demanda Killebrew.

Michael sortit l'original et trois copies qu'il leur distribua. McDover, Killebrew et Archer lurent aussitôt les documents, mais veillèrent à rester de marbre. Peut-être était-ce un choc pour la juge ? En tout cas, elle joua bien la comédie. Rien. Ni colère, ni stupeur. Juste cette raideur de magistrate prenant connaissance des chefs d'accusation. Ses avocats, quant à eux, optèrent pour le détachement et le dédain. Archer griffonna quelques notes dans un carnet. Les minutes s'écoulaient dans le silence. La tension était palpable.

Enfin, McDover prit la parole, sans trace d'émotion.

— C'est absurde.

— Qui est ce Greg Myers ? demanda Killebrew avec mépris.

— Pour l'heure, nous ne dévoilerons pas son identité, répondit Michael.

— On ne tardera pas à le savoir. C'est de la diffamation pure et simple. Nous allons le traîner en justice, et ça va lui coûter bonbon. Il ne pourra pas se cacher alors.

Michael haussa les épaules.

— Attaquez qui vous voulez. Cela ne nous regarde pas.

— Et durant votre évaluation, intervint Archer, qu'est-ce qui vous a convaincus que cette plainte avait quelque fondement ?

Il avait pris un ton condescendant, pour bien montrer qu'il était le plus intelligent d'eux tous.

— Nous ne sommes pas tenus de vous le dire pour le moment. Et comme vous le savez sans doute, conformément à nos statuts, la juge McDover a trente jours pour rédiger sa réponse. Durant cette période, nous continuerons nos investigations. Quand nous aurons reçu sa réponse, nous l'étudierons et nous vous ferons savoir notre position.

— La réponse, je peux vous la dire tout de suite, grogna Killebrew. C'est de la diffamation, du délire, de la merde en barre. Le BJC devrait être poursuivi en justice pour oser accorder crédit à des conneries pareilles et oser salir le nom de l'une de nos plus grandes juges de Floride.

— Vous voulez nous attaquer aussi ? lança Lacy d'un ton de glace pour le provoquer.

Killebrew lui jeta un regard furieux mais ne mordit pas à l'hameçon.

— Ce qui me préoccupe, c'est la confidentialité, annonça McDover. Je me fiche de ces accusations, parce qu'elles sont sans fondement et que nous en apporterons la preuve. Mais j'ai une réputation à protéger. C'est la première plainte que l'on dépose contre moi en dix-sept années d'exercice.

— Cela ne prouve pas pour autant qu'elle n'est pas fondée, répliqua Lacy, ayant envie d'en découdre.

— C'est exact, madame Stoltz, mais je veux avoir la garantie que personne n'aura vent de cette affaire.

Ce fut Michael qui répondit :

— La confidentialité est notre souci premier. Nous nous devons de protéger la réputation des magistrats, et c'est la raison pour laquelle nous suivons notre procédure à la lettre pour garantir une discrétion absolue.

— Mais vous allez chercher des témoins, vous allez leur parler, insista Killebrew. Ça va se savoir. Je sais très bien comment ça se passe. Ça va vite tourner à la chasse aux sorcières. Les ragots vont aller bon train et ça va faire des dégâts.

— Des dégâts, il y en a déjà eu, rétorqua Lacy en fixant du regard McDover.

La magistrate demeura imperturbable, d'une indifférence sans faille.

Pendant un moment, la pièce sembla vidée de son air. Finalement, Michael rompit le silence :

— Nous gérons ce genre d'affaires tous les jours, monsieur Killebrew. Je vous assure que nous savons garder un secret. Souvent, les fuites viennent du camp d'en face.

— Belle pirouette, monsieur Geismar. Mais cette fois, rien ne sortira de chez nous. Nous allons demander le rejet de cette plainte ignominieuse et balancer ce ramassis d'immondices aux ordures.

— Je suis au BJC depuis près de trente ans et je n'ai encore jamais vu une de nos plaintes rejetée avant que les deux parties aient rédigé leurs réponses. Mais allez-y. Essayez.

— Fanfaronnez, monsieur Geismar. Dites-moi, fort de votre immense expérience, combien de plaintes vous avez défendues sans que l'identité du plaignant soit connue ?

— Il s'appelle Greg Myers. Son nom est écrit en première page.

— D'accord. Mais qui est ce Greg Myers ? Où habite-t-il ? Il n'y a ni adresse, ni numéro de téléphone, rien.

— Il serait mal avisé de votre part d'entrer en contact avec lui.

— Je n'ai pas dit que j'allais le contacter. Je veux juste savoir à qui j'ai affaire et pourquoi il accuse ma cliente de corruption. C'est tout.

— Nous discuterons de ça plus tard.

— Autre chose ? s'enquit McDover.

La juge reprenait ses droits et s'apprêtait à lever la séance.

— De notre côté, nous en avons terminé, répondit Michael. Nous attendons votre réponse d'ici trente jours. Ou moins.

Sans serrage de main, avec à peine un hochement de tête, l'équipe du BJC se leva et sortit de la pièce. En silence, les trois agents retournèrent à la voiture et quittèrent la ville. Une fois sur la nationale, Michael demanda enfin :

— Allez-y. Je vous écoute.

Justin parla le premier :

— Le fait qu'elle ait engagé l'avocat le plus cher de l'État, avant même de savoir ce qu'il y avait dans la plainte, est plus que suspect. C'est bien la preuve qu'elle n'a pas la conscience tranquille. Et comment peut-elle s'offrir ses services, avec sa paye de juge ? Les narcotrafiquants et autres gros bonnets de la mafia ont l'argent pour se payer un type comme Killebrew, mais pas une juge de circuit.

— Faut croire que l'argent, elle l'a, conclut Lacy.

— Malgré son calme apparent, annonça Michael, j'ai vu de la peur. Et pas la peur de voir sa réputation ternie. C'est là le cadet de ses soucis. Tu n'es pas de cet avis, Lacy ?

— Je n'ai pas eu l'impression qu'elle paniquait. C'est un animal à sang froid.

— On sait déjà ce qu'elle va faire, reprit Justin. Elle va nous renvoyer un gros dossier où elle prétendra que ces appartements sont des placements financiers qui remontent à des années. Cela n'a rien d'illégal de passer par des sociétés étrangères. C'est louche, mais c'est son droit. On ne peut même pas parler de manquement à l'éthique.

— Encore faut-il qu'elle puisse prouver qu'elle les a payés, insista Lacy.

Michael avança une hypothèse :

— Elle produira des justificatifs. Elle a Vonn Dubose pour trafiquer les comptes en coulisse et Edgar Killebrew pour noyer le poisson. Cela s'annonce compliqué pour nous.

— On le sait depuis le début, s'agaça Lacy.

— Il faut que Myers nous donne plus d'infos, insista Michael. Il nous faut du concret, des preuves.

— En même temps Myers doit se faire le plus discret possible, précisa Justin. Vous avez vu comme Killebrew et sa bande s'intéressent à lui.

— Ils ne le trouveront pas, déclara Lacy d'un ton sans appel, comme si elle en savait plus long qu'eux.

Ils avaient fait deux heures de route pour un entretien de quinze minutes, mais ils avaient l'habitude. Lacy voulait en profiter pour voir sa voiture, récupérer ses affaires dans la console et le coffre. Michael avait tenté de l'en dissuader. Quelques CD, un parapluie, quelques pièces de monnaie… cela ne valait pas l'horreur de voir le cercueil d'acier où Hugo avait péri.

Mais comme ils passaient à proximité et qu'ils n'étaient plus à quelques minutes près, Michael jugea opportun de rendre visite à Lyman Gritt et de lui présenter la jeune femme. Le chef de la police était sur les lieux de l'accident, il avait organisé les secours, et Lacy voulait le remercier. Il était près de 18 heures quand ils arrivèrent au poste de police à côté du casino. Un flic traînait derrière le comptoir. Quand Michael voulut parler à Gritt, on lui répliqua qu'il ne travaillait plus ici. Qu'un nouveau chef de la police avait été nommé mais que là, il était rentré chez lui.

— Qu'est-ce qui s'est passé ? s'étonna Michael, tout de suite suspicieux.

L'agent haussa les épaules.

— Faudra demander au nouveau chef, mais ça m'étonnerait qu'il vous réponde.

Ils descendirent la rue jusqu'au parking où étaient entreposées les voitures accidentées. Ils observèrent les carcasses derrière le grillage. Il y en avait une petite dizaine, mais ni Prius ni Dodge Ram. Les deux véhicules avaient disparu.

— Oh non…, murmura Michael. Gritt m'avait promis que personne ne toucherait aux voitures. Je lui avais expliqué qu'il y avait une enquête en cours. J'ai cru qu'on était sur la même longueur d'onde.

— Depuis combien de temps il était le chef de la police ? demanda la jeune femme.

— Quatre ans, je crois.

— Ce serait peut-être bien qu'on ait une conversation avec lui, non ?

— Certes. Mais il va falloir être très prudent.

22

Le nouveau responsable de la police était Billy Cappel, le fils du chef des Tappacolas et membre du conseil tribal. Quand Cappel annonça la nomination de son rejeton, il expliqua au reste de la brigade que c'était une mesure temporaire. Billy occuperait ce poste jusqu'à ce qu'on trouve le candidat idéal. Et comme le remplaçant devrait obligatoirement être un Tappacola, les recherches seraient rapides. Le chef et Billy savaient que cet intérim deviendrait permanent. Billy gagnait cinquante mille dollars par an en sa qualité de membre du conseil, sans compter son dividende chaque mois. Comme chef de la police, son nouveau salaire serait trois fois supérieur, et de plus, grâce à une toute nouvelle loi, il pourrait continuer à siéger au conseil et toucher son émolument. C'était une bonne opération, en particulier pour le clan Cappel.

L'expérience de Billy dans le domaine des forces de l'ordre était plutôt limitée, mais avait-il besoin d'y connaître quoi que ce soit ? Il avait travaillé un temps à la sécurité du casino, avant d'être élu au conseil, et avait été bénévole dans l'équipe des secours, avant d'être promu et embauché à plein temps.

Au deuxième jour de sa prise de fonction, la police de Foley l'appela. Ils voulaient appréhender Berl

Munger, le type qu'on voyait sur la vidéo et qui avait participé au vol du Dodge Ram. Puisque les flics d'Alabama ne pouvaient arrêter quelqu'un dans un autre État que le leur, et que la police des Tappacolas n'avait aucune autorité hors de leurs terres, la situation était un peu compliquée. Billy promit de contacter la police à DeFuniak Springs pour leur demander d'intervenir. Ce qu'il ne fit pas, évidemment. En revanche, il appela son père, qui passa le mot. Berl Munger sut rapidement qu'il y avait en Alabama un mandat d'arrêt contre lui.

Billy ne parvint pas à mettre la main sur cette vidéo dont parlaient les flics de Foley. Il fouilla tous les bureaux du poste de police, les dossiers, les ordinateurs, en vain. Sans doute Lyman Gritt l'avait-il cachée ou emportée avec lui. Il prévint aussitôt son père : ils avaient peut-être un problème. Il rappela Foley pour leur demander de lui envoyer une nouvelle copie de la vidéo en question, mais là-bas ils commençaient à trouver ça louche ; Billy avait l'impression d'entendre leurs pensées : « Qu'est-ce que trafiquent encore ces Indiens ? » Ils promirent néanmoins de le faire – quand ils auraient un moment.

Berl Munger disparut de la circulation. Billy et le chef rendirent visite à Lyman Gritt chez lui. La rencontre fut tendue. Gritt jura qu'il n'avait jamais vu cette vidéo. Il ne savait pas de quoi parlaient les flics de Foley. Cappel proféra ses menaces habituelles, mais Gritt n'était pas homme à se laisser impressionner. Finalement, il leur demanda de partir. Quand il était chef de la police, Gritt trouvait Cappel malhonnête et magouilleur. Aujourd'hui qu'il était sans emploi, il le méprisait, lui et toute sa famille.

La vidéo était cachée au grenier, avec une copie des images des caméras de surveillance du magasin de Frog. Gritt se considérait comme un flic honnête, mis sur la touche par des politiciens véreux. Si un jour la justice devait être rendue, il apporterait sa pierre.

Un flic honnête, et efficace aussi. Deux jours après l'accident, alors que les questions s'accumulaient et que les réponses se faisaient trop rares, Gritt était revenu sur les lieux. Trois points le chagrinaient. Première énigme : pourquoi un voleur de voiture choisissait un véhicule valant au bas mot trente mille dollars pour l'emmener au fin fond d'une réserve indienne à trois heures de route de distance ? La petite route où avait eu lieu l'accident ne menait nulle part – au sens propre. Elle partait derrière le casino et s'enfonçait dans les marais. Elle n'était empruntée que par une poignée d'Indiens qui vivaient en pleine cambrousse. Avec l'argent qui tombait du ciel, la tribu entretenait cette voie, mais c'était le cas de toutes les routes, jusqu'aux chemins et allées forestières de la réserve. À en croire les images, le voleur avait de la bouteille, et un pro comme lui aurait refourgué son trophée dans l'heure suivante. Il n'aurait pas fait des centaines de kilomètres en pleine nuit jusqu'à un trou paumé, en sirotant du Jack Daniel's et encore moins en roulant à tombeau ouvert. À sa connaissance, le comté de Brunswick n'était pas la plaque tournante du trafic de voitures. Et un conducteur, éméché ou complètement saoul, ne pouvait survivre à un choc frontal de cette violence, même face à une petite Toyota Prius. Il aurait pris l'airbag en pleine face et serait reparti tranquillement à pied ? Et pour aller où ? La réserve était quasiment inhabitable, des marais sur la moitié de sa surface. Les terres hors d'eau étaient couvertes de forêts épaisses. Les seuls terrains viables étaient occupés par le casino. En pleine nuit, un intrus errant dans les profondeurs de la réserve se perdrait en cinq minutes. Si le gars au nez cassé qu'on voyait sur la vidéo de Frog était bien le chauffeur du pickup volé, alors il avait un complice, celui qui conduisait l'autre véhicule avec les fausses plaques de Floride.

C'était le premier puzzle et aucune pièce ne s'emboîtait.

Le second était encore plus troublant : que faisaient dans la réserve ces deux employés du BJC dont le travail était d'enquêter sur des comportements illicites de juges – à minuit, qui plus est ? Ce n'était pas illégal en soi – malgré tous leurs efforts, les Indiens n'avaient pu proscrire l'accès des étrangers sur leurs terres – mais ces deux agents n'avaient aucune autorité ici. Même si les trois membres du tribunal tribal, grassement payés, étaient d'une incompétence notoire, le BJC de Floride ne pouvait rien contre eux. Alors pourquoi cette visite nocturne ?

La troisième énigme était incontournable : comment était arrivé cet accident ? Il n'y avait pas de circulation, juste ces deux véhicules dans l'obscurité, sur une portion de route déserte. Le temps était clair. Il n'y avait pas de limitation de vitesse mais, avec les virages, tout conducteur sensé n'aurait pas dépassé les quatre-vingts kilomètres à l'heure. Même sous l'emprise de l'alcool, un automobiliste n'avait aucune raison de quitter sa voie.

Gritt se tenait à l'endroit exact de l'impact et contemplait l'asphalte, maculé de taches d'huile et jonché de débris. Un mystère. Il n'avait pas affaire à un simple accident, avec un chauffard en fuite. C'était bien plus que ça.

La dizaine de véhicules d'intervention avait laissé une myriade de traces sur le bas-côté, même dans le fossé et le champ alentour. Si le deuxième pickup, celui avec les fausses plaques, avait récupéré le conducteur, où était-il passé ? Peut-être avait-il coupé à travers champs pour ne pas être repéré par un Tappacola quittant le casino après le dernier service. Gritt avait interrogé tous les habitants du secteur. Personne n'avait rien vu. Tous dormaient. Sauf Iris Beale qui avait entendu le choc.

Dans la poussière, de l'autre côté du fossé, Gritt aperçut des traces de roues qui s'éloignaient. De gros pneus, avec de profondes sculptures, sans doute un pickup. Il les suivit sur une centaine de mètres ; dans un buisson, accrochés aux épines, il trouva des mouchoirs en papier. Quatre au total, roulés en boule et incrustés d'une matière rouge qui ne pouvait être que du sang. Il n'y toucha pas. Il retourna à sa voiture de patrouille et prit dans le coffre un sachet en plastique. Avec un bâton, il récupéra les mouchoirs et les glissa dans le sac, puis continua à suivre les traces. Il perdit la piste dans une portion d'herbe, puis la retrouva trois cents mètres plus loin. Elle traversait un lit à sec, se prolongeait sur une centaine de mètres encore, jusqu'à rejoindre une allée de gravillons. Ils avaient pris à gauche. À partir de là, plus de traces. La route sinuait sur un kilomètre, passait devant une maison isolée, et débouchait sur une route bitumée : Sandy Lane. Gritt revint alors à sa voiture et rentra au poste. Grâce à la vidéo du magasin de Frog, il avait une bonne image

246

du visage du gars. Et aujourd'hui, avec un peu de chance, il avait un échantillon de son sang.

À l'évidence, le chauffeur du pickup connaissait mieux le secteur que le chef de la police tribale.

* * *

La rencontre eut lieu dans un appartement vide sur Seagrove Beach, l'un des nombreux construits et vendus par l'une des sociétés écrans de Vonn Dubose. Quand le chef Cappel arriva sur le parking, seul, il fut escorté jusqu'à l'immeuble par Hank, un membre de la garde rapprochée de Dubose. Après toutes ces années à faire des affaires avec eux, il en savait toujours aussi peu sur Dubose et sa bande. Hank devait sans doute avoir de l'influence puisqu'il restait dans la pièce pendant les rendez-vous. Il ne disait rien, mais n'en perdait pas une miette.

Dubose avait eu une journée éprouvante. Deux heures plus tôt, il était avec Claudia McDover dans son appartement à Rabbit Run. Elle lui avait narré son entrevue avec le BJC. Il avait lu la plainte, demandé comme les autres qui était ce Greg Myers et tenté de calmer la juge qui était au bord de la panique. Après ça, il s'était rendu à Seagrove Beach pour une réunion avec le chef des Tappacolas.

Cappel avait une mallette. Il en sortit un ordinateur portable qu'il plaça sur le comptoir de la cuisine. Il n'y avait ni siège, ni tabourets dans cet appartement flambant neuf qui sentait encore la peinture fraîche.

— J'ai deux vidéos à vous montrer, expliqua-t-il. La première provient de la police de Foley, en Alabama. On a enfin reçu une copie cet après-midi.

On est quasiment certains qu'ils l'ont déjà envoyée la semaine dernière et que Gritt l'a fait disparaître, ou qu'il l'a cachée. En tout cas, elle n'est pas dans le dossier et son existence n'est mentionnée nulle part. Regardez.

Le chef lança la lecture. On y voyait le vol du Dodge Ram sur le parking. Dubose la regarda, imperturbable, puis dit :

— Passez-la-moi encore une fois.

Après le deuxième visionnage, il demanda :

— Qu'est-ce que vous savez ?

— Le pickup Honda appartient à un certain Berl Munger. On l'a prévenu et il a disparu. Et vous ? Que savez-vous sur lui ?

Dubose s'écarta du comptoir et fit les cent pas dans le séjour.

— Pas grand-chose. C'était juste un contrat. On avait besoin d'un véhicule, on a donc passé un coup de fil. Munger n'est pas un des nôtres, il travaille de son côté. Il ne sait rien.

— Mais il a bien eu affaire à quelqu'un quand il a livré le pickup et pris l'argent. Cela fait de lui un témoin gênant.

— Certes. Vous lui avez dit de se faire oublier, non ?

— Absolument. Et l'autre gars, celui qui a volé le Dodge Ram ? C'est qui ?

— Aucune idée. Quelqu'un qui travaille avec Munger, je suppose. Encore une fois, nous ne connaissons pas ces types. On a juste payé pour avoir un pickup.

Dubose revint vers le comptoir et regarda fixement l'écran.

— Montrez-moi l'autre vidéo.

Cappel ouvrit le fichier et lança la lecture de la vidéo de Frog. Dubose, en découvrant les images, se mit à secouer la tête de dégoût. Il demanda un second visionnage et marmonna « quelle bande d'abrutis ! ».

— Vous connaissez ces gars, n'est-ce pas ?

— Oui.

— Et le jeune avec le nez en sang, c'est celui qui conduisait le Dodge Ram ?

— Merde, merde, merde !

— J'en conclus que ça veut dire : oui, oui, oui. Vous savez, Vonn, je n'aime pas beaucoup tous ces secrets. Vraiment. Vous avez installé votre affaire sur nos terres, et vous ne me dites rien. Je ne veux pas être votre associé, mais à bien des égards, je suis impliqué jusqu'au cou. Si le bateau prend l'eau, je veux le savoir.

Dubose recommença à marcher de long en large, en se rongeant les ongles. Il faisait son possible pour se contenir.

— Qu'est-ce que vous voulez savoir au juste ?

— Qui c'est ce type au nez cassé ? Et comment avez-vous pu embaucher des crétins pareils ! Ils s'arrêtent dans une échoppe, ne se garent pas à l'écart, mais devant la porte – comme des stars voulant à tout prix être filmées ! – et en deux temps trois mouvements, on a leurs têtes juste après qu'ils ont fait le coup.

— Ce sont des crétins, d'accord. Qui a vu la vidéo, la deuxième ?

— Moi, vous, Billy, Frog, le shérif Pickett et Gritt.

— On peut encore limiter la casse.

— Peut-être. Mais Gritt m'inquiète. Il a menti pour la première vidéo, il prétend ne pas être au courant, mais les flics de Foley assurent qu'ils ont déjà envoyé les images la semaine dernière. Gritt a flairé le mauvais coup et maintenant qu'il n'a plus de boulot, il est vraiment furieux. À mon avis, il a fait des copies des deux vidéos et les a planquées quelque part. J'ai essayé de lui parler mais cela ne s'est pas bien passé.

— Qu'est-ce qu'il lui prend ?

— J'ai été obligé de le virer, vous vous souvenez ? Vous étiez d'accord. On devait se débarrasser de lui pour pouvoir étouffer l'enquête. Le BJC met son nez partout, ils ont des doutes. Allez savoir ? Ils peuvent aller trouver les fédéraux et les convaincre de rappliquer. Gritt n'a jamais été très coopératif. Il fallait le faire sortir du terrain.

— D'accord, d'accord, lança Dubose avant de se tourner vers les baies pour observer la nuit de l'autre côté. Voilà le programme : allez trouver Gritt et faites-lui comprendre qu'il va trop loin. Quand une brebis divague, on la ramène dans le troupeau, de gré ou de force.

— Je n'aime pas beaucoup cette métaphore.

Dubose fit volte-face et marcha vers le chef comme s'il allait le frapper. Ses yeux étincelaient de fureur, le sang battait sous ses tempes.

— Je me fiche de ce que vous aimez ou pas ! On ne va pas plonger parce que Gritt l'a mauvaise de perdre son boulot. Dites-lui à qui vous avez affaire. Il a une femme, trois gosses. Il a la belle vie même s'il n'a plus son petit uniforme de flic. Il y a trop de choses en jeu et ce n'est pas le moment pour lui de virer sa cuti. Qu'il

250

se taise, vous rende ce qu'il a caché, et rentre dans le rang. Sinon… inutile de vous faire un dessin.

— Je ne veux pas faire de mal à un frère.

— Ce ne sera pas nécessaire. Vous ne comprenez rien à l'intimidation. Moi, je suis né avec. Je n'ai connu que ça. C'est ma dope. Et Gritt doit s'en rendre compte ; si je plonge, alors vous aussi, et pas mal d'autres gens. Mais cela ne va pas arriver. Gritt doit la fermer et se faire oublier. C'est votre boulot, chef. Faites ça et tout ira bien.

Cappel referma l'ordinateur.

— Et pour le shérif Pickett ?

— Il n'a aucune autorité pour enquêter. Vous si. Pour lui, ce n'est qu'un accident comme un autre, avec délit de fuite. Je me charge de lui. Mais de votre côté, gérez Gritt. Et assurez-vous que Munger soit introuvable. Tranquillisez les flics de Foley. Et l'orage va passer.

— Et le gars au nez cassé ?

— Dès demain, il sera à mille kilomètres d'ici. Je m'en occupe.

23

Lacy était de retour au bureau à plein temps. Sa présence faisait plaisir à tout le monde mais l'absence de Hugo demeurait prégnante. Tous savaient qu'il ne s'agissait pas d'un tragique accident. Pour une petite agence comme le BJC, la perte d'un collaborateur laissait un trou béant. Personne n'avait imaginé que travailler dans un service de l'inspection judiciaire pouvait être dangereux.

Même si elle se mouvait encore avec lenteur et qu'elle devait cacher son crâne rasé avec toutes sortes de foulards – d'ailleurs plutôt seyants – elle était un exemple pour ses collègues. Elle recouvrait peu à peu ses forces et chaque soir, elle restait plus longtemps à son bureau.

Deux jours après avoir présenté la plainte à Claudia McDover, Lacy reçut un appel d'Edgar Killebrew. Pompeux et pédant même au téléphone, il attaqua sans détour :

— Vous savez, madame Stoltz, plus j'étudie cette plainte, plus je suis consterné. Ce sont de pures affabulations et je n'en reviens pas que le BJC y accorde crédit.

— Vous l'avez déjà dit, répliqua Lacy avec flegme. Vous n'avez pas d'objections à ce que j'enregistre notre conversation ?

— Faites ce que vous voulez. Je m'en contrefiche.

Lacy enfonça un bouton sur son téléphone et demanda formellement :

— Que puis-je pour vous, monsieur Killebrew ?

— Abandonnez cette plainte absurde, voilà ce que vous pouvez faire ! Et dites à ce Greg Myers que je vais le traîner devant les tribunaux et lui pourrir la vie pendant dix ans pour diffamation !

— Je lui passerai le mot mais je suis sûre que M. Myers sait que sa plainte n'a rien de diffamatoire puisqu'elle n'est pas rendue publique.

— C'est ce que nous verrons. Si j'ai décidé de ne pas demander l'annulation de cette plainte, c'est uniquement pour éviter d'attirer l'attention sur ce tissu de mensonges. La cour est composée de cinq membres, cinq politiciens, cinq lèche-culs du gouverneur et ils ne sauront pas garder un secret. Je me méfie d'eux. Comme de vous d'ailleurs au BJC. Il faut que la discrétion soit maximale. Je me fais bien comprendre, madame Stoltz ?

— Nous avons déjà abordé ce point dans le bureau de la juge McDover il y a deux jours.

— Eh bien, je vous le répète ! En outre, j'aimerais savoir où en est votre enquête. Comme vous allez vous retrouver dans une impasse, je crains que vous ne commenciez à paniquer et que vous vous mettiez à interroger n'importe qui dans l'entourage de ma cliente. C'est comme ça que naissent les rumeurs, des rumeurs qui font des dégâts. Alors non, je n'ai aucune confiance en vous, madame Stoltz, ni en personne, quant à cette question de discrétion.

— Vous vous inquiétez bien trop, monsieur Killebrew. Nous traitons ce genre d'affaires tous les jours et nous mesurons tout à fait l'importance de la confidentialité. Et non, je ne suis pas autorisée à vous parler de l'avancée de notre enquête.

— Alors je vous préviens, si cette affaire vire à la chasse aux sorcières et que la réputation de ma cliente est salie, je vous poursuis en justice, vous et M. Geismar, comme tous vos collègues.

— À votre aise. Et nous contre-attaquerons pour entrave à la justice.

— Parfait. Je brûle d'impatience de vous retrouver au tribunal. Là-bas, c'est mon territoire. Pas le vôtre.

— Autre chose, monsieur Killebrew ?

— Non. Bonne journée.

Malgré son calme au téléphone, cet appel avait causé son petit effet. Killebrew était un combattant redoutable devant une cour, capable de tous les coups bas. Son recours en justice serait jugé sans fondement, certes, mais la perspective de jouter contre lui faisait froid dans le dos. Il avait raison. C'était son terrain de jeu. Il gagnait beaucoup d'argent dans les tribunaux. Lacy ne s'était jamais retrouvée à devoir plaider sa cause devant des jurés. Elle fit écouter la conversation à Michael, qui lâcha un rire. Il avait déjà reçu beaucoup de menaces de ce genre par le passé. Pour elle, c'était une première. Tant que le BJC agissait selon les règles, on ne pouvait rien contre eux. Sinon, ils n'auraient jamais pu soutenir la moindre plainte.

Lacy retourna à son bureau, essayant de penser à autre chose. Pour la seconde fois, elle appela la police tribale et demanda à parler à Billy Cappel. Il était occupé. Elle rappela une heure plus tard ; il était encore en réunion. Elle téléphona à sa compagnie d'assurances et parvint à joindre l'expert qui s'était occupé de sa Prius. Il lui annonça qu'il avait vendu sa voiture à une casse près de Panama City pour mille dollars, le prix normal pour une épave. Non, il ne savait pas ce qui arrivait ensuite à ce genre de véhicules. Sans doute passaient-ils à la presse ou étaient-ils envoyés au recyclage ou encore démontés pour récupérer les pièces détachées. Deux appels à la casse en question ne lui en apprirent pas davantage. Après le déjeuner, elle annonça à Michael qu'elle avait rendez-vous chez le médecin et qu'elle prenait son après-midi.

En vérité, elle se rendit à Panama City – son premier trajet en voiture seule au volant ! Elle respecta toutes les limitations de vitesse et s'efforça de ne pas trembler à chaque voiture qu'elle croisait. Cela resta néanmoins un voyage éprouvant pour les nerfs. Malgré son appréhension et son nœud à l'estomac, elle était déterminée à faire l'aller et le retour comme une grande. Une fois arrivée à la casse, elle se gara sur le parking de gravillons entre une dépanneuse et un pickup écrabouillé. Elle demanda à un vieil homme, avec une chemise noire de cambouis et une barbe encore plus sale, où se trouvait le bureau. D'un signe de tête, il désigna une construction métallique, avec des parois toutes cabossées. La porte d'entrée béait. Elle franchit le seuil et pénétra dans une salle tout en longueur, équipée d'un comptoir où des mécaniciens achetaient des pièces. Les murs étaient couverts d'une collection impressionnante d'enjoliveurs, quoiqu'une partie fût réservée aux calendriers de pin-up. La présence d'une jolie femme interrompit toutes les transactions en cours. Un dénommé Bo, à en croire l'inscription sur son tee-shirt, se tourna vers elle tout sourire :

— Bonjour, ma petite dame. Qu'est-ce que je peux faire pour vous ?

Elle lui sourit à son tour et s'avança.

— Je cherche ma voiture. Elle a été accidentée il y a trois semaines sur la réserve des Tappacolas et on l'a déposée ici. J'aimerais la voir pour récupérer des affaires personnelles.

Bo prit un air sévère.

— Si elle a été amenée ici, c'est que ce n'est plus votre voiture. Je suppose que c'était une épave.

— Oui. Une épave. J'ai parlé à mon assurance et ils m'ont dit qu'elle était ici.

Bo s'approcha d'un ordinateur.

— Vous avez le numéro de série du véhicule ?

Elle lui tendit la photocopie de sa carte grise. Il pianota sur son clavier et son ami Fred le rejoignit. Deux mécaniciens les observaient à l'autre bout du comptoir. Bo et Fred échangèrent quelques mots, apparemment perplexes.

— Par ici, annonça Bo.

Lacy le suivit dans un couloir jusqu'à une sortie sur le côté. Derrière le bâtiment, protégé par une haute clôture, s'étendait un champ de carcasses – des voitures, des pickups, des vans, par centaines. Au loin, une énorme machine compactait un véhicule. Bo fit signe à un autre homme qui finalement s'approcha. Il portait un tee-shirt blanc, beaucoup plus propre que ceux de Bo et de Fred, et sans prénom inscrit dessus. Il semblait être le responsable. Bo lui tendit une feuille.

— Cette dame cherche la Prius, celle qui venait de la réserve indienne. Il paraît que c'est la sienne.

L'homme fronça les sourcils et secoua la tête.

— Elle n'est plus ici. Un gars s'est pointé il y a quelques jours et l'a achetée. En liquide. Il l'a emmenée sur une remorque.

— Qui ça ? demanda Lacy, sachant pertinemment qu'elle poussait le bouchon trop loin.

— Je ne peux pas vous le dire, et je n'en sais rien, en fait. Je crois qu'il n'a pas donné son nom. Il voulait juste la voiture et il avait l'argent pour l'acheter. C'est courant. Ces types achètent une épave et la revendent en pièces détachées. Je n'avais jamais vu ce type.

— Et il n'y a pas de traces ?

Bo lâcha un rire. Son patron sourit devant la naïveté de la jeune femme.

— Non, m'dame. Une fois la voiture déclarée épave, et la carte grise annulée, tout le monde se fiche de la suite. C'est très courant que les transactions se fassent en liquide dans le métier.

Lacy était à court de questions. Elle avait l'impression qu'ils lui disaient la vérité. Elle contempla l'enchevêtrement de véhicules accidentés. Fouiller ce labyrinthe était peine perdue.

— Désolé, m'dame, conclut le patron avant de tourner les talons.

* * *

Le SMS de Verna disait :

« Tu veux qu'on parle ? »

Quelques textos plus tard, elles convinrent d'un rendez-vous.

Lacy arriva chez les Hatch après le dîner. Verna était seule avec les enfants. Les deux grands faisaient leurs devoirs à la cuisine. Pippin et le petit dormaient.

Verna déclara que la maison n'avait jamais été aussi tranquille depuis la mort de Hugo. Elles burent du thé vert dans le patio, en regardant les lucioles voleter dans la nuit. Verna était épuisée, mais retrouvait peu à peu le sommeil. Elle rêvait encore que Hugo était avec elle, mais elle parvenait à reprendre pied avec la réalité. Avec quatre enfants à charge, elle n'avait pas le temps de faire son deuil. La vie n'attendait pas.

— J'ai touché le chèque de l'assurance aujourd'hui. Cela allège la pression, pour le moment du moins.

— C'est une bonne nouvelle, Verna.

— On va pouvoir tenir un an, mais il va falloir que je trouve un travail. Hugo gagnait soixante mille dollars par an, et on n'a jamais eu un dollar devant nous. Il faut que je mette de l'argent de côté pour l'avenir, pour les gosses.

Elle voulait parler, elle avait besoin d'une oreille attentive et extérieure à la famille. Elle avait passé un diplôme dans le médico-social, avait travaillé comme assistance sociale pendant un an avant d'être enceinte du premier. Après le troisième, elle avait abandonné toute perspective de carrière professionnelle.

— J'ai été mère à plein temps depuis trop longtemps. Je suis prête à tout reprendre à zéro. On en avait beaucoup parlé Hugo et moi. On s'était dit qu'une fois que Pippin serait à la maternelle, je recommencerais à travailler. Avec deux salaires, on pourrait prendre une maison plus grande, économiser pour les études des enfants. Hugo me soutenait tellement, Lacy. Il avait un ego démesuré et tout, c'était plus fort que lui, mais cela ne le dérangeait pas d'avoir une femme qui gagne sa vie.

258

Lacy l'écoutait en hochant la tête. Son amie avait bien parlé dix fois de recommencer à travailler.

Verna but une gorgée de thé et ferma les yeux un moment. Elle les rouvrit d'un coup.

— Tu te rends compte qu'ils ont déjà tenté de m'emprunter de l'argent ? Deux cousins de Hugo. Ils ont rappliqué ici juste pour demander si je pouvais les dépanner. Je leur ai dit non et les ai envoyés paître. Mais ils reviendront à la charge. Pourquoi ces gens font ça ? Ils n'ont donc aucune décence ?

Que répondre à ça ?

— Je ne sais pas, murmura Lacy.

— Tout le monde y allait de ses conseils. Ils étaient bien trop nombreux. Avant même que Hugo soit enterré, ils pensaient déjà à l'argent de l'assurance. C'est pour ça que ces sangsues étaient là ; pour se placer et me pomper du fric. J'en ai marre d'eux, vraiment. Pas de ma mère, ni de mes sœurs, mais des cousins, des cousines, tous ces gens que j'ai quasiment jamais vus en cinq ans.

— Michael m'a dit qu'il y a des avocats autour de toi, qui parlent d'intenter des actions en justice.

— Je me suis débarrassée d'eux aussi. Une grande gueule disait que je pouvais réclamer de l'argent à l'assurance du pickup volé. En fait, c'est faux. Quand un véhicule est volé, l'assurance ne marche plus, du moins pas pour la responsabilité civile. Ils ont tous ramené leur grain de sel. Un autre voulait attaquer Toyota pour le défaut de l'airbag et de la ceinture de sécurité. Mais je ne suis pas sûre que ce soit une bonne idée. J'ai une question à te poser, Lacy : quand toi et Hugo vous êtes allés au casino ce soir-là, sa ceinture fonctionnait ?

— Elle avait des ratés. Il se plaignait parce qu'elle n'arrêtait pas de se détacher. Cela n'était jamais arrivé. Il l'a trifouillée plusieurs fois mais, à chaque fois, elle se rouvrait. Il y avait quelque chose de cassé.

— Tu penses que quelqu'un l'a sabotée ?

— Oui, Verna. Et je crois que l'airbag a été trafiqué aussi.

— Alors, ce ne serait pas un accident ?

— Non. Ce n'était pas un accident. On a été percutés volontairement par un pickup deux fois plus lourd que la Prius.

— Mais pourquoi ? Dis-le-moi, Lacy. J'ai le droit de savoir la vérité.

— Je vais te dire ce que je peux, mais il faut me promettre de garder le secret.

— Évidemment.

— Tu as un avocat ?

— Oui. Un ancien copain de fac de Hugo. Il s'occupe de tout et j'ai confiance en lui.

— Même à lui, il ne faudra rien dire. Du moins pas pour l'instant.

— Promis. Je t'écoute.

* * *

Il était près de 22 heures quand Roderick ouvrit la porte et lança :

— Maman, Pippin pleure.

Verna essuya ses larmes.

— Cela faisait longtemps. Cette enfant me rendra folle.

Au moment où les deux femmes rentraient dans la maison, Lacy annonça :

— Je vais rester ici cette nuit. Je vais m'occuper de Pippin. Comme ça, on pourra encore parler.

— Je veux bien. J'ai encore une foule de questions à te poser.

— Je m'en doute.

24

La rencontre eut lieu au siège du FBI de Tallahassee, à dix minutes à pied du BJC. Le directeur était un cadre austère nommé Luna. Quand il s'installa à la grande table de réunion, visiblement, il doutait de l'utilité de cet entretien. À sa droite se tenait son collègue, Allie Pacheco, séduisant, affable, la trentaine et pas d'alliance au doigt. Dès leur arrivée, il dévora Lacy du regard. À l'autre bout, comme si sa présence n'était pas indispensable, se tenait Hahn, le troisième agent spécial. Lacy était face à Luna et Pacheco, avec Geismar à sa droite.

— Tout d'abord, je vous remercie du temps que vous nous accordez, commença-t-elle. Nous savons que vous êtes très occupés et cela risque d'être un peu long. On a une limite de temps ?

Luna secoua la tête.

— Non. Allez-y, on vous écoute.

— Parfait. Au téléphone hier, je vous ai parlé d'un dénommé Vonn Dubose. Nous voudrions savoir si vous avez quelque chose sur lui.

Pacheco prit une feuille et la parcourut du regard.

— Pas grand-chose. Dubose n'a pas de casier, ni en Floride, ni au niveau fédéral. La Catfish Mafia, aujourd'hui rebaptisée la Coast Mafia, a fait parler d'elle il y a longtemps. Je crois que vous êtes au courant de son histoire. Une petite bande avec un passé haut en couleur, mais rien ici, en Floride. Il y a une vingtaine d'années, un nommé Duncan a été attrapé avec un camion plein de marijuana à Winter Haven. Les Stups ont suspecté qu'il travaillait pour une organisation criminelle, sans doute la Coast Mafia, mais ils n'ont rien pu prouver. Duncan n'a pas voulu parler, ni négocier. Il a pris le maximum et a été libéré sur parole il y a seulement trois ans. Il n'a jamais dit un mot. Quant à ce Vonn Dubose, on n'a encore rien trouvé.

— Pour ce qui nous concerne, ajouta Luna, on n'a aucune trace d'activité de la Coast Mafia sur le territoire. Il faut dire qu'aujourd'hui, on se concentre sur des organisations plus connues : al-Qaida, les cartels colombiens, des gentils gars comme ça.

— On a un informateur, reprit Lacy. Ce qu'il nous a dit était énorme et on a eu du mal à le croire au début. C'est un ancien avocat, condamné et radié du barreau, et il semble savoir dans quels placards les cadavres sont cachés. Pas au sens propre, bien sûr, mais il est convaincu qu'il y a une bande organisée avec Dubose aux commandes. Cet informateur nous a contactés il y a deux mois.

— C'est ce Greg Myers ? demanda Pacheco.

— Oui. C'est ce nom qui figure sur la plainte que je vous ai envoyée hier. Mais c'est un nom d'emprunt. Selon Myers, Vonn Dubose et son frère se sont fait cribler de balles lors d'un deal de drogue qui a mal tourné dans le sud de la Floride. Le frère est mort. Vonn a survécu. Vous n'avez aucune trace de ça ?

— Non, rien, répondit Pacheco. Comment Myers est-il au courant ?

— Aucune idée. Il est très secret et se cache.

— De qui ? demanda Luna.

— Je ne sais pas trop, mais ni de vous, ni des forces de l'ordre. Quand il a plaidé coupable, il s'est mis à dos pas mal de gens. Maintenant, il craint pour sa vie.

— Les charges contre lui, c'était au niveau fédéral ?

— Oui. Et il a purgé sa peine dans un pénitencier. Mais je vous en prie, pour des raisons que je vous expliquerai plus tard, ne cherchez pas à le retrouver. Ce serait une perte de temps. Ce n'est pas lui le sujet de notre réunion. Vous avez lu la plainte qui a été déposée contre la juge McDover. On a fait notre enquête et on la pense fondée. La véritable histoire est bien plus grave que ce qu'il y a dans la plainte. Selon Myers, Vonn Dubose et les Tappacolas ont passé un accord il y a près de vingt ans pour construire un casino et depuis, ils piochent grassement dans la caisse. Des sommes astronomiques, dont une partie revient à la juge McDover.

— Elle touche de l'argent. En liquide ? s'enquit Luna.

— Oui, au dire de Myers.

— Et pour quelles raisons ?

— La plainte officielle, c'est la pièce A. Vous en avez un exemplaire. Maintenant, voici la pièce B, annonça Geismar en leur donnant une copie.

Lacy poursuivit :

— C'est un résumé sur les Tappacolas, leurs terres, leur reconnaissance officielle, et leurs efforts pour construire un casino. Il y a eu au moins deux meurtres, et un homme, Junior Mace, se trouve aujourd'hui dans le couloir de la mort à Starke. Je vous laisse prendre connaissance de ce document.

Ils le lurent, lentement. Pour l'instant, cette histoire retenait leur attention. Méthodiquement, ils tournaient les pages une à une, Pacheco plus rapidement que les autres. À l'extrémité de la table, Hahn n'avait toujours rien dit. Il y avait de la tension dans l'air. Lacy gribouillait dans son calepin, pendant que Michael consultait ses e-mails sur son téléphone.

Quand ils eurent terminé leur lecture, Lacy reprit :

— Notre pièce C retrace en détail la construction du casino, l'installation de la route à péage, et tous les recours en justice qui ont été déposés contre ces deux projets. Avec un juge dans la poche, Dubose a pu écarter tous ses opposants, et le Treasure Key a ouvert ses portes en 2000.

Geismar leur donna une copie de la pièce C.

— Vous voulez qu'on lise ça aussi ? demanda Luna. Tout de suite ?

— Oui.

— D'accord. Un café pendant ce temps-là ?

— Avec plaisir. Merci.

Hahn se leva aussitôt et partit chercher une secrétaire. Le café arriva dans de vraies tasses, pas des gobelets, mais ni Luna ni Pacheco n'y prêtèrent attention. Ils avaient le nez plongé dans le nouveau document.

Pacheco termina encore une fois le premier, mais au lieu d'interrompre son patron, il consigna des notes dans la marge et attendit. Luna reposa enfin son exemplaire sur la table.

— Une question : ce Junior Mace qui attend son exécution, il serait innocent ? Il n'aurait pas commis les deux meurtres ?

— En toute franchise, répondit Michael, nous n'en savons rien, mais Greg Myers pense qu'il s'agit effectivement d'un coup monté.

— Je suis allée voir Mace, ajouta Lacy. Il assure qu'il est innocent.

— C'est ce qu'ils disent tous, non ? railla Pacheco.

Il y eut des sourires, mais pas de rires. Luna consulta sa montre et observa la pile de papiers devant Geismar.

— Vous en avez encore beaucoup comme ça ?

— On en voit le bout. La pièce D, c'est le portrait de la juge, annonça-t-il en leur glissant à chacun un exemplaire. Au début, vous trouverez des photos de l'un de ses appartements à Rabbit Run, puis des vues de McDover.

Pacheco regarda les images.

— C'est à l'évidence des photos volées. Qui les a prises ?

— On ne sait pas, répondit Lacy. Greg Myers a une taupe dans les murs, mais nous ne connaissons pas son nom, parce que Myers lui-même n'en sait rien. Il passe toujours par un intermédiaire.

En bout de table, Hahn poussa un soupir agacé.

— C'est une histoire compliquée, mais ça va s'éclaircir, annonça Lacy. Revenons aux documents. On a quelques infos sur McDover, malheureusement pas beaucoup parce qu'elle est prudente. Une de ses partenaires dans cette magouille est une avocate de Mobile. Elle s'appelle Phyllis Turban. Vous avez une photo d'elle, issue du trombinoscope du barreau. Elles se connaissent depuis longtemps, sont très proches, elles voyagent beaucoup, mènent le grand train, et toujours ensemble. Elles dépensent toutes les deux bien plus que ce qu'elles gagnent. Vous trouverez le listing de leurs déplacements sur les sept dernières années.

Visiblement intrigués, les trois fédéraux parcouraient déjà la pièce D. Le silence se fit à nouveau dans la pièce. On n'entendait que le bruit des pages qu'ils tournaient lentement.

Lacy avait bu son café. Ils étaient attablés depuis une heure, et elle était ravie de cette rencontre, mais rien n'était gagné – leur histoire les intéresserait, c'était quasiment certain ; restait à savoir quelle serait leur décision ? Pour l'instant, ils avaient l'attention du FBI. Même si leur temps était compté, ils ne montraient aucun signe d'impatience.

Luna releva la tête vers elle.

— Ensuite ?

— Ensuite, c'est la pièce E, la plus courte. Le détail, jour par jour, de nos démarches, dit-elle tandis que Geismar distribuait le nouveau document.

Les trois agents spéciaux en prirent connaissance.

— Comment a réagi la juge quand vous lui avez présenté la plainte ? s'enquit Pacheco.

— Elle est restée de marbre, répondit Lacy. A tout nié en bloc, bien sûr.

— Moi, j'ai vu de la peur chez elle, précisa Michael, quoique mes deux collègues ne soient pas de cet avis. Mais cela n'a pas grande importance.

— En tout cas, elle a quelque chose à se reprocher, répliqua Pacheco, sinon elle n'aurait pas engagé Edgar Killebrew.

D'un coup Hahn intervint :

— C'est ce que je me dis aussi. C'est un escroc notoire et…

Luna leva la main pour l'interrompre.

— Il y a autre chose ?

— Oui. Une dernière pièce, répondit Lacy. Comme vous le savez, notre collègue Hugo Hatch est mort dans un accident de voiture sur la réserve.

Les trois hommes hochèrent la tête d'un air grave.

— Il se trouve que c'est moi qui conduisais quand c'est arrivé. J'en garde encore la cicatrice sur la tête. Ils ont été obligés de me raser le crâne. J'ai des coupures, des ecchymoses, je suis recousue de partout, mais j'ai eu de la chance. Je ne me souviens pas de grand-chose, mais ça me revient peu à peu. En tout cas, mon partenaire est mort et ce n'était pas un accident. Nous sommes persuadés qu'il s'agit d'un meurtre.

Geismar leur tendit des copies de la pièce F. Ils s'en emparèrent avec une certaine fébrilité.

On y trouvait les photos de la Prius, du Dodge Ram après le choc, le résumé des entretiens avec le chef de la police indienne, un descriptif de l'airbag et de la ceinture de sécurité défectueux, la mention des téléphones et de l'iPad qui avaient disparu, et la conclusion que quelqu'un avait organisé l'accident. C'était donc un meurtre et les auteurs n'étaient autres que Vonn Dubose et sa bande. Lacy et Hugo avaient été attirés au fin fond de la réserve, parce que quelqu'un leur avait promis des informations. Ils étaient tombés dans un piège. Le but était de les effrayer. De l'intimidation. Leur montrer qu'ils mettaient leur nez où il ne fallait pas et que Dubose ne reculerait devant rien pour protéger son empire. Selon Myers – et ils n'avaient aucune raison de douter de ses dires – aucun représentant de la loi n'était jamais venu fouiner au casino. Le BJC était le premier, et Dubose avait décidé d'envoyer un message. Il savait que le BJC n'avait pas autorité pour enquêter sur les terres indiennes. Il est parti du principe, à juste titre, que l'inspection judiciaire était totalement démunie pour lutter contre le crime organisé. Un bon coup sur la tête était censé les faire déguerpir.

— Il n'y est pas allé de main morte, lâcha Pacheco en reposant les feuilles sur la table.

— Nous avons un mort. Un ami mort, répondit-elle. Et nous n'allons pas renoncer.

— En même temps, intervint Michael, nous n'avons ni les ressources ni le cadre légal pour enquêter dans cette affaire de corruption. Et c'est là que vous intervenez.

Pour la première fois, Luna montra un signe d'impatience – de la lassitude ? de la frustration ? C'était difficile à dire.

À l'inverse, Pacheco semblait prêt à foncer.

— C'est une affaire énorme, lâcha-t-il en lançant un nouveau sourire appuyé à Lacy.

— Absolument. Et c'est bien trop gros pour nous. Nous n'avons pas les moyens de combattre une mafia. Notre monde, ce sont les juges qui font des écarts de conduite, qui s'oublient. Ils peuvent violer les règles de l'éthique, mais tombent rarement du côté de la pègre. On n'a jamais eu un cas comme celui-là.

Luna poussa la pile de papiers sur le côté et croisa les mains derrière sa tête.

— C'est vrai. Vous n'êtes pas des flics, mais vous êtes des enquêteurs. Vous avez géré ça tout seuls ces dernières semaines. Si vous étiez à notre place, madame Stoltz, comment procéderiez-vous ?

— Je commencerais par le meurtre de Hugo Hatch. Bien sûr, je suis personnellement affectée, j'y suis partie prenante, mais ça me paraît plus simple de faire la lumière là-dessus plutôt que d'infiltrer des centaines de sociétés offshore pour suivre la piste de l'argent. Quelqu'un a volé ce pickup. Une autre personne, peut-être, s'est chargée de l'accident. Ces gens étaient aux ordres, ils travaillaient pour quelqu'un. Paradoxalement, ce meurtre me paraît une aubaine pour nous. Dubose a été trop loin, il a surréagi, et il risque le retour de manivelle. Son monde est celui de la violence et de l'intimidation. Parfois, ces gars perdent le sens de la mesure. Il s'est senti menacé et son instinct a été de frapper un grand coup.

Pacheco intervint :

— Vous êtes certaine que vos deux téléphones et l'iPad ont été volés ?

— Certaine. Ils voulaient sans doute voir les infos qu'on avait, mais ce vol était aussi un avertissement. Dubose tenait à nous montrer qu'il était à la manœuvre, à nous laisser un souvenir de leur présence sur les lieux.

— Parce qu'ils étaient là ? Vous vous en souvenez ? demanda Pacheco gentiment.

— Oui. Je ne me rappelle pas tout mais je revois quelqu'un rôder près de la voiture, quelqu'un avec une lampe attachée sur la tête. Le faisceau m'a aveuglée un moment. J'entends encore le bruit des pas sur les morceaux de verre. Je pense qu'ils étaient deux en fait, mais j'étais sonnée.

— Bien sûr, je comprends, renchérit Pacheco.

— Les autorités tappacolas n'examineront pas les carcasses. Le chef de la police a déjà été remplacé et

270

le nouveau c'est le fils du chef de la tribu. On a de bonnes raisons de croire qu'ils sont mouillés jusqu'au cou et pressés de clore l'affaire, en disant que ce n'est qu'un accident de la route.

— Le chef serait en cheville avec Dubose ? s'enquit Luna.

— Ça ne fait pas l'ombre d'un doute. Cappel règne en maître et est au courant de tout. Les autres ne peuvent détourner de l'argent sans sa participation.

— Revenons à ces téléphones, dit Pacheco. Vous êtes certains qu'il leur est impossible de récupérer les informations qu'il y a dedans ?

— Certains, répondit Michael Geismar. Ce sont des téléphones de l'État. Ils sont protégés, enfin ils l'étaient, par un code à cinq chiffres, plus un système de cryptage.

— Rien ne résiste à un pirate motivé, répliqua Luna. S'ils parviennent à entrer, qu'est-ce qu'ils risquent de trouver ?

— Ce serait dramatique. Ils auraient tous les numéros de téléphone du répertoire, une trace de tous les appels. Ils pourraient retrouver Greg Myers.

— Et au moment où on se parle Myers est toujours vivant, n'est-ce pas ?

— Absolument, répondit Lacy. Ils ne le trouveront jamais. Il était ici, à Tallahassee, il y a quinze jours. Il est passé chez moi pour prendre de mes nouvelles. Tous ses anciens téléphones sont au fond de l'eau et il a refait tout son stock.

— Et votre iPad ? s'enquit Pacheco.

— Il n'y a rien d'important dedans. Juste des trucs personnels.

Luna recula sa chaise et se leva.

— Hahn ? Une idée ? lança-t-il en se dégourdissant les jambes.

L'agent secouait la tête, impatient de participer. Peut-être était-il leur arme secrète ?

— J'ai des doutes, dit-il. Supposons qu'on débarque là-bas avec une demi-douzaine d'agents. Que va-t-il se passer ? L'argent disparaîtra dans le labyrinthe des comptes offshore et on ne le retrouvera plus. Ils cesseront évidemment de piquer dans la caisse. Et comme les Indiens sont terrifiés par Dubose, pas un ne parlera.

— Magnifique, railla Pacheco.

— Ce serait une erreur, je suis d'accord, annonça Lacy. J'essaierais plutôt, discrètement, de retrouver le chauffeur du pickup. Supposons que vous ayez de la chance et que vous coinciez le type. Comme il risquera de prendre perpète, il sera peut-être prêt à coopérer.

— En échange d'entrer dans le programme de protection des témoins ? demanda Pacheco.

— C'est votre domaine, répliqua Lacy. Je suis sûre que vous saurez négocier.

Luna revint s'asseoir, repoussa encore plus loin la pile de papiers et se frotta les yeux.

— Je vous explique notre problème. Notre chef est à Jacksonville. On lui fera un rapport et il prendra la décision. Une partie de notre boulot est d'estimer le coût en temps et en hommes pour une telle affaire. Et pour tout vous dire, c'est toujours du travail inutile, parce que la cible bouge et qu'on ne sait jamais jusqu'où va nous mener une enquête. Mais c'est la procédure, et il s'agit du gouvernement fédéral. Bref, notre patron va examiner nos recommandations. Pour l'instant, il se contrefiche de ce qui peut se passer dans un casino indien. Le vrai-faux accident de voiture ne

272

va pas l'impressionner plus que ça. Il lui en faut davantage. Aujourd'hui, notre cible c'est le terrorisme. Nous passons notre temps à traquer les cellules dormantes sur le territoire, les ados américains qui parlent avec des djihadistes et les crétins élevés ici qui essaient de fabriquer leur bombe. Et on a du pain sur la planche. Ça sent vraiment très mauvais. On manque d'effectifs et on a toujours l'impression d'avoir un coup de retard. Avoir manqué le 11 Septembre à vingt-quatre heures près, ça nous est resté en travers de la gorge. Voilà notre monde. On est tout le temps sous pression, à tenter de rattraper le train en marche. Désolé pour le laïus.

Pendant un moment, personne ne pipa mot. Finalement, Michael rompit le silence :

— Je comprends bien votre situation, mais le crime organisé n'a pas disparu pour autant.

Luna esquissa son premier sourire.

— Certes. Et je pense que votre affaire est pour le FBI, mais je ne suis pas sûr que le boss sera de cet avis.

— Je peux vous demander ce que vous allez mettre dans votre rapport ? s'enquit Lacy.

— Votre question est légitime, mais je ne peux pas vous le dire encore. On va creuser tout ça pendant les deux jours à venir, avant d'envoyer nos conclusions à Jacksonville.

Il était sur la réserve, veillait à ne rien laisser paraître. Pacheco, en revanche, semblait prêt à sortir son badge pour aller arrêter tout le monde. Hahn restait silencieux comme une tombe.

Lacy rassembla ses papiers en une pile soignée. La réunion était terminée.

— Je vous remercie du temps que vous nous avez consacré. Nous allons poursuivre notre enquête, en attendant d'avoir de vos nouvelles.

Pacheco les accompagna jusqu'à l'ascenseur, comme s'il regrettait de les voir partir. Michael le regarda d'un air soupçonneux. Quand Michael et Lacy furent seuls dans la voiture, il lança :

— Je te fiche mon billet que ce gars t'appelle dans les vingt-quatre heures. Et ce ne sera pas pour parler du casino.

— C'est possible, répondit Lacy.

— Beau travail, au fait.

25

Ponctuelle comme une horloge, la standardiste toqua à sa porte à 9 heures et, sans attendre de réponse, elle entra et déposa sur le bureau de Lacy le courrier du matin. Elle lui sourit et la remercia. Toutes les publicités avaient été triées et jetées à la poubelle. Il restait six enveloppes, dont cinq avec au verso l'adresse du retour. La sixième paraissait plus suspecte ; elle l'ouvrit donc en premier. C'était une lettre manuscrite :

Pour Lacy Stoltz,
C'est Wilton Mace. J'ai essayé de vous téléphoner mais ça ne répond pas. Il faut qu'on se parle. Et vite. Appelez-moi au 555-996-7702. Je suis en ville. J'attends votre appel.
Wilton

Avec son téléphone fixe, elle composa immédiatement le numéro. Wilton répondit et ils eurent une brève conversation. Il était descendu à l'hôtel DoubleTree, à trois pâtés de maisons du capitole. Il y était depuis la veille, attendant son coup de fil. Il voulait la voir en tête à tête. Il avait des choses importantes à lui dire. Lacy lui répondit qu'elle arrivait tout de suite et alla prévenir Geismar, son patron. Il se montra surprotecteur, au point d'en être agaçant.

Il reconnut, toutefois, qu'un rendez-vous dans un hôtel du centre-ville ne risquait guère d'être un guet-apens. Depuis le drame, il voulait qu'elle lui demande son accord avant d'aller où que ce soit. Elle avait accepté pour la forme mais n'était pas sûre de tenir sa promesse *ad vitam aeternam*, même si son goût du risque avait sévèrement diminué.

Comme convenu, Wilton la retrouva dans le hall. Ils choisirent une table tranquille au bar. Pour son voyage en ville, il n'avait pas changé ses habitudes vestimentaires. Il portait exactement la même tenue que lorsqu'ils s'étaient parlé dans son jardin quelques semaines plus tôt – une rencontre qui semblait dater d'une éternité. En jean, de la tête aux pieds, des colliers et des bracelets de perles, des cheveux toujours aussi longs, rassemblés en queue-de-cheval. Il ressemblait tant à son frère. Pendant qu'ils attendaient leurs boissons, il lui présenta ses condoléances pour la mort de Hugo, un homme qu'il appréciait. Il prit de ses nouvelles et lui dit qu'elle avait bonne mine.

— Qu'est-ce que vous savez sur l'accident ? demanda-t-elle. Qu'est-ce qui se raconte ?

En ville comme à la campagne, il parlait toujours aussi lentement. Un flegme miraculeux.

— Beaucoup de gens s'interrogent.

La serveuse leur apporta leur commande, un café serré pour lui, un crème pour elle. Il y eut un long silence.

— Je vous écoute, dit-elle finalement.

— Todd Short... ce nom vous dit quelque chose ?

— Vaguement oui... rafraîchissez-moi la mémoire.

— C'est l'un des deux mouchards en prison qui ont témoigné contre mon frère. À deux moments, avant le procès, les flics ont placé un espion dans la cellule de Junior, puis l'ont exfiltré au bout d'un jour ou deux. Les deux ont menti au tribunal. Du grand art. Et ça a suffi à faire condamner Junior.

Lacy but une gorgée de son café crème en hochant la tête. Elle attendait la suite. C'était lui qui avait des choses à lui dire.

— Bref, peu après le procès, Todd Short a disparu. Comme l'autre mouchard, un dénommé Robles. Les années ont passé et on a supposé que les deux avaient été éliminés, sans doute par ceux qui avaient tué Son et Eileen. Mais aujourd'hui, quinze ans après, Short a refait surface et on a eu une discussion.

Il y eut une nouvelle pause. Un long silence. Chacun but encore un peu de café. Lacy bouillait d'impatience. « C'est pour aujourd'hui ou pour demain ? » allait-elle lui dire quand enfin il s'éclaircit la gorge et reprit :

— Je l'ai rencontré il y a trois jours, en dehors de la réserve. Quand je l'ai vu, toute ma haine est remontée. Je voulais lui écraser la tête avec une pierre, mais nous étions dans un lieu public, un fast-food. Il a commencé par dire qu'il était désolé et ce genre de conneries. Il zonait à l'époque, était toxico, avait un casier long comme le bras, et allait droit dans le mur. Il ne connaissait pas très bien Robles. Mais quand il a appris qu'il s'était fait descendre peu après le procès, il a mis les voiles et est parti pour la Californie, où il a vécu avec une épée de Damoclès au-dessus de la tête. Là-bas, il a pris un nouveau départ et a mené une vie décente. Aujourd'hui, il a un cancer et il veut faire le bien avant le grand départ, se purifier l'âme, confesser ses péchés.

— Et qui sont ?

— À l'époque, il était en prison à Sterling, encore pour une affaire de drogue, et cette fois il risquait d'en prendre pour longtemps. Il connaissait le pénitencier. Il ne voulait pas y retourner. Il était donc une proie facile pour les flics. Ils lui ont proposé un marché. Le procureur acceptait de le laisser plaider coupable pour des broutilles, et après une semaine ou deux dans la prison du comté, il sortirait libre. Il lui suffisait de passer deux jours dans la cellule avec Junior, et de témoigner au procès. J'étais dans la salle et j'ai tout vu. Short a été un témoin très convaincant. Le jury a tout gobé. C'était couru d'avance. Une histoire d'adultère, comment résister à ça ? Dans la version de Short, Junior lui avait raconté qu'il était rentré chez lui plus tôt, qu'il avait entendu du bruit dans la chambre à coucher, qu'il avait pris son flingue et trouvé sa femme avec Son Razko en pleine action. Dans un accès de rage, il avait abattu Son, deux balles dans la tête, et comme Eileen n'arrêtait pas de hurler, il l'avait tuée aussi. Et puis, geste totalement incompréhensible, il avait pris le portefeuille de Son et s'était enfui. Que des conneries, évidemment, mais c'est l'histoire que Short a vendue aux jurés. Pour mon frère, il était hors de question de plaider le crime passionnel, la folie ; c'eût été admettre qu'il les avait tués. Or il n'avait rien fait du tout. Comme je l'ai dit, il avait un mauvais avocat.

— Short a été payé ?

— Deux mille dollars. Un flic lui a remis le fric après son témoignage. Il est resté dans le secteur quelques semaines, jusqu'à ce qu'il apprenne ce qui était arrivé à Robles. Il s'est alors fait la malle.

Le téléphone de Lacy vibra sur la table. Elle y jeta un coup d'œil, sans prendre l'appel.

— Pourquoi avez-vous changé de numéro ? demanda Wilton.

— Ce sont des téléphones fournis par l'État. Mon ancien a été volé dans ma voiture juste après l'accident.

— Qui l'a volé ?

— Sans doute ceux qui ont causé l'accident. Revenons à Short. Qu'est-ce qu'il propose ?

— Il veut raconter son histoire à une oreille attentive. Il a menti, les flics et le procureur le savaient, et il s'en veut beaucoup d'avoir fait ça.

— Un vrai héros !

Lacy but une nouvelle gorgée et contempla le hall. Personne ne les regardait ni ne les écoutait, aujourd'hui, toutefois, elle se méfiait de tout le monde.

— Wilton, reprit-elle, c'est une grande nouvelle. Mais ce n'est pas mon domaine. La demande de révision du procès doit être déposée par les avocats de Junior à Washington, et ils sont très bons. Il faut aller les voir et les laisser décider comment procéder avec Short.

— Je les ai appelés deux fois, mais ils sont occupés. Pas de nouvelles de leur part. L'appel de Junior a été rejeté il y a huit ans. On s'attend à ce que l'exécution tombe d'un jour à l'autre. Ses avocats se sont bien battus, mais ils disent que c'est fini.

— Vous avez parlé à Junior ?

— Je le vois demain. Il a besoin de savoir ce qui va se passer maintenant que l'un des mouchards veut se rétracter. Il a confiance en vous, Lacy. Comme moi.

— C'est gentil. Malheureusement, je ne suis pas avocate au pénal. Je ne sais pas dans quelle mesure ça peut changer les choses après quinze ans. Il doit y avoir une limite de temps pour apporter de nouvelles preuves. Je ne connais pas bien la loi en ce domaine. Je ne peux vous donner de conseil en la matière.

— Vous pourriez en toucher deux mots aux avocats de Washington ? Puisque, moi, je n'arrive pas à les joindre.

— Et Junior ? Pourquoi ne leur parle-t-il pas ?

— Il dit que les appels en prison sont sur écoute. Tous les téléphones ont des mouchards. Et il n'a pas vu les gars de Washington depuis un paquet de temps. Il craint qu'ils ne l'aient oublié, maintenant que l'exécution va tomber.

— Il se trompe. Si un témoin veut revenir sur ce qu'il a dit, est prêt à jurer sous serment que les flics et le proc savaient qu'il mentait, et qu'ils l'ont payé de surcroît, croyez-moi, ça va les réveiller là-bas.

— Vous pensez qu'il y a de l'espoir ?

— Je ne sais pas quoi vous dire, Wilton. Encore une fois, tout cela est hors de mes compétences.

Il esquissa un sourire et se tut. Une équipe de rodéo, en bottes et Stetson, traversait le hall, comme à la parade, avec leurs sacs tous identiques, en chantonnant une ritournelle. On aurait cru des pom-pom girls. Quand ils s'en allèrent enfin et que le calme fut revenu dans l'hôtel, il demanda :

— Vous avez vu Lyman Gritt ? L'ancien chef de notre police ?

— Non. J'ai appris qu'il avait été limogé. Pourquoi ?

— C'est un gars bien.

— Je n'en doute pas. Pourquoi mettre son nom sur la table ?

— Il sait peut-être quelque chose.

— Et qu'est-ce qu'il pourrait savoir ? Je n'ai pas le temps de jouer aux devinettes, Wilton.

— Il s'est fait virer par Cappel. C'est quand même louche. Ça s'est passé quelques jours après votre accident. Il y a plein de rumeurs. Mon peuple est mal à l'aise. Un Noir, accompagné d'une Blanche, se trouvait sur nos terres à minuit. C'est bizarre non ? Et il est mort.

— Qu'est-ce qui est bizarre ? Qu'il soit noir ?

— Pas spécialement. La couleur de peau, on s'en fiche un peu. Mais vous devez reconnaître que c'est inhabituel. On sait depuis longtemps que des gens pas nets tirent les ficelles derrière le casino, et sont en cheville avec nos responsables. Et aujourd'hui, enfin, ça commence à faire des vagues. Des gens, vous et Hugo, osez vous montrer et poser des questions. L'enquête a été enterrée par le nouveau chef de la police, en qui on ne peut avoir confiance. Ça commence à jaser, les langues se délient, Lacy. Et voilà que Todd Short, sortant de nulle part, réapparaît, et veut revenir sur ce qu'il a dit. Ça aussi c'est bizarre.

Ce n'est que le début, répondit-elle en pensée. Attendez que le FBI débarque...

— Continuez à me tenir au courant, Wilton.

— Tout dépend de ce que j'apprends.

— De mon côté, je vais appeler vos avocats à Washington. C'est le moins que je puisse faire.

— Merci.

— Et dites bonjour de ma part à Junior.

— Pourquoi ne lui rendez-vous pas visite ? Il ne voit pas grand monde et il sent bien que la fin est proche.

— C'est d'accord. Il est au courant pour Hugo ?

— Je l'ai prévenu.

— Dites-lui que je vais passer le voir dès que j'aurai un moment.

— Cela lui fera plaisir.

* * *

Lacy raconta son entrevue à Michael, puis relut rapidement le dossier de Junior Mace. Elle appela finalement les avocats de Washington et parvint à en faire sortir un de sa réunion, un dénommé Salzman. Il y avait plus de mille employés dans ce cabinet XL. L'entreprise avait très bonne réputation, en particulier dans le domaine de l'assistance juridique gratuite. Ils s'étaient battus bec et ongles, sans compter leurs heures, pour défendre Junior depuis sa condamnation. Elle leur annonça que Todd Short était revenu d'entre les morts, savait cette fois sa fin inéluctable et qu'il voulait soulager sa conscience. Salzman n'en revenait pas. Short et Robles s'étaient évanouis dans la nature depuis si longtemps qu'il avait du mal à croire à ce retour miraculeux. Lacy, reconnaissant son incompétence dans ce domaine, lui demanda si une révision du procès était encore envisageable.

— C'est tard, répondit Salzman. Très tard, mais dans le métier, tant qu'il y a de la vie il y a de l'espoir. Je descends à Starke dès que je peux me libérer.

* * *

À leur surprise, l'agent spécial Allie Pacheco débarqua au BJC. C'était en fin d'après-midi. Au téléphone, il avait dit qu'il était dans le quartier, et qu'il n'en aurait que pour quelques minutes. Quatre jours s'étaient écoulés depuis leur entretien dans le bureau de Luna. Contrairement à leurs prévisions, Pacheco n'avait pas contacté Lacy, ni par téléphone, ni par e-mail.

Ils se retrouvèrent dans le bureau de Michael, au bout de la longue table de réunion. Quelque chose tracassait l'agent. Il avait perdu son sourire.

— Luna et moi avons passé toute la journée d'hier à Jacksonville, commença-t-il, pour présenter votre affaire. Nous demandions l'ouverture d'une enquête, sur-le-champ. Nous étions d'accord avec votre stratégie : d'abord prouver que Hugo a été victime d'un meurtre. Dans le même temps, on commençait à pénétrer la myriade de sociétés écrans pour traquer les mouvements de l'argent – et ce n'était pas une mince affaire. On plaçait sous surveillance la juge McDover, Phyllis Turban, le chef Cappel et son fils Billy. On pouvait même obtenir l'autorisation de mettre leurs téléphones sur écoute, d'installer des micros dans leurs bureaux. Nous préconisions d'affecter cinq agents sur l'affaire pour commencer, en plus de moi-même. Mais ce matin, la décision du boss est tombée : il refuse, prétextant qu'on manque de personnel. J'ai insisté, mais c'est lui qui a le dernier mot et il n'a rien voulu savoir. Je lui ai demandé alors si je pouvais enquêter avec un ou deux gars seulement. Mais il a encore refusé. Donc notre réponse officielle est non. Je suis désolé. On a fait tout notre possible, et ça n'a pas suffi.

Michael resta imperturbable. Lacy était comme une cocotte-minute sous pression, mais elle se contint.

— Ça pourrait changer si on apportait du nouveau ?

— Possible, répondit Pacheco, visiblement agacé. Ou pas. Il peut nous tomber dessus d'autres urgences. La Floride est un grand point d'entrée ; cela a toujours été le cas. On est submergés de clandestins qui débarquent, et ils ne viennent pas ici faire la plonge ou manœuvre sur les chantiers. Ils sont là pour organiser le djihad chez nous. Les traquer, les trouver, les arrêter, voilà notre priorité. Et ça passe bien avant les petites magouilles de la pègre. Les enjeux sont montés d'un cran. Mais nous restons ouverts. Je suis là. S'il y a du nouveau, faites-le-moi savoir.

S'il y a du nouveau... Après le départ de l'agent du FBI, Lacy et Michael restèrent un long moment à la table, perdus dans leurs pensées. C'était un revers, mais le combat continuait. D'accord, ils manquaient de moyens ; ce n'était toutefois pas une raison pour baisser les bras. Pour l'heure, leur seule arme était l'injonction en justice. Grâce aux recherches de Sadelle, ils relevèrent la vingtaine d'affaires où McDover avait statué en faveur de la partie adverse, des entités mystérieuses qui étaient derrière divers projets immobiliers dans le comté de Brunswick. Onze d'entre elles avaient trait à la construction de la route à péage qui menait au casino.

Puisqu'ils avaient toute liberté pour décider du contenu de l'injonction, ils choisirent de réclamer les dossiers concernant seulement la moitié de ces jugements. Faire une demande pour l'ensemble serait suspect et McDover devinerait ce qu'ils cherchaient. Mieux valait demander des éclaircissements pour une poignée d'affaires, voir ce qu'elle et son équipe allaient accepter de montrer et, éventuellement, revenir à la charge avec la grosse artillerie. Gérer ces injonctions occuperait Killebrew et ses gars durant des heures, et pendant ce temps-là, le compteur tournerait. Ça allait coûter une fortune à McDover.

Les dossiers de chaque affaire étaient conservés aux archives du palais de justice du comté et Sadelle en avait fait depuis longtemps des copies. Tout était là, référencé, indexé, et le dossier du BJC était sans nul doute bien mieux organisé que ce que pourrait compiler Killebrew à la va-vite. Mais tous les juges gardaient dans leur bureau des documents, qui n'avaient jamais été rendus publics. Il allait être intéressant de voir jusqu'où McDover allait coopérer.

Lacy travailla sur le recours en justice jusque tard le soir. Cela lui évitait de penser à la défection du FBI.

26

Gunther était de retour ! Il interrompit la grasse matinée de Lacy le samedi matin pour lui annoncer qu'il arrivait en avion en milieu d'après-midi. Même si la jeune femme n'avait rien à faire, elle prétendit être très occupée. Mais il ne voulut rien entendre. Sa petite sœur lui manquait, il s'inquiétait pour elle, et s'en voulait de n'être pas revenu plus tôt. Bien sûr qu'elle avait besoin de lui !

Derrière les baies vitrées du terminal de l'aviation générale, elle regardait les jets aller et venir sur le tarmac. À 15 heures, à l'heure prévue de son arrivée, un petit bimoteur s'approcha des hangars et s'arrêta. Gunther descendit de la cabine, seul. Cela faisait vingt ans qu'il pilotait. Une carrière d'aviateur interrompue en deux occasions par la FAA. Il avait eu des soucis avec les autorités aériennes et un différend avec les aiguilleurs du ciel – en plein vol ! De tels litiges se terminaient toujours en la défaveur des pilotes et Gunther s'était retrouvé avec les rampants. À l'évidence, il avait récupéré sa licence de pilote.

Il avait avec lui un sac de voyage – vu sa petite taille c'était bon signe – ainsi qu'une mallette, pleine sans nul doute de projets immobiliers en cours. Gunther serra Lacy dans ses bras et la fit décoller du sol ; il semblait au bord des larmes. Elle lui avait tant manqué. Elle fit de son mieux pour montrer le même empressement.

— Alors comme ça, tu voles de nouveau ? s'écriat-elle tandis qu'ils sortaient du terminal.

— Ces crétins de la FAA ne peuvent pas clouer au sol un homme exemplaire comme moi. Ils m'ont rendu ma licence il y a deux semaines.

— Joli engin.

— Il appartient à un copain.

Ils marchèrent jusqu'à la petite Ford. Il critiqua aussitôt ses proportions.

— C'est la voiture de l'assurance. Je ne me suis pas encore décidée pour la suivante.

Gunther se targuait d'être un expert en la matière et se lança aussitôt dans une longue présentation des modèles qui pourraient lui convenir.

— Si tu as le temps, on ira faire un tour dans les concessions.

— Pourquoi pas.

Il conduisait en ce moment une Mercedes. Il avait eu aussi une Maserati, un Hummer, une Porsche, un Range Rover noir. Il avait même parlé une fois de s'offrir une Rolls-Royce. Malgré les hauts et les bas dans ses affaires, Gunther s'était toujours déplacé à Atlanta avec des véhicules haut de gamme. Il était la dernière personne avec qui Lacy serait allée acheter une voiture !

Ils étaient de retour sur la route. Il y avait de la circulation et elle n'était guère rassurée.

— Ça va au volant ? demanda-t-il.

— Pas vraiment. Mais je me rééduque.

— Je n'ai jamais eu de grave accident. J'imagine qu'il faut du temps pour se remettre en selle.

— Oui. Du temps.

— Tu es magnifique, Lacy, dit-il pour la troisième fois. J'aime bien ta coupe. Et si tu les gardais courts comme ça, tout le temps ?

— Pas question ! s'exclama-t-elle en riant.

Un mois après sa sortie de l'hôpital, son crâne était couvert d'un fin duvet qui semblait un peu plus sombre que ses cheveux qu'on lui avait rasés, mais elle ne s'en souciait pas plus que ça. Au moins, ses cheveux repoussaient. Elle en avait fini avec les foulards, les chapeaux. Et peu lui importaient les regards qu'elle pouvait attirer.

Gunther voulait avoir des nouvelles de l'enquête. Elle lui fit un rapide résumé. Gunther savait garder un secret et Atlanta était loin. Personne ne risquait d'avoir une influence sur ce qui se passait ici. Mais Lacy ne lui révéla pas tout. Elle reconnut qu'ils avaient fait chou blanc avec le FBI. Ils ne voulaient pas intervenir.

Gunther y alla de son grand laïus, et soliloqua durant tout le trajet jusqu'à l'appartement. Il râla contre le gouvernement fédéral, contre ses agences trop nombreuses, contre les bureaucrates incompétents et toutes leurs lois stupides. Il évoqua ses propres démêlés avec l'agence pour la protection de l'environnement, avec la commission pour la discrimination positive, avec le fisc, même avec le ministère de la Justice, sans parler de ses vicissitudes diverses concernant la législation. Et Lacy se garda bien de poser des questions. Comment le FBI, avec ses millions d'agents et ses milliards de dollars, pouvait-il refuser d'enquêter sur une affaire mafieuse de cette ampleur ? Un homme avait été tué et les feds refusaient de se mouiller ! Il était furieux.

288

Une fois arrivé, il jeta son sac et sa mallette dans la chambre d'amis et Lacy lui proposa de l'eau ou du thé. Il demanda un soda light. Il ne buvait plus depuis dix ans ; le plus dur était derrière lui. Les problèmes d'alcool étaient un vieil atavisme familial et chez lui cela avait pris des proportions inquiétantes. À la demande de ses proches, il avait fait deux cures, sans succès. Après une arrestation pour conduite en état d'ivresse, un divorce, une faillite, tout ça quasiment en même temps, Gunther, à trente-deux ans, avait raccroché, et s'était intéressé à d'autres sirènes, celles de l'argent. Il n'avait plus touché à une bouteille depuis des années et faisait même du bénévolat dans des cliniques pour jeunes alcooliques. Quand on lui posait la question, il parlait de son ancienne addiction sans gêne ni complexe.

Avec Gunther il n'y avait pas de sujets tabous. Pour éviter qu'il ne lui pose trop de questions, elle lui narra sa rencontre avec Wilton Mace, lui parla des meurtres de Son Lazko et Eileen Mace, puis du marathon judiciaire de Junior. Tout cela ne relevait pas du BJC et était du domaine public. Elle ne trahissait aucun secret.

Gunther, comme la plupart des Blancs, pensait qu'un innocent ne pouvait se retrouver condamné à mort. Junior devait être coupable de quelque chose. La discussion qui s'ensuivit fut houleuse. Non, le système judiciaire n'était pas irréprochable. La loi, c'était le monde de Lacy, et elle en connaissait les failles. Celui de Gunther était l'immobilier, et l'argent était le centre de sa vie. Il lisait rarement les journaux, hormis la section financière. Il le reconnaissait bien volontiers. Il ne savait pas que, récemment, deux condamnés avaient été disculpés par des tests ADN, dont l'un avait fait vingt-neuf ans de prison en Géorgie pour un viol et un meurtre qu'il n'avait pas commis. Aux yeux de Gunther, si les prisons étaient pleines c'était parce qu'il y avait des tas de criminels.

Finalement, il se souvint qu'il avait quelques coups de fil à passer. Cela tombait bien. Lacy était épuisée et avait besoin d'une pause. Elle lui montra la petite terrasse devant la cuisine. Il y avait là une table en fer forgé où il pourrait installer son bureau.

* * *

Pour le dîner, ils allèrent dans un restaurant thaï-landais sur le campus. Au moment de s'asseoir, Gunther sortit son téléphone.

— Il faut que j'envoie un e-mail, sœurette, annonça-t-il, en pianotant déjà sur son clavier.

Elle le regarda en fronçant les sourcils. Quand il eut terminé, elle annonça :

— Voilà le marché : tous les téléphones sur la table – et sur silence. Le premier qui vibre paye l'addition.

— Je comptais t'inviter de toute façon.

— Et c'est ce qui va se passer.

Elle sortit de son sac à main son iPhone et le BlackBerry du BJC. Il en posa deux à son tour.

— C'est quoi cette antiquité ? railla-t-il en dési-gnant le BlackBerry.

— C'est le téléphone fourni par l'État. Son petit frère a été volé dans ma voiture.

— Et plus de trace ?

— Rien. Nos gars de l'informatique assurent qu'ils sont inviolables. Donc je les crois.

Elle plongea la main dans la poche de devant.

290

— J'ai failli oublier.

Elle sortit le téléphone à carte que lui avait donné Myers.

— Tu as trois téléphones ?

— Celui-là est en plus, dit-elle en le posant avec soin, bien aligné avec les deux autres. C'est pour joindre Myers. Il en a plusieurs et il en change tous les mois.

— Sage précaution. Quand lui as-tu parlé pour la dernière fois ?

— Il y a une ou deux semaines. Le jour où il m'a donné ce téléphone.

Une fille asiatique arriva pour prendre leur commande. Gunther choisit du thé et encouragea Lacy à s'offrir un verre de vin. C'était un rituel qu'ils avaient fait cent fois. Elle ne voulait en rien le tenter, mais il tirait une grande fierté de montrer qu'il résistait à la tentation. En plus, elle n'était pas amatrice de vin. Trop doux, trop civilisé. Elle demanda un verre de chablis et une assiette de nems pour commencer. Quand leurs boissons arrivèrent, ils se racontaient leur dernière conversation avec leur mère. L'un des téléphones bourdonna. De toute la collection disposée sur la table, c'était le plus improbable.

Myers ! Lacy poussa un soupir et hésita.

— Je crois que je suis obligée de décrocher.

— À toi l'addition !

Elle ouvrit lentement le clapet, jeta un coup d'œil inquiet autour d'elle, et dit doucement :

— Ça a intérêt à être important.

Une voix inconnue lui répondit.

— Je cherche à joindre Lacy Stoltz.

Elle hésita. Ce n'était pas Greg Myers.

— C'est moi. Qui est à l'appareil ?

— On ne s'est jamais rencontrés, mais nous connaissons tous les deux Greg Myers. C'est moi son contact, « l'intermédiaire ». Le lien avec la taupe. Il faut qu'on se voie.

Il y avait un problème. Elle se sentit chanceler. Son trouble dut se voir sur son visage parce que Gunther lui toucha doucement le bras.

— Où est Greg ? articula-t-elle.

Gunther plissa les yeux, inquiet.

— Je ne sais pas, répliqua son interlocuteur. Il faut qu'on en parle justement. Je suis en ville, pas très loin de vous. Quand pouvons-nous nous rencontrer ?

— J'étais en train de dîner et…

— Dans deux heures alors. Disons à 22 heures. Sur l'esplanade, entre l'ancien capitole et le nouveau. Je vous attendrai là-bas, devant les marches.

— On est en alerte rouge ? C'est ça ?

— Non, pas en ce qui nous concerne. Aucun danger dans l'immédiat.

— D'accord. Mais je viens avec mon frère. Et c'est un passionné des armes. Doit-il en apporter une ?

— Non, Lacy. Nous sommes dans le même camp.

— Il est arrivé quelque chose à Greg ?

— On en parlera tout à l'heure.

— Vous m'avez coupé l'appétit. Je serai là-bas dans une demi-heure.

*　*　*

L'esplanade du capitole était bien éclairée et quelques passants la traversaient. Un samedi soir, les employés de l'État étaient partis profiter de leur week-end. La seule silhouette près du perron de l'ancien capitole était en bermuda, baskets et casquette. Comme la moitié de la population de la ville. Il tira une dernière bouffée sur sa cigarette, écrasa le mégot, et se dirigea vers eux.

— Vous devez être Lacy, dit-il en lui tendant la main.

— C'est moi. Et voici mon frère, Gunther.

— Je m'appelle Cooley, annonça-t-il en leur serrant rapidement la main. Marchons.

Ils s'éloignèrent sur la place d'un pas nonchalant, en direction de la tour du nouveau capitole.

— J'ignore ce que vous savez de moi…, reprit Cooley. Sans doute pas grand-chose.

— Je ne connaissais même pas votre nom, dit-elle. Qu'est-ce qui se passe ?

Il y avait forcément un problème avec Greg, sinon leur contact ne se serait pas montré.

Il parlait à voix basse.

— Il y a quatre jours, Myers et sa copine, Carlita, faisaient de la plongée à Key Largo.

— J'ai rencontré Carlita.

— Une fois rentré au port, il a annoncé qu'il allait boire un verre. Il est descendu à terre, elle est restée à bord. Et il n'est pas revenu. Au bout de quelques heures, elle a commencé à s'inquiéter. Quand la nuit est tombée, elle a aperçu deux inconnus qui observaient son bateau de loin. C'est du moins l'impression qu'elle a eue. La marina était pleine, partout des yachts et des gens qui faisaient la fête, et les deux hommes ne se sont pas attardés. Elle m'a appelé ce soir, c'était notre plan d'urgence. Inutile de dire qu'elle a très peur et qu'elle ne sait pas quoi faire. Greg descendait rarement à terre,

293

et quand il le faisait, elle savait exactement à quelle heure il devait revenir. Ils allaient parfois acheter des trucs au port, mais la plupart du temps, c'est elle qui faisait les courses. Parfois, ils se rendaient au cinéma ou au restaurant, mais toujours ensemble. Greg était prudent et planifiait tous ses déplacements.

Ils étaient sur Duval Street, et s'éloignaient du capitole, comme trois amis se promenant par une chaude soirée.

— Et ses téléphones ? Ses dossiers ? Son ordinateur ?

— Ses affaires sont à bord. Sous la surveillance de Carlita. Je ne sais pas ce qu'il y a dedans. Greg ne connaît pas l'identité de la taupe. Soit on se rencontrait en tête à tête, soit on se parlait via des téléphones à carte. On ne laissait aucune trace. Mais c'est un avocat. Il est donc possible qu'il y ait des notes quelque part. Pour l'instant, Carlita garde la boutique. Elle attend son retour, ou que je lui dise quoi faire. Mais je ne peux pas aller là-bas. C'est trop risqué.

— Ils pourraient vous reconnaître ?

— Encore faudrait-il que je sache à qui on a affaire. Non, je ne pense pas qu'on puisse m'identifier, mais on ne sait jamais. Je ne peux pas aller la chercher.

— Elle ne peut pas partir avec le bateau ? intervint Gunther.

— Impossible. Elle ne sait même pas démarrer les moteurs et passer la marche arrière. Et pour aller où ?

Lacy aperçut un banc.

— J'aimerais bien m'asseoir.

Elle s'y installa avec Gunther qui lui tenait la main, pendant que Cooley allumait une autre cigarette en surveillant la rue. Personne alentour.

294

— Greg m'a dit qu'il veillait à passer sous les radars depuis plusieurs années, reprit Lacy, qu'il s'était fait pas mal d'ennemis autrefois. Il pourrait s'agir d'un retour de bâton ?

Cooley souffla un nuage de fumée.

— Cela m'étonnerait. On s'est rencontrés en prison. J'étais avocat aussi, autrefois, jusqu'à ce qu'on me demande de quitter le métier. On était juste deux gars radiés du barreau, dans un pénitencier fédéral au Texas. Par un autre prisonnier, j'ai appris l'histoire de Vonn Dubose et du casino indien. Et donc, à ma sortie, je suis allé fouiner en Floride. C'est une longue histoire ; je connaissais la taupe et j'ai tenté ma chance. C'était une mauvaise idée. Vous avez été blessée. Votre partenaire est mort. Et Greg gît sans doute au fond de l'eau, une pierre autour du cou.

— Ce serait Dubose qui aurait fait le coup ? demanda Gunther.

— Probable. Bien sûr, Greg a des ennemis, mais cela remonte à loin. Et j'en connais certains. Ce ne sont pas des mafieux. D'accord, ils se sont fait avoir, mais ils ne sont pas du genre à le traquer pendant des années pour lui mettre une balle dans la tête. Ce serait bien trop dangereux pour eux. Kubiak, le chef, est encore derrière les barreaux. Greg dépose une plainte à son nom, menace les intérêts de Dubose et de sa bande et, comme par hasard, au bout de quelques jours il disparaît. Une question s'impose, maintenant. D'ordre juridique.

Lacy attendit.

— Est-ce qu'une plainte reste valable si la partie plaignante a disparu ?

La jeune femme réfléchit un moment.

— Je ne sais pas trop. À ma connaissance, ce cas ne s'est jamais produit.

— Vous êtes sûrs de vouloir continuer ? demanda Gunther.

Cooley comme Lacy restèrent silencieux. Il termina sa cigarette et jeta à nouveau son mégot sur le trottoir, un acte patent de dégradation de la voie publique qui, à un autre moment, aurait agacé Lacy. Mais ce genre de courroux paraissait si futile aujourd'hui.

— Qu'est-ce qu'on fait ? s'enquit-elle.

— Carlita ne peut pas rester sur le bateau. Elle est à court de vivres et d'eau, et la capitainerie la harcèle pour qu'elle paye l'emplacement. J'aimerais bien qu'on la sorte de là et qu'on récupère les affaires de Greg, les téléphones, l'ordi, ses dossiers. Tout ce qui est important. Mais, encore une fois, c'est trop risqué. Il y a sûrement là-bas des guetteurs.

— Je vais m'en charger, annonça Gunther.

— Pas question, répliqua Lacy. Tu restes en dehors de tout ça.

— J'ai un Beechcraft Baron à l'aéroport. Je peux être à Key Largo en deux heures. Si vos types sont là, ce qui n'est même pas certain, ils ne savent pas qui je suis. Il suffit de prévenir Carlita de mon arrivée et qu'elle se tienne prête à abandonner le navire. Il lui suffit de nous dire où le bateau est amarré. Je serai reparti avant qu'ils n'aient compris ce qu'il se passait. Et s'ils nous suivent jusqu'à l'aéroport, ils n'auront jamais le temps de trouver un avion pour nous filer le train. Je la laisserai quelque part en chemin et de là, elle prendra un car pour aller où elle veut.

— Et si quelqu'un tente de vous en empêcher ? s'inquiéta Cooley.

— Vous avez entendu ma petite sœur, j'aime être équipé et j'ai ce qu'il faut dans ma poche. On ne m'impressionne pas si facilement.

— Je n'aime pas ça, Gunther, insista Lacy.

Cooley au contraire était convaincu.

— On va le faire, sœurette. Petit risque, gros bénef. Je veux aider l'équipe et te protéger.

27

Lacy appela Geismar le soir même. Il mit son veto, furieux que Gunther se mêle encore de ce qui ne le regardait pas. Il reprocha à Lacy d'avoir parlé à son frère, c'était là un manque de professionnalisme évident. Elle lui expliqua que Cooley avait appelé alors qu'elle dînait avec son frère et qu'elle n'avait aucun moyen de lui cacher ce qui se passait. Comme Michael le savait, Gunther avait les oreilles qui traînaient et la réserve n'était pas son fort. Elle rappela à son patron que c'était lui qui avait manqué de discrétion quand il avait pris un café avec Gunther à l'hôpital. À affaire hors normes, nouvelles règles.

Le plus préoccupant était la disparition de Myers et toutes ses conséquences. Lacy voulait une réunion au sommet au BJC dimanche matin, première heure. Geismar accepta finalement, mais ne voulait pas que Gunther soit présent. Son frère attendit donc dans la voiture, rivé au téléphone, à crier sur un banquier qu'il prenait au saut du lit.

Geismar s'était radouci et semblait prêt à écouter Lacy. Elle lui narra les dernières nouvelles. Cooley avait eu Carlita au téléphone tôt le matin. RAS. Toujours aucun signe de Greg. Elle s'affairait sur le bateau comme si de rien n'était, nettoyait le pont, lavait les vitres, mais en surveillant discrètement la marina. Elle était dévastée par le chagrin, terrorisée, à bout de nerfs. Elle voulait rentrer chez elle à Tampa, mais n'avait ni argent, ni moyen de transport. Elle avait fouillé les affaires de Myers mais ne savait pas ce qui était important ou non. Il y avait un carton, sous le lit, où il rangeait tous ses « machins juridiques », mais le gros de ses « papiers » était caché quelque part à Myrtle Beach. Il y avait aussi deux téléphones et un ordinateur portable. Pour la rassurer, Cooley lui avait annoncé qu'une opération de sauvetage était en cours.

Ils avaient l'obligation de lui venir en aide, soutenait Lacy. Les risques étaient raisonnables. Si Carlita était dans cette situation, c'était à cause de leur enquête. Et pour l'heure, personne d'autre ne pouvait la secourir. Elle était en possession des dossiers de Myers, de ses téléphones, de son ordinateur, et c'étaient des pièces sensibles. Gunther était un électron libre, d'accord, mais il était prêt à faire l'aller et retour à ses frais. Or, par la route, il y en avait pour dix heures de trajet, rien qu'à l'aller. Et le temps pressait, justement.

À plusieurs reprises, elle déclara :

— Un non de ta part est irrecevable.

— Pourquoi n'appelle-t-elle pas la police ? Laissons-les gérer ça. Elle peut quitter le bateau avec les affaires qu'elle veut et rentrer chez elle. Si la disparition de Myers est d'origine criminelle, il faut prévenir les flics.

— Cooley le lui a suggéré, mais ça l'a horrifiée. Je ne sais pas pourquoi. Nous ne sommes pas au courant de tout concernant Myers et son bateau. Elle ne veut peut-être pas que les flics mettent leur nez partout ? Peut-être qu'elle est sans-papiers ?

— Dis-lui de détruire les documents, les fichiers, tout ce qui lui paraît suspect, qu'elle garde le téléphone qu'elle utilise et jette tous les autres à l'eau, avec l'ordinateur.

— Cela paraît tout simple vu d'ici, mais nous ignorons ce qu'elle sait. Et elle pourrait détruire des pièces cruciales sans le vouloir. Ce qu'il faut éviter. Elle est terrorisée et totalement perdue. Nous devons l'aider.

— Si elle s'en va, quid du bateau ?

— On s'en fiche. La capitainerie finira par appeler les flics. À un moment, ils vont comprendre que le propriétaire a disparu et feront le nécessaire. On a assez de choses à gérer comme ça.

— Tu n'y vas pas, Lacy. Je ne veux pas que tu te fasses encore amocher.

— D'accord. Gunther y va tout seul. Et il récupère Carlita.

— Tu lui fais vraiment confiance ?

— Oui. Dans certaines situations, on peut compter sur lui.

Visiblement, cette disparition troublait Michael – encore une victime ! Peut-être Myers laissait-il des pièces vitales derrière lui ? Le BJC n'avait aucune expérience pour ce genre d'affaires. Où étaient les véritables flics ? Il but une gorgée de café dans son gobelet.

— Si Dubose est derrière cette histoire, articula-t-il, alors ils savent que l'auteur de la plainte contre McDover a été éliminé. C'est terminé, Lacy. On ne peut poursuivre sans plaignant.

— Chaque problème en son temps. L'urgence, c'est de tirer Carlita de ce piège et de sauver les affaires de Myers.

300

— C'est fini, Lacy, répéta-t-il.

— Je t'ai dit que je n'accepterais pas un « non ».

— Je ne suis pas sourd.

— Voici ce que je te propose : toi et Gunther descendez à Key Largo ensemble pour la tirer de là. Le temps est parfait. Il y a quatre places dans son avion. C'est un vol de rien du tout.

— Je n'aime pas les petits avions.

— Tu n'aimes pas les gros non plus. Allez, Michael. C'est juste un saut de puce. Tu ne violes aucune loi. C'est juste un aller et retour, vous la récupérez, vous la lâchez en chemin, et vous rentrez à la maison.

— Et je vais être coincé avec Gunther pendant quatre heures dans une boîte de conserve.

— Je sais, mais c'est important.

— À quoi bon ? L'affaire va être classée sans suite.

— Pas si le FBI s'en mêle. Quand ils vont apprendre qu'un témoin clé a disparu, cela les motivera peut-être.

— C'est le cri du désespoir.

— Tout juste.

Michael prit une profonde inspiration et secoua la tête d'agacement.

— Je ne peux pas y aller. On organise une fête pour ma belle-mère cet après-midi. C'est son quatre-vingt-dixième anniversaire.

— Alors c'est moi qui y vais. C'est sans risque, je t'assure. Juste une petite balade en avion par un beau dimanche. C'est mon jour de congé. Je fais ce que je veux de mon temps libre.

— Je te donne mon accord à une condition. Tu ne t'approches pas du bateau. Si quelqu'un fait le guet, on va te repérer aussitôt. Gunther est inconnu au bataillon, ce n'est pas ton cas. Veille à récupérer toutes les affaires de Myers, les papiers, les téléphones, l'ordinateur. Carlita te connaît et aura plus confiance en toi qu'en ton frère. On la comprend. Déposez-la sur le chemin du retour, donne-lui un peu d'argent pour qu'elle puisse prendre un taxi ou un car, et dis-lui bien de ne parler de tout ça à personne.

Lacy se dirigeait déjà vers la porte.

— Promis.

* * *

Une heure plus tard, ils décollaient de l'aéroport de Tallahassee à bord du Beechcraft Baron. Gunther, tout excité par cette aventure, était assis à gauche. Lacy, avec le casque sur les oreilles, se tenait à côté de lui, fascinée par les conversations entre les avions et les aiguilleurs. Ils mirent cap plein sud et survolèrent rapidement les eaux du Golfe. À neuf mille pieds, ils atteignirent leur vitesse de croisière de trois cent soixante-dix kilomètres à l'heure. Le vacarme des pistons diminua un peu, mais le bruit restait quand même infernal.

Après deux heures, ils amorcèrent leur descente. Lacy eut une vue magnifique sur les îles et l'océan. Ils atterrirent à 11 h 40. Gunther avait réservé une voiture à l'aviation générale. Il prit le volant, et Lacy joua les copilotes avec une carte routière. Cooley était resté à Tallahassee et parlait à Carlita. Alors qu'ils approchaient de la marina de Key Largo, Cooley indiqua à Gunther le numéro de téléphone de la jeune femme.

Le port grouillait d'activité, des voiliers partant en mer, des bateaux de pêche rentrant avec leurs prises du matin. Une vedette d'excursion de plongée sous-marine venait d'arriver à quai et l'équipage déchargeait le matériel. Lacy resta dans la voiture pour surveiller les alentours tandis que Gunther s'éloignait sur le ponton, faisant mine d'admirer les yachts. Carlita descendit du *Conspirator* et lui lança un sourire, comme si tout allait bien. Elle avait trois sacs avec elle : un sac à dos, un fourre-tout en nylon, apparemment rempli de vêtements, et la sacoche marron de Myers. Gunther prit deux bagages et ils se dirigèrent tranquillement vers le parking. Dans la voiture, Lacy épiait la marina. Apparemment, personne ne les observait. Carlita fut soulagée de voir Lacy. Enfin un visage connu !

Gunther, toujours prompt à donner son avis, disait qu'après cinq jours sans nouvelles, ceux qui avaient fait disparaître Myers avaient quitté les lieux depuis longtemps. S'ils avaient voulu interroger Carlita, ou fouiller le bateau, ils l'auraient déjà fait. Une heure après leur atterrissage, ils étaient de retour à l'aviation générale. Ils s'installèrent rapidement dans le bimoteur, et décollèrent à 13 h 15. Lacy appela Geismar qui ne décrocha pas. Il devait être à la fête de sa belle-mère. Elle lui envoya un SMS pour lui dire que la mission était accomplie.

Lacy et Carlita s'étaient installées aux places arrière, à côté l'une de l'autre. Une fois en l'air, Carlita se mit à pleurer. Lacy lui tint la main et lui assura qu'elle était désormais en sécurité. Elle voulait savoir si Lacy avait des nouvelles de Greg. Non. Rien. Qu'allait-il arriver au *Conspirator* ? Lacy ne savait que répondre.

Ils allaient prévenir la police de la disparition de Greg et les laisser s'occuper de tout ça. Lacy lui posa quelques questions sur le bateau : depuis combien de temps vivait-elle à bord ? Où Myers l'avait-il acheté ? Est-ce qu'il y avait eu des visiteurs récemment ?

Elle n'avait pas beaucoup d'informations. Elle habitait sur le bateau depuis environ un an, mais ne connaissait pas son origine. Myers ne parlait guère de ses affaires. De temps en temps, il descendait à terre voir quelqu'un mais rentrait toujours au bout d'une heure. Il était très prudent, toujours sur le qui-vive. Il ne prenait jamais de risque. Cette fois, il avait dit qu'il allait juste boire un verre. Il n'avait rendez-vous avec personne. Et il n'était pas rentré.

Quand ils atteignirent leur altitude de croisière et que Key Largo fut déjà loin derrière eux, Carlita cessa de pleurer et se calma. Lacy lui demanda s'ils pouvaient garder la sacoche de Myers et le sac à dos. Carlita accepta sans hésiter. Elle n'avait aucune envie d'être mêlée davantage à cette histoire. Myers faisait très attention à ce qu'il laissait sur le bateau parce qu'il pouvait toujours être fouillé, soit par des gens mal intentionnés, soit par les autorités. Par la poste, jamais par un service de colis privé, Greg avait envoyé des tas de documents à son frère à Myrtle Beach. Elle ne savait pas s'il avait laissé quelque chose à bord, mais doutait que ce fût des papiers importants.

Une heure plus tard, ils atterrirent à Saratosa. Gunther avait appelé un taxi par radio et Lacy donna à Carlita suffisamment d'argent pour qu'elle puisse payer la course jusqu'à son appartement de Tampa. Lacy la remercia, la serra dans ses bras et lui souhaita bonne chance, sachant qu'elle ne la reverrait sans doute jamais.

De retour dans les airs, pendant que Gunther s'occupait du vol, elle ouvrit la sacoche. Elle en sortit l'ordinateur et l'alluma, mais il était protégé par un mot de passe. Il y avait aussi un téléphone à carte et quelques dossiers. L'un contenait les papiers du bateau : immatriculation et licence (dans une société des Bahamas), assurances, carnet d'entretien, et une liasse de contrats d'assurance. Dans un autre dossier, elle trouva de la documentation sur des affaires de corruption concernant d'autres juges. Mais rien sur McDover, les Tappacolas, Cooley, la taupe ou le BJC. Rien non plus dans le sac à dos, sinon des coupures de presse sur Ramsey Mix, alias Greg Myers. À l'évidence, il avait caché à terre les documents concernant l'affaire actuelle, du moins leur version papier. Sans doute y avait-il plein de fichiers importants dans l'ordinateur et il ne fallait pas qu'ils tombent entre de mauvaises mains.

Quand ils atterrirent à Tallahassee, Lacy espérait que Gunther demeurerait à bord pour repartir aussitôt à Atlanta. Malheureusement, il avait d'autres projets. Alors qu'ils retournaient ensemble chez Lacy, une évidence s'imposait : il se considérait désormais comme un membre à part entière de l'équipe. Il avait prévu de rester quelques jours, pour veiller sur sa petite sœur.

Lacy rappela Geismar pour lui faire son rapport. Ils convinrent de se retrouver le lundi matin. Plus tard dans l'après-midi, alors que Gunther, sur la terrasse, bataillait au téléphone avec des associés, des avocats, des comptables, ou des banquiers (c'était difficile à dire) et que Lacy répondait à ses e-mails, elle reçut un

SMS d'Allie Pacheco. Plutôt lapidaire : « Vous avez le temps de boire un verre ? »

Elle renvoya : « Un verre hors travail, sans parler boulot ? »

« Tout juste. »

Or « parler boulot », c'était précisément ce qui l'intéressait. Elle l'invita donc à passer chez elle, en le prévenant que son frère était là et que leur rencontre ne serait pas absolument privée.

Pacheco arriva en bermuda et polo à 19 h 30. Lacy lui servit une bière et le présenta à Gunther, qui avait très envie de le cuisiner. L'aspect informel de cette visite ne dura pas cinq minutes. N'en pouvant plus, Gunther mit les pieds dans le plat :

— Il faut lui dire pour Myers.

Pacheco posa ses lunettes, regarda Lacy.

— OK. Qu'est-ce qui se passe avec Myers ?

— Il a disparu depuis cinq jours, répondit-elle. L'ordi sur le comptoir, c'est le sien. On l'a récupéré sur son bateau à Key Largo.

— Toute une épopée ! précisa Gunther.

Pacheco les observa tour à tour. Il leva les mains pour les arrêter.

— Tout ça est absolument illégal. Dites-moi ce que vous pouvez, j'aviserai ensuite.

Contre toute attente Gunther se tut, et laissa Lacy raconter les faits.

* * *

Quand Lacy eut terminé son récit, Pacheco, une deuxième canette de bière à la main, annonça :

— Il faut sécuriser le bateau et, pour cela, il faut prévenir la police. Cette disparition ne relève pas du niveau fédéral, pas encore du moins. On ne peut donc pas intervenir.

— Mais vous pouvez, vous, prévenir les flics, insista Lacy. Je préfère ne pas les appeler moi-même, parce qu'ils risquent de me poser trop de questions. Je n'ai pas envie que mon nom figure dans le dossier d'une personne disparue.

— Vous êtes déjà mouillée puisque vous avez son portable chez vous.

— Mais c'est sans rapport avec sa disparition.

— Allez savoir ? Personne ne sait ce qu'il y a dans cet ordinateur. Il y a peut-être une piste, une référence à un rendez-vous le jour des faits.

— Parfait ! lança Gunther. On vous le donne. On vous donne tout et vous allez trouver la police avec tout ça. Ils prendront cette affaire plus au sérieux si ça vient du FBI.

— Ça peut marcher, oui, concéda Pacheco. Mais il est toujours possible que Myers soit juste parti ? Avec son passé, la situation actuelle qui tourne mal, ce ne serait pas totalement absurde.

— J'y ai songé, répondit Lacy. Peut-être un nouvel événement lui a fait peur ? Ou il en a eu assez du bateau, ou de sa copine. Ou des deux ? Il était même prêt à retirer sa plainte. Quand il est venu chez moi, c'est ce qu'il m'a proposé. Il s'en voulait pour la mort de Hugo, et regrettait d'avoir lancé toute cette affaire. Il a pu décider de tout balancer, de tout effacer dans son ordinateur et de s'en aller.

— Mais tu n'y crois pas, lança Gunther.

— Non. J'ai eu cette conversation avec Cooley. Pour lui, c'est inconcevable. Jamais Myers ne s'enfuirait. C'est un ex-prisonnier, il a soixante ans et pas beaucoup de temps devant lui. Il a tout misé sur cette affaire de lanceur d'alerte. Il connaît ce statut comme sa poche et compte déjà les billets. Il pense que McDover et Dubose ont détourné plusieurs dizaines de millions de dollars, et cela fait un joli paquet à récupérer. J'ignore combien il a payé pour le bateau, mais il en était très fier. Il adorait naviguer d'île en île, faire de la plongée dans les Keys. C'était un type heureux et sur le point de devenir riche. Donc, non, je ne pense pas un seul instant qu'il soit parti.

— La disparition date de cinq jours, reprit Pacheco. Et l'enquête n'a pas commencé. La piste est carrément froide. Cela va être compliqué.

— Le FBI ne peut rien faire ? insista Gunther.

— Pas grand-chose. La police locale doit d'abord s'en charger. S'il y a la preuve d'un kidnapping ou de quelque chose comme ça, ils pourront faire appel à nous. Mais je doute qu'ils le fassent. En toute franchise, les chances de retrouver Myers vivant sont plus que minces.

— Cela fait une raison de plus pour chercher Dubose, intervint Lacy.

— Certes, mais la décision ne m'appartient pas.

— Combien de morts il vous faut ? grogna Gunther.

— Encore une fois, ce n'est pas moi qui décide. Comme Lacy le sait, j'étais prêt à foncer dès la semaine dernière.

Furieux, Gunther quitta la pièce et repartit sur la terrasse.

— Désolée, lâcha Lacy.

Pacheco était arrivé pensant boire un verre agréable avec une jolie fille. Il repartit de chez elle avec une sacoche de documents, un sac à dos, et plein de doutes pour la suite.

28

Lacy s'éveilla tôt le lundi avec une nouvelle mission : se débarrasser de son frère. Le stratagème incluait une visite au couloir de la mort – un endroit où il ne serait pas autorisé à entrer. Et elle devrait faire le voyage toute seule, parce que le règlement du BJC lui interdisait d'être accompagnée, durant ses heures de travail, par quelqu'un d'extérieur au service. Elle répéta dans sa tête ses arguments en préparant le café. À sa surprise, Gunther apparut douché et habillé. Un gros marché venait de tomber à l'eau – quelle surprise ! – et il devait rentrer à Atlanta de toute urgence. Effectivement, il prit à peine le temps d'avaler un toast et se dirigea vers la porte. Elle l'accompagna à l'aéroport, le remercia de son aide et lui fit promettre de revenir bientôt. Au moment où le Beechcraft décollait, elle eut un sourire et poussa un long soupir. Le destin lui avait donné un coup de main.

Une fois arrivée au bureau, elle s'entretint avec Michael, lui raconta en détail l'expédition à Key Largo. Elle lui fit l'inventaire des documents qu'elle avait récupérés dans la sacoche de cuir et le sac à dos, et lui annonça qu'elle avait remis l'ordinateur au FBI.

— Tu as vu les fédéraux ? grogna-t-il.

— Pacheco me fait du gringue et il est passé hier chez moi boire un verre. Une chose en entraînant une autre, avec Gunther qui poussait à la roue, on s'est mis à discuter de Myers. Pacheco est d'accord pour contacter la police et leur rapporter la disparition. Il était préférable, selon lui, que le FBI ait les affaires de Myers.

— S'il te plaît, dis-moi que ton frère s'en va.

— Il est déjà parti. Ce matin.

— Dieu soit loué ! Tu crois qu'il pourra tenir sa langue ?

— Ne t'inquiète pas. À Atlanta, tout le monde se fiche de notre histoire et Gunther ne fera jamais rien qui pourrait me nuire. Du calme.

— Du calme ? C'est notre plus grosse affaire et elle prend l'eau de tous les côtés ! J'imagine que tu n'as pas de nouvelles de Killebrew ?

— Non. Mais cela n'a rien d'étonnant. Il leur reste dix-huit jours pour donner leur réponse et je suis sûre qu'ils ne bougeront qu'à la dernière minute. Tout empressement de leur part serait un aveu de faiblesse. Ils sont bien trop rusés pour nous contacter maintenant. L'injonction a été déposée vendredi dernier et ils fourbissent leurs armes.

— Alors, on n'a plus qu'à attendre.

— Je ne compte pas rester là à me tourner les pouces. Je vais aller voir Junior Mace. Je veux qu'il sache qu'on se bouge.

— J'ignorais que tu le représentais.

— Bien sûr que non, mais j'ai promis de lui rendre visite. Ses avocats à Washington vont le rencontrer cet après-midi. Salzman, le responsable, m'a invitée à me joindre à eux. Cela ne dérange pas Junior. Il m'aime bien.

— Ne sois pas trop proche.

— Salzman pense que l'exécution peut être reportée. Si le mouchard revient officiellement sur son témoignage, ils pourraient même obtenir la tenue d'un nouveau procès.

— Après quinze ans ?

— Oui.

— Et en quoi ça nous avance ?

— En rien, c'est vrai. Simplement, je ne veux pas rester assise à bayer aux corneilles. En plus, la condamnation de Junior est un élément de cette conspiration. Si la mise à mort est reportée, les enquêtes reprendront. Et comme toutes les pistes mènent à Dubose, va savoir ce qui va sortir ? Il est important que nous soyons présents.

— D'accord, mais sois prudente, je t'en prie.

— Il n'y a pas plus sûr comme endroit que le couloir de la mort.

— Si tu le dis.

* * *

Lacy ferma la porte de son bureau et sortit un gros dossier contenant toutes les notes de Sadelle. Elle en extirpa une du tas, intitulée : « Les meurtres de Son Razko et Eileen Mace » et la relut.

Junior et Eileen Mace habitaient avec leurs trois enfants une maison traditionnelle sur Tinley Road, à cinq kilomètres de la réserve. (À l'époque, seule la moitié des Tappacolas vivaient sur les terres tribales, les autres étant disséminés à l'extérieur. Quatre-vingt pour cent dans le comté de Brunswick, mais certains avaient émigré jusqu'à Jacksonville.) L'après-midi du 17 janvier 1995, alors que leurs trois enfants étaient à l'école, Son Razko passa chez les Mace. Razko et Junior Mace étaient amis et s'opposaient au projet du casino. Junior était chauffeur-livreur pour une société de Moreville et à cette heure-là, il était au travail. Si Son et Eileen avaient une liaison, alors le but de cette visite était évident. Dans le cas contraire, on ne saurait jamais pourquoi il était passé. Toujours est-il que le fils aîné, en rentrant de l'école à 16 heures, les a trouvés morts et nus dans la chambre à coucher. Un médecin légiste a estimé l'heure du décès entre 14 heures et 15 heures.

Junior tétait un peu trop de la bouteille. Après avoir fait ses livraisons et ramené le camion à l'entrepôt à Moreville, il a pris son pickup et s'est arrêté dans un bar. Il a pris deux bières et joué aux fléchettes avec un gars dont on ne retrouvera jamais la trace. Vers 18 h 30, on a ramassé Junior sur le parking, à côté de son pickup, inconscient et vraisemblablement saoul. Vu son état, Junior a été emmené à l'hôpital. L'arme du crime était un .38 Smith et Wesson à canon court. La police, prévenue par un appel anonyme, a retrouvé le revolver caché sous le siège conducteur, ainsi que le portefeuille de Son Razko, et s'est rendue à l'hôpital de Moreville. Junior a passé la nuit en observation avant d'être emmené en cellule. Il a été alors accusé des deux meurtres et n'a pas été autorisé à assister aux funérailles de son épouse. Il a clamé son innocence mais personne ne l'a écouté.

Au procès qui, à la demande de la juge Claudia McDover, s'est tenu à Panama City (et non au comté de Brunswick), Junior Mace a présenté deux témoins – les deux clients chez qui il avait fait des livraisons cet après-midi-là. Le premier témoin a établi que Junior se trouvait à cinquante kilomètres du lieu du crime entre 14 heures et 15 heures. Le second qu'il était à trente kilomètres de chez lui durant la même plage horaire. À en croire les minutes du procès, ces deux témoignages n'ont pas été très convaincants, et le procureur est parvenu à persuader le jury que Junior avait pu passer chez lui entre 14 heures et 15 heures malgré ces deux livraisons. Comment avait-il trouvé le temps de garer son semi-remorque, récupérer sa voiture, rentrer chez lui, tuer deux personnes, et changer à nouveau de véhicule, cela reste un mystère.

Le dossier de l'accusation reposait sur le témoignage de deux détenus – Todd Short et Digger Robles. Les deux ont tour à tour occupé la même cellule que Junior Mace et ont affirmé que celui-ci s'était vanté d'avoir occis sa femme et son amant quand il les avait surpris ensemble au lit. Les deux témoignages étaient curieusement similaires. Les deux disaient que Junior était fier de lui, qu'il n'avait aucun remords, et qu'il ne comprenait pas pourquoi il était poursuivi en justice. (Il semblerait que les deux mouchards aient disparu de la circulation peu après le procès.)

La présence du portefeuille de Son Razko dans le pickup de Junior a été une pièce à conviction décisive. D'après la législation de l'État de Floride, un meurtre est passible de peine de mort s'il est doublé d'un autre crime : le viol, le vol, le kidnapping, ce genre de choses. Le fait que Junior ait subtilisé le portefeuille de Son faisait passer son affaire du crime passionnel au crime crapuleux.

Et la présence de l'arme sous le siège de son pickup a été fatale pour sa défense. L'analyse balistique présentée par le ministère public établissait que les balles provenaient bien de ce revolver.

Contre l'avis de son avocat (un novice de l'aide juridictionnelle pour qui c'était son premier gros procès) Junior a voulu assurer sa propre défense. Il a encore une fois clamé son innocence, répété qu'il n'était pour rien dans la mort de sa femme et de son ami. C'était un piège, une vengeance parce qu'il s'opposait à la construction du casino. Il prétendait qu'on l'avait drogué, que quelqu'un avait mis quelque chose dans sa bière au bar, qu'il n'avait bu que trois pintes, et puis que cela avait été le trou noir et qu'il ne se souvenait pas même avoir quitté le bar. Le serveur a confirmé que Junior avait bu au moins trois bières et qu'il l'avait aidé à regagner son pickup et qu'il l'avait laissé là.

D'après les transcriptions des débats, il semblerait que Junior se soit défendu avec courage, même si le contre-interrogatoire avait été un vrai marathon.

Avec l'arme du crime, le portefeuille, deux témoins à charge, et deux alibis bancals, plus un prévenu apparemment saoul et qui ne se souvenait pas de grand-chose, il y avait de quoi le déclarer coupable. Pendant la deuxième phase du procès où le jury doit déterminer de la peine, l'avocat de Junior a fait témoigner Wilton, son frère, et un cousin, les deux ont assuré que Junior était un bon mari et un bon père, qu'il n'était pas alcoolique, qu'il n'avait pas d'arme, et qu'il ne s'était servi d'aucune arme à feu depuis des années.

Le jury a prononcé la condamnation à mort pour les deux assassinats.

Durant les huit jours qu'ont duré les audiences, la juge McDover, qui présidait son premier procès pour peine capitale, a soutenu l'accusation en toutes circonstances. Hormis pour le changement de tenue du procès, elle ne s'est jamais souciée de défendre les droits de Junior Mace. Elle a laissé toute liberté au ministère public durant la présentation de ses témoins, elle a rejeté toutes les objections de la défense et accordé toutes celles émanant de l'accusation. Sa gestion du procès a été critiquée en appel, et certaines de ces décisions ont fait sourciller plus d'un magistrat, mais aucune cour n'a cassé le jugement.

Durant les deux heures et demie de route jusqu'à la prison, Lacy ne cessa de songer à Hugo. Moins de deux mois plus tôt, ils avaient fait le trajet ensemble, tous les deux manquant de sommeil, avec force cafés pour rester éveillés. Ils se méfiaient alors de Greg Myers, avaient du mal à croire à cette histoire de corruption à grande échelle. Ils avaient parlé du danger, mais c'était resté une hypothèse théorique.

Comme ils avaient été naïfs !

Quand elle entra dans le comté de Bradford, elle suivit les panneaux vers Starke, puis vers la prison. Il lui fallut une demi-heure encore pour parvenir à l'aile Q. Il était près de midi, un lundi. Aucun avocat en vue. Elle attendit un quart d'heure dans une petite salle avant que les surveillants n'amènent Junior. On lui ôta ses menottes et le condamné s'assit de l'autre côté de la paroi de Plexiglas. Il décrocha le téléphone, sourit.

— Merci d'être venue.

— Bonjour, Junior. Je suis contente de vous revoir.

— Vous semblez en forme, Lacy, malgré ce qui est arrivé. J'en déduis que vos blessures vont mieux.

— Mes cheveux repoussent, c'est tout ce qui importe.

Il lâcha un petit rire. Il semblait plus tonique, plus enclin à parler. Sans doute attendait-il avec impatience l'arrivée de ses avocats de Washington. Pour la première fois depuis des années, il y avait de l'espoir.

— Je suis désolé pour votre ami, Hugo. Je l'aimais bien.

— Merci.

Elle ne tenait pas à s'appesantir sur la mort de son partenaire, mais ils avaient du temps devant eux ; parler de ça ou d'autre chose... Elle lui expliqua que sa famille était courageuse et tenait le coup. Mais les jours étaient longs et douloureux. Junior lui posa des questions sur l'accident : comment c'était arrivé ? où et quand exactement ? avait-elle appris des choses depuis ? Il doutait que ce soit un accident, et elle lui confirma que ce n'était pas le cas. Pourquoi personne « de l'extérieur » n'était venu enquêter sur la mort de Hugo ? En choisissant ses mots, elle précisa que la situation se débloquait peu à peu dans ce sens. Ils parlèrent de Wilton, du retour de Todd Short, des avocats de Washington, et un peu de la vie dans le couloir de la mort.

Après un long silence (un parmi tant d'autres), il annonça :

— J'ai eu une visite hier. Une surprise.

— Qui était-ce ?

— Lyman Gritt. Vous savez qui c'est ?

— Oui. On s'est même rencontrés, quoique je n'en aie aucun souvenir. On m'a dit qu'il a organisé les secours et qu'il a assuré mon transport à l'hôpital. Je suis passée à son bureau pour lui dire merci, mais il semble avoir été remplacé. Curieuse coïncidence.

Junior esquissa un sourire et se pencha vers la vitre.

— Très curieuse. Ça s'agite. Il faut que vous soyez très prudente.

Elle haussa juste les épaules pour ne pas l'interrompre.

— Gritt est un type bien, poursuivit-il. Il était en faveur du casino. On était donc dans les deux camps opposés. Mais nous deux, ça remonte à loin. Mon père et son oncle ont été élevés ensemble dans une cabane, en bordure de la réserve. Ils étaient comme deux frères. Nos familles ne sont plus proches, à cause du casino. N'empêche que Gritt est un gars droit et il sait qu'il se passe des choses louches. Il n'a jamais apprécié le chef. Aujourd'hui, il le méprise carrément ; lui et toute sa famille. C'est le fils de Cappel qui est aujourd'hui le responsable de notre police. Alors il n'y aura aucune enquête concernant votre accident. Tout sera étouffé. Mais Gritt sait la vérité, et il dit avoir des preuves. C'est pour ça qu'il veut vous parler.

— Me parler à moi ?

— Oui. Il pense qu'on peut vous faire confiance. Il se méfie des flics du comté. Il est certain qu'ils ne voudront pas se mouiller. Comme vous le savez, la tribu n'est pas très loquace avec ceux de l'extérieur, en particulier quand ils portent des insignes de police. Mais Gritt a des choses à vous montrer.

— Quel genre ?

— Il ne l'a pas dit ou ne voulait pas en parler ici. Les murs ont des oreilles ; il nous faut être prudents. Gritt est dans une position délicate. Il a une femme, trois enfants, et Cappel et sa bande s'y connaissent en intimidation. Tout mon peuple vit sous une chape de plomb, personne ne parle. En plus, le casino leur offre la belle vie. Pourquoi faire des vagues ?

Lacy avait du mal à croire que les autorités pénitentiaires espionnaient les conversations entre les détenus et leurs avocats, mais Gritt n'était pas avocat. Leur entretien n'avait peut-être pas eu lieu dans cette zone sécurisée de l'aile Q.

— Pourquoi pense-t-il pouvoir me faire confiance ? On ne se connaît pas.

— Parce que vous n'êtes pas flic et que vous êtes la première personne à être venue dans la réserve pour poser des questions. Vous et Hugo.

— D'accord. Et comment suis-je censée rencontrer Gritt ?

— Par Wilton.

— Qui doit faire le premier pas ?

— On s'est mis d'accord avec Gritt. Je vais appeler Wilton pour qu'il prenne les choses en main. À condition que vous acceptiez de lui parler.

— Bien sûr que j'accepte.

— Alors je passerai le mot à Wilton. Inutile de vous dire qu'il faut y aller sur des œufs. Tout le monde est terrifié. Et ils surveillent Gritt, et sans doute Wilton aussi.

— Et ces gens savent que Todd Short est de retour ?

— Je ne crois pas. Mes avocats ont vu Short ce matin, quelque part loin de la réserve. S'il tient sa promesse et revient sur son témoignage, tout le monde sera au courant. À partir de ce moment, il sera un mort en sursis.

— Ils ne peuvent tuer tout le monde.

— Ils ont tué votre ami. Son et Eileen. Et sans doute Digger Robles, l'autre mouchard.

Et peut-être aussi Greg Myers…

— Et ils tiennent à ce que l'État de la Floride me règle mon compte. Rien ne les arrête, Lacy. N'oubliez jamais ça.

— Je ne risque pas.

* * *

Salzman et un collègue nommé Fuller arrivèrent juste après 13 heures. Ils étaient en tenue décontractée, en pantalon de toile et mocassin, à mille lieues de l'austère costume rayé en vigueur dans le microcosme de Washington. Leur cabinet comptait mille avocats sur les cinq continents. La défense des détenus était leur spécialité et leur réputation imposait le respect. Lacy s'était renseignée sur eux. Ils se battaient bec et ongles pour sauver les condamnés à mort.

Leur rendez-vous avec Todd Short s'était passé à merveille. Le mouchard avait fait une déposition en vidéo de deux heures où il reconnaissait avoir été recruté par la police et le procureur pour faire un faux témoignage en échange d'argent et d'un allége-ment de peine. Salzman l'avait trouvé fiable et pétri de remords. Junior détesterait à vie ce gars qui l'avait envoyé dans le couloir de la mort, mais il lui était reconnaissant de ce sursaut de conscience.

Salzman allait déposer un nouveau recours auprès de la cour de Floride et demander un ajournement de l'exécution. Ensuite, ils iraient trouver le procureur général de la Floride, et pousseraient jusqu'à la cour fédérale s'il le fallait. Le parcours donnait le vertige à Lacy, mais Salzman semblait connaître son affaire. C'était un expert dans le domaine de l'habeas corpus, et sa confiance était communicative. Il voulait obtenir la tenue d'un nouveau procès, un procès où Claudia McDover ne pourrait mettre son nez.

29

Le téléphone à carte vibra dans la poche de Lacy tôt le mardi matin. Cooley venait aux nouvelles. De son côté, il n'en avait aucune de Greg. Rien d'étonnant. Il lui annonça qu'il lui avait envoyé un nouveau téléphone par la poste et qu'il serait dans sa boîte dans la matinée au plus tard. Quand elle le recevrait, elle devrait détruire le précédent.

Pour le déjeuner, elle retrouva Allie Pacheco dans une sandwicherie près du capitole. Il lui annonça que la police de Key Largo avait mis le *Conspirator* sous scellés. Il irait les voir dans un jour ou deux pour leur remettre l'ordinateur, la sacoche et le sac à dos. C'était leur enquête, pas celle du FBI, mais il leur promettrait son entière coopération. La police interrogeait les gens à la marina, mais n'avait pour l'instant aucune info. Sans photo, sans même un portrait-robot de la personne disparue, et une piste plus que froide, leur chance de le retrouver était réduite à zéro.

Après avoir parlé travail quelques minutes, Pacheco annonça :

— Et si on s'offrait un vrai dîner ?

— Où en sommes-nous, professionnellement parlant ?

— Sur de très bonnes bases, répondit-il avec un sourire. On est à l'évidence dans la même équipe.

Déontologiquement, je n'ai pas le droit de draguer les filles du bureau. De ce côté-là, on est dans les clous.

— « Draguer les filles » ?

— C'est juste une façon de parler. Ne le prenez pas mal. J'ai trente-quatre ans. Et j'imagine qu'on est dans la même tranche d'âge. On est tous les deux célibataires et franchement, c'est vraiment agréable de rencontrer une jolie femme dans la vie réelle. Ça me change des sites. Vous avez déjà fait des rencontres en ligne ?

— Deux fois. Deux désastres.

— Je pourrais vous en raconter des vertes et des pas mûres, mais je ne veux pas vous ennuyer avec ça. Alors ce dîner ?

Si elle acceptait, ce serait uniquement parce qu'il était mignon, et bien fait de sa personne, quoiqu'un peu trop fanfaron à son goût, mais c'était un classique chez les jeunes agents du FBI – toujours trop sûrs d'eux ! Mais ce ne serait en aucun cas parce que le BJC était dans une impasse et avait besoin d'un coup de main.

— Quand ? demanda-t-elle.

— Je ne sais pas. Ce soir ?

— Et si on l'apprend ? Votre patron risque de ne pas être content.

— Vous l'avez rencontré. Il n'est jamais content de toute façon. C'est une seconde nature chez lui. Mais non, je ne vois pas de conflit d'intérêts. Encore une fois, on est dans le même camp. En plus, vous nous avez déjà tout raconté. Il n'y a pas de secrets entre nous, n'est-ce pas ?

— Des secrets, il y en a toujours. C'est juste que je ne les connais pas encore.

— Je ne vous poserai pas de questions. Et de votre côté ? Votre patron ?

— C'est un tendre.

— C'est bien ce que je me suis dit. Quand vous êtes dans la pièce, on croirait que c'est vous la boss. Un dîner, une bonne bouteille, et pourquoi pas quelques chandelles ? Je passe vous prendre à 19 heures, à condition que votre frère ne soit pas de la partie.

— N'ayez crainte, il est rentré chez lui.

— Parfait. Il est assez envahissant.

— Gunther est très protecteur avec sa petite sœur.

— On ne peut le lui reprocher. 19 heures alors ?

— 19 h 30. Trouvez un endroit sympa, mais rien de luxueux. Oubliez les bougies. On est payés par l'État et on partagera l'addition.

— Marché conclu.

* * *

Il vint la chercher à bord d'un SUV flambant neuf, qu'il avait lavé et astiqué pour l'occasion. Pendant les cinq premières minutes, ils parlèrent voitures. Lacy en avait assez de sa Ford et était prête à en acheter une nouvelle. Elle aimait beaucoup son ancienne hybride, mais après l'accident elle avait envie de quelque chose de plus solide. Ils sortaient de la ville, cap au sud.

— Vous aimez la cuisine cajun ?

— J'adore.

— Vous êtes déjà allée chez Johnny Ray ?

— Non, mais on m'a dit que c'est super.

— C'est ce qu'on va voir.

Elle aimait bien son SUV mais il était un peu trop masculin à son goût. Combien pouvait coûter un tel engin ? Après quelques recherches sur Internet, elle savait qu'un agent spécial, en début de carrière, était payé cinquante-deux mille dollars par an. Allie avait cinq ans d'ancienneté ; il devait donc gagner à peu près autant qu'elle. Il avait dit que l'appartement de Lacy était très beau et que de son côté il était en colocation avec un autre agent. Les mutations étaient récurrentes au FBI, et il hésitait à acheter.

Ils échangèrent les politesses et questions d'usage, même si chacun avait enquêté sur l'autre. Il avait grandi à Omaha ; université et faculté de droit du Nebraska. Quand il n'était pas de service, il avait cette attitude débonnaire des gens du Middle West, sans plus aucune trace d'arrogance. Il avait passé son diplôme de premier cycle universitaire à William & Mary ; son droit à Tulane. Ils se découvrirent un point commun : La Nouvelle-Orléans où il avait été affecté les deux premières années. Ni l'un ni l'autre ne regrettait l'endroit – trop humide, trop de criminalité, mais avec la patine du temps, ils en parlaient avec une certaine nostalgie. Quand ils arrivèrent sur le parking du restaurant, Pacheco, au goût de Lacy, avait fait un sans-faute. Du calme, se dit-elle, ils finissent toujours par décevoir.

Une fois installés à une table d'angle, ils ouvrirent les menus. Quand la serveuse fut partie, elle déclara :

— Juste pour mémoire : on partage l'addition.

— D'accord, mais j'aurais aimé payer. Après tout l'invitation vient de moi.

— C'est gentil, mais non, on partage.

Et le débat fut clos.

Ils décidèrent de commencer par une douzaine d'huîtres et une bouteille de sancerre. Une fois leur commande passée, Pacheco demanda tout de go :

— Alors, de quoi voulez-vous parler ?

Elle lâcha un petit rire.

— De tout, sauf de l'affaire.

— Normal. Vous choisissez un sujet, et moi un autre. Comme ça c'est équitable. Tous les sujets sont ouverts sauf le casino et consorts.

— C'est vaste. Commencez et on verra pour la suite.

— D'accord. J'ai une grande question. Mais si vous ne voulez pas en parler, je comprendrai. Qu'est-ce que ça fait de se prendre un airbag dans la figure ?

— J'en conclus que vous ne connaissez pas ce bonheur.

— Pas pour l'instant.

Elle but une gorgée d'eau et prit une grande inspiration.

— C'est bruyant, et brutal. Il est là tranquille, invisible derrière le volant, on n'y pense jamais et, en une fraction de seconde, il vous explose au visage et vous donne une grande claque. Avec ça, plus le choc, j'ai perdu connaissance. Pas très longtemps, puisque je revois une ombre qui tournait autour de la voiture. Ensuite, plus rien. L'airbag m'a sauvé la vie, mais à la dure. Une fois me suffit amplement.

— Je comprends. Vous avez totalement récupéré ?

— Quasiment. J'ai encore un peu mal ici et là, mais chaque jour ça s'améliore. Mais je voudrais bien que mes cheveux repoussent plus vite.

— Vous êtes très belle avec les cheveux courts.

Le vin arriva. Lacy le goûta et l'accepta. Ils firent tinter leurs verres et burent chacun une gorgée.

— À vous.

— Déjà ? Vous en avez assez de parler airbags ?

— C'était juste par curiosité. Un ami à moi a voulu éviter un piéton et il a tapé un poteau électrique à trente kilomètres à l'heure. Cela n'aurait été rien si l'airbag ne s'était pas déclenché. Il a eu le visage tuméfié pendant une semaine. Il se promenait partout avec son sac de glace.

— C'est quand même mieux d'en avoir un. Pourquoi avez-vous fait du droit ?

— Mon père était avocat à Omaha et cela semblait l'évidence. Je ne voulais pas changer le monde, à l'inverse des autres étudiants de première année. Je voulais juste un travail sympa. Mon père s'en était bien sorti et j'ai travaillé dans son cabinet pendant un an. Mais je me suis vite lassé et j'ai décidé qu'il était temps de quitter le Nebraska.

— Pourquoi le FBI ?

— Pour le fun. Pas d'horaires fixes, pas de journée derrière un bureau. Quand on court après les méchants – les grands, les petits, les rusés, les débiles – on n'a pas le temps de s'ennuyer. Et vous ? Qu'est-ce qui vous a fait choisir d'enquêter sur les juges ?

— Je ne pensais pas faire ça quand j'ai commencé mon droit. Le secteur était plutôt bouché à ma sortie de la fac, et je n'avais aucune envie de me retrouver dans un grand cabinet. On y embauchait plein de femmes, la moitié de ma promo était des filles, mais je ne voulais pas faire des semaines de cent heures. J'ai des amies qui ont pris cette voie et elles sont en vrac. Mes parents ont pris leur retraite en Floride. J'étais là-bas quand je suis tombée sur une petite annonce du BJC.

— Vous avez passé l'entretien et vous avez été prise. Évidemment.

Les huîtres arrivèrent sur des plateaux de glace. La conversation s'arrêta pour commencer le rituel de la dégustation. À la mode de La Nouvelle-Orléans : citron et sauce cocktail rehaussée de raifort. Pacheco les avalait dans leur coquille, Lacy sur des crackers. Les deux méthodes étaient valables.

— Alors comme ça, vous avez rendu visite à Junior Mace hier ?

— Oui. C'était la deuxième fois. Vous êtes déjà allé dans le couloir de la mort ?

— Non. Mais cela ne va pas tarder. Vous avez appris des choses ?

— Vous faites quoi là ? Me tirer les vers du nez ?

— Déformation professionnelle. C'est dans mon ADN.

— J'ai peut-être une piste, une ouverture, enfin j'espère. Junior avait effectivement des infos. Mais je crois surtout qu'il aime avoir des visites.

— Vous ne voulez pas me dire ce que c'est ?

— Non. Enfin, si peut-être. Vous avez lu notre rapport concernant son procès et sa condamnation ?

— Jusqu'au moindre mot.

— Vous vous souvenez de ces deux mouchards qui ont disparu peu après le verdict.

— Todd Short et Digger Robles.

Elle esquissa un sourire, impressionnée.

— Exactement. Pendant des années, on pensait qu'ils avaient été éliminés pour qu'ils ne puissent pas se rétracter, ce qui arrive souvent. Il semble que l'un des deux ait réellement disparu. L'autre, en revanche, est revenu d'entre les morts. Au sens propre, quasiment. Et il est en train de mourir d'un cancer et veut effacer son ardoise avant de quitter ce monde.

— C'est une bonne nouvelle, non ?

— À voir. Les avocats de Junior étaient à Starke hier, et ils m'ont demandé d'assister à la réunion. Ils y croient. D'abord ils veulent ajourner l'exécution et puis obtenir la tenue d'un nouveau procès.

— Un nouveau procès ? Les faits datent de quinze ans.

— Oui. Quinze ans. Cela me paraît un peu vieux. Mais ils semblent sûrs de leur coup.

— Ce n'est pas votre affaire, n'est-ce pas ? Vous n'êtes pas partie prenante dans les appels de Junior Mace. Vous y êtes donc allée pour une autre raison.

— C'est vrai. Il pense avoir du nouveau.

Allie sourit. Elle ne lui en dirait pas plus. Ils finirent leurs huîtres et discutèrent de la suite du repas. Finalement, il opta pour une autre douzaine d'huîtres. Elle pour une assiette de gombos.

— À qui le tour ? demanda-t-il.

— C'est à vous, je crois.

— Très bien. Sur quelles autres affaires travaillez-vous en ce moment ?

Elle sourit et but un peu de vin.

— En restant dans les limites de la confidentialité, et sans donner aucun nom, on essaie en ce moment de radier un juge qui biberonne un peu trop. Deux avocats et deux plaignants nous ont alertés. Le pauvre diable se bat contre son addiction depuis des lustres et en ce moment il perd la partie. Il refuse de tenir des audiences avant midi. Parfois, les oublie carrément.

L'une des greffières rapporte qu'il a une flasque d'alcool cachée sous sa robe et qu'il en verse une rasade dans son café. Les dossiers s'accumulent dans son service. Et tout le monde en pâtit. C'est vraiment triste.

— Ce ne devrait pas être difficile de le faire limoger.

— Quand il s'agit d'un juge, rien n'est facile. Ils aiment leur boulot et le plus souvent ils n'ont aucun point de chute quand ils raccrochent. À moi : Et vous, sur quoi travaillez-vous ?

Pendant une heure, ils se racontèrent leurs histoires. Le monde de Pacheco, où se mêlaient cellules terroristes, narcotrafiquants, était bien plus excitant que les chasses aux juges du BJC, mais il ne montra aucune condescendance et sembla fasciné par son travail. Quand la bouteille fut vide, ils commandèrent du café et continuèrent à parler.

Une fois de retour, il l'accompagna jusqu'à son perron comme un gentleman et s'arrêta devant sa porte.

— Lacy, il faut que je vous demande quelque chose…

— Si vous pensez au sexe, la réponse est non. J'ai encore mal partout. Je ne suis pas d'humeur.

— Je ne pensais pas au sexe.

— C'est votre premier mensonge de la soirée ?

— Le deuxième peut-être.

Il la regarda et fit un pas vers elle.

— Luna est presque mûr. La disparition de Myers retient toute notre attention. J'ai passé la journée à le convaincre que ce dossier est bien plus gros qu'on ne l'imagine. Nous avons besoin d'un autre coup de pouce, un dernier, et Luna sera partant. Voilà ce qu'il me faut.

— Et votre big boss à Jacksonville ?

— Il est dur, mais ambitieux aussi. S'il voit le potentiel de cette affaire, comme nous, il reviendra sur sa décision. Donnez-nous encore un truc, rien qu'un.

— Je vais essayer.

— Je sais que vous allez y arriver. Je serai à côté du téléphone.

— Merci pour la soirée.

— C'est moi qui vous remercie.

Il lui fit une bise sur la joue et lui souhaita bonne nuit.

30

Wilton Mace, au téléphone, annonça qu'il appelait d'une cabine ; il semblait effectivement nerveux, pour ne pas dire sur le qui-vive, comme s'il ne cessait de regarder derrière lui. Demain, Lyman Gritt emmenait sa femme voir un médecin à Panama City, un spécialiste. Il voulait rencontrer Lacy dans le cabinet, un endroit où personne ne le surveillerait. Wilton lui donna les détails et lui demanda si elle pourrait le reconnaître. Impossible, elle ne l'avait jamais vu, mais son patron le pouvait. Et il voudrait de toute façon l'accompagner. Gritt n'allait pas être d'accord, mais ils trouveraient une solution.

Lacy et son patron arrivèrent une heure à l'avance. Michael resta dans la voiture pendant qu'elle pénétrait dans l'immeuble qui regroupait médecins et dentistes sur trois niveaux. Elle flâna au rez-de-chaussée, étudia le panneau d'affichage, prit un café, puis monta dans l'ascenseur jusqu'au deuxième étage. C'était le cabinet médical d'un groupe de gynécologues. Dans la salle d'attente design il n'y avait que des femmes, seulement deux hommes. Lacy retourna à la voiture et attendit que Michael fasse à son tour son inspection des lieux. Quand il revint, il était du même avis qu'elle : pas de danger en vue. L'endroit parfait pour une rencontre. Des dizaines de patients entraient et sortaient du bâtiment. À 13 h 45, Michael désigna du menton un couple qui venait de quitter leur voiture.

— C'est Gritt.

Il mesurait environ un mètre quatre-vingts, mince, mais avec une bedaine. Son épouse était beaucoup plus petite et plus ronde. Ses cheveux bruns étaient coiffés en natte.

— Vu ?

— Oui.

Quand ils pénétrèrent dans le cabinet médical, Lacy descendit de voiture et entra à son tour. Michael resterait derrière le volant pour surveiller les alentours en croisant les doigts pour qu'il ne remarque rien de suspect. Dans le hall, Lacy consulta à nouveau le panneau d'affichage, traîna un peu dans le hall, puis prit l'ascenseur. En entrant dans la salle d'attente, elle repéra Gritt et sa femme. Ils étaient assis au fond de la salle, semblant mal à l'aise, comme toutes les autres personnes. Lacy saisit un magazine, trouva une chaise à l'autre bout de la pièce. Amy Gritt regardait le sol comme si elle redoutait le pire. Lyman feuilletait un numéro de *People*. Lacy ne savait pas si on avait dit à Gritt à quoi elle ressemblait. En tout cas, il ne prêtait aucune attention à elle. À la réception, l'employée était trop occupée pour remarquer que la jeune femme ne s'était pas présentée. On appela quelqu'un. La patiente se dirigea lentement vers le comptoir où elle fut accueillie par une assistante austère qui la conduisit vers une porte. Le lent ballet des appels se poursuivit pendant une demi-heure et, en un flot continu, de nouvelles patientes remplaçaient celles qui s'en allaient. Lacy surveillait Gritt du coin de l'œil. Au bout d'une heure, elle consulta sa montre, comme si elle trouvait le temps long. Enfin, on appela Amy et elle se dirigea à son tour vers le comptoir. Dès qu'elle fut hors de vue, Lacy se leva et tourna la tête vers Lyman. Quand leurs regards se rencontrèrent, elle lui fit un petit signe de tête et quitta la salle d'attente. Elle se rendit au bout du couloir et attendit. Quelques secondes plus tard, Gritt sortit à son tour et se dirigea vers elle.

Elle lui tendit la main.

— Je suis Lacy Stoltz.

Il la serra doucement, avec un sourire, et par réflexe regarda derrière lui.

— Lyman Gritt. Vous avez meilleure mine que la dernière fois où je vous ai vue.

— Ça va mieux. Merci pour ce que vous avez fait.

— C'est mon boulot. C'était pas beau à voir. Désolé pour votre ami.

— Merci.

Il marcha vers une fenêtre et s'adossa à la vitre, pour avoir une bonne vue sur le couloir. Les patients entraient et sortaient de différentes pièces, personne ne faisait attention à eux.

— Nous n'avons pas beaucoup de temps, annonça-t-il. Je n'ai aucun lien avec les magouilles qui se passent sur nos terres. Je suis un flic, un flic honnête, et je dois protéger ma famille. Je ne veux pas que mon nom apparaisse dans l'enquête. Je ne viendrai pas témoigner. Dans aucun tribunal. Je ne désignerai personne de mon peuple, ni aucun des gangsters qui tirent les ficelles. C'est bien clair ?

— Parfaitement. Mais comme vous le savez je ne maîtrise pas tout. Vous avez ma parole. Sur ce point, je suis catégorique.

Il plongea la main dans la poche de son jean et en sortit une clé USB.

— Il y a deux vidéos dessus. La première provient de la police de Foley, en Alabama. Ils ont eu de la chance. Quelqu'un, je ne sais pas qui, a filmé le voleur du pickup. L'autre vidéo a été enregistrée un quart d'heure après l'accident, dans une boutique juste à la sortie de Sterling. À mon avis, on y voit clairement le conducteur du véhicule qui vous a percutés, celui assis sur le siège passager du pickup. J'ai mis aussi une note avec toutes les infos que j'ai.

Lacy contempla la clé.

Gritt sortit d'une autre poche un sachet de plastique.

— Et ça, c'est un morceau de Kleenex imprégné de sang. Je l'ai trouvé à cent mètres du lieu de l'accident, deux jours après les faits. Je pense que le sang appartient audit passager dans la seconde vidéo. À votre place, je ferais relever l'ADN, en croisant les doigts pour que le gars soit fiché. Avec un peu de chance, vous aurez un nom.

Lacy prit le sachet.

— Vous avez des copies ?

— Oui. Et il me reste un bout du mouchoir, mais personne ne les trouvera.

— Je suis sans voix.

— Alors ne dites rien. Faites votre boulot et coincez ces salopards. Mais que mon nom ne figure nulle part.

— Je vous le promets.

— Merci, madame Stoltz. On ne s'est jamais rencontrés.

Il s'éloigna.

— Merci à vous. J'espère que ce n'est rien de grave pour votre femme.

— Elle va bien. Juste un contrôle de routine. Elle a peur des médecins, alors je l'accompagne.

* * *

Ni Michael ni Lacy n'avaient pensé à apporter un ordinateur, sinon ils seraient allés dans un fast-food, auraient commandé des cafés, trouvé une table tranquille et visionné aussitôt les images. Au lieu de ça, ils retournaient à toute vitesse au bureau, brûlant de voir ce qu'il y avait sur les vidéos.

— Pourquoi tu ne lui as pas posé de questions ? marmonnait Michael.

— Parce qu'il était pressé. Il m'a donné la clé, m'a dit ce qu'il avait à dire, et il est parti.

— Moi, je ne l'aurais pas laissé filer comme ça.

— Tu n'en sais rien. Arrête de râler. Qui dirige la Sécurité intérieure en Floride ?

— Gus Lambert. C'est le nouveau du DLE et je ne le connais pas.

— D'accord. Tu connais quelqu'un au capitole ?

— Oui, un vieil ami.

Michael appela à deux reprises son « vieil ami » mais ne put le joindre. Lacy téléphona à une camarade qui travaillait au département de la Justice et obtint le nom d'un responsable du laboratoire de la police scientifique à Tallahassee. L'homme en question était occupé, plutôt revêche, et annonça qu'il la rappellerait le lendemain.

Quand ils eurent tous les deux raccroché, Michael se tourna vers Lacy.

— Le labo ne le fera pas sans le feu vert des huiles.

— Je vais appeler Gus Lambert. Je suis sûre que je peux l'avoir au charme.

Mais d'abord il fallait charmer la secrétaire du Department of Law Enforcement, et malheureusement elle resta de marbre. Son patron était en rendez-vous et était très occupé. L'ami de Michael rappela pour demander des détails. Tout en doublant tout le monde sur l'Interstate 10, Michael lui expliqua qu'il s'agissait d'une affaire urgente liée à la mort suspecte d'un membre du BJC. Abbott, l'ami en question, se souvenait de l'accident où Hugo avait perdu la vie.

— On a de bonnes raisons de penser qu'il ne s'agissait pas d'un accident. Nous avons une source chez les Tappacolas et maintenant un échantillon de sang. Une pièce cruciale. Il faut que le labo nous analyse ça.

Pendant que les deux hommes parlaient, Lacy fit quelques recherches sur le web avec son téléphone. N'ayant jamais eu besoin de faire pratiquer des tests ADN, elle était novice en la matière. Un site de science expliquait que les meilleurs laboratoires en médecine légale étaient capables de réaliser un test en quelques heures. La police avait donc le temps de lancer une recherche sur leurs fichiers et de déterminer si l'homme qu'elle avait arrêté était l'auteur du crime qui les occupait – et éventuellement d'autres crimes. Il y avait encore cinq ans, il fallait deux ou trois jours pour avoir un résultat. Le suspect avait alors tout le temps de payer sa caution et de disparaître.

— Non, disait Michael au téléphone, aucune enquête n'a été ouverte, ni par la police locale, ni par le DLE. Les faits se sont produits sur la réserve des Tappacolas. Et c'est la prérogative des Indiens. Et c'est bien là le problème. Je te demande un service, Abbott. Et ça urge.

Michael se tut, écouta la réponse de son interlocuteur et lâcha un « merci ». Il raccrocha.

— Il va en toucher deux mots à Lambert.

* * *

Il était près de 17 heures quand Michael et Lacy arrivèrent au laboratoire de la police scientifique, dans les faubourgs de Tallahassee. Abbott les attendait sur le perron, avec le Dr Joe Vasquez, le chef du labo. Après de rapides présentations, ils suivirent les deux hommes dans une petite salle de réunion. Lacy posa sur la table le sachet de plastique. Vasquez le regarda fixement mais n'y toucha pas.

— Quelles infos vous avez là-dessus ? demanda-t-il.

— Pas grand-chose. Notre contact dans la tribu nous l'a remis en début d'après-midi. Je crois qu'il s'agit d'un morceau de mouchoir en papier avec du sang dessus.

— Qui l'a touché ?

— Aucune idée. Mais notre source connaît la procédure pour ce genre de chose. Je pense qu'il l'a manipulé un minimum.

— Combien de temps ça va prendre ? s'enquit Michael.

Vasquez eut un sourire plein de fierté.

— Deux heures.

— C'est incroyable.

— En effet. La technologie progresse vite. Dans deux ans, les inspecteurs devraient pouvoir pratiquer des tests ADN sur la scène même du crime, à partir d'échantillons de sang ou de sperme.

— Et combien de temps pour finaliser une recherche sur le fichier informatique de l'État ?

Vasquez se tourna vers Abbott.

— Une demi-heure, tout au plus, répondit-il.

* * *

Sur le chemin du retour, Lacy et Michael achetèrent à manger chez leur traiteur chinois préféré près du capitole. À leur arrivée au BJC vers 18 heures, les locaux étaient déserts, comme ils l'espéraient. En oubliant leur dîner, ils filèrent dans le bureau de Michael et branchèrent la clé sur son ordinateur. Ils visionnèrent les deux vidéos, imprimèrent les deux pages de notes compilées par Gritt, et lurent le document avec attention, analysant chaque information. Puis ils regardèrent encore et encore les deux enregistrements. Lacy n'en revenait pas : elle avait sous les yeux l'arme du crime – le pickup – et peut-être même le meurtrier – le type au nez en sang.

Sur chaque vidéo, il y avait deux hommes différents. Quatre personnes en tout. Était-ce là un échantillon de la bande de Dubose ? Ils avaient des photos de Dubose devant l'appartement de Rabbit Run, mais pas le trombinoscope du reste du groupe. Le conducteur sur la deuxième vidéo, celle tournée devant le magasin de Frog, était particulièrement intéressant. Il était plus vieux que les autres, environ quarante-cinq ans, bien habillé, avec une chemisette de golf et un pantalon de toile parfaitement repassé. Il avait poussé le souci du détail jusqu'à changer les plaques d'immatriculation de son véhicule. Peut-être était-ce le cerveau de l'opération, un lieutenant de Dubose ? Était-ce lui que Lacy avait vu sur les lieux de l'accident, avec une lampe, à fouiller la carcasse de la Prius pour récupérer les téléphones pendant que Hugo se vidait de son sang ? N'empêche qu'il avait commis une grosse erreur : se garer juste devant le magasin de Frog et montrer son visage à la caméra. Allie disait souvent que même les criminels les plus futés faisaient des choses stupides.

Leurs nouilles sautées au poulet étaient froides, mais ni l'un ni l'autre n'avaient faim de toute façon. Le téléphone de Michael sonna à 19 h 50. C'était Abbott.

— On a ton gars.

Le sang appartenait à un certain Zeke Foreman, vingt-trois ans, en liberté conditionnelle avec déjà deux condamnations pour trafic de drogue. Son ADN était dans le fichier depuis cinq ans, date de sa première arrestation. Abbott leur envoya trois photos par e-mail, deux clichés de police et un provenant des archives de la prison.

Michael le remercia chaleureusement, et lui dit que ce serait à charge de revanche.

Lacy se tenait devant l'imprimante, quand les trois photos sortirent. Michael figea la seconde vidéo sur un plan où l'on distinguait les deux visages. On reconnaissait bien le passager, même avec son nez en sang. C'était Zeke Foreman.

* * *

Allie Pacheco fut ravi de retrouver Lacy chez elle pour boire un verre en fin de soirée, même si au ton de la jeune femme, le rendez-vous n'aurait rien de romantique. Elle lui précisa que c'était très urgent. Rien de plus. Elle lui montra les deux vidéos et les trois photos, ils relurent ensemble les notes de Gritt et parlèrent de l'affaire jusqu'à minuit, en vidant une bouteille de vin.

31

Zeke Foreman habitait avec sa mère aux alentours de Milton, une petite bourgade aux environs de Pensacola. Le FBI surveilla la maison pendant deux jours mais ne vit aucun signe de lui, ni de sa vieille Nissan. Selon son agent de probation, il devait venir au poste le 4 octobre, pour son rapport mensuel, et n'avait jamais omis de se présenter. Il n'avait aucune envie de retourner en prison. Foreman faisait des petits boulots et n'avait pas fait parler de lui depuis treize mois.

Comme prévu, le 4, Foreman se présenta à son référent dans le centre-ville de Pensacola. Quand celui-ci lui demanda ce qu'il avait fait ce mois-ci, il récita son histoire : il avait conduit un camion pour un ami jusqu'à Miami. Imperturbable, l'employé lui annonça que deux personnes voulaient lui dire bonjour. Il ouvrit la porte et les agents spéciaux Allie Pacheco et Doug Hahn entrèrent dans le bureau. Il sortit de la pièce, les laissant seuls.

— Qu'est-ce qui se passe ? demanda Foreman, impressionné de voir débarquer le FBI.

Les deux agents restèrent debout.

— Parlons du 22 août, un lundi. Tu étais dans la réserve des Tappacolas vers minuit. Qu'est-ce que tu y faisais ?

Foreman joua la surprise, mais on lisait la panique dans ses yeux.

— Je ne vois pas de quoi vous voulez parler.

— Bien sûr que si. Tu conduisais un véhicule volé qui a été impliqué dans un accident. Et tu t'es enfui. Aucun souvenir ?

— Vous vous trompez de personne.

— C'est tout ce que tu as trouvé pour ta défense ?

Sur un signe de Pacheco, Hahn sortit une paire de menottes.

— Debout, reprit-il. Tu es en état d'arrestation pour meurtre avec préméditation.

— Vous plaisantez !

— C'est bien connu, on est des rigolos. Debout, les mains derrière le dos.

Ils le menottèrent, le fouillèrent, récupérèrent son téléphone, et le firent sortir par le côté du bâtiment. Ils l'installèrent à l'arrière de leur voiture et l'emmenèrent à un kilomètre de là, au QG du FBI. Personne ne pipa mot durant le trajet.

Par l'ascenseur, ils le firent monter au cinquième étage, traversèrent un dédale de couloirs pour gagner une petite pièce. Une jeune magistrate les y attendait. Elle se leva avec un sourire.

— Je suis Rebecca Webb, monsieur Foreman, procureure fédérale adjointe. Je vous en prie, asseyez-vous.

L'agent Hahn lui retira les menottes.

— Obéis, ça risque d'être long.

Il appuya sur l'épaule de Foreman pour le faire asseoir. Et tout le monde prit une chaise.

— Qu'est-ce qui se passe ? répéta le jeune homme.

Il n'avait que vingt-trois ans, mais n'avait rien d'un gamin terrorisé. Il avait eu le temps de reprendre ses esprits. Il en avait vu d'autres. Il avait les cheveux longs, des traits durs, et une belle collection de tatouages de prison.

Pacheco lui lut ses droits et lui tendit un formulaire avec les mêmes mots écrits noir sur blanc. Foreman prit tout son temps pour lire le document, puis signa au bas de la page. Oui, il comprenait la situation. Il était déjà passé par là.

— Il s'agit d'un assassinat. Cette fois, tu risques la peine capitale, à savoir la peine de mort par injection et tout le tralala.

— Et qui ai-je tué ?

— Un dénommé Hugo Hatch, le passager dans l'autre voiture, mais nous n'allons pas discuter de ça. Nous savons que tu étais sur la réserve ce soir-là et que tu conduisais un pickup volé, un gros Dodge Ram. Nous savons que tu as changé volontairement de voie pour percuter la Toyota Prius. Vous êtes restés là un petit moment, toi et le conducteur de l'autre véhicule, vous avez volé les deux téléphones et un iPad dans la Prius. On a les preuves de tout ça, inutile de discuter.

Foreman resta de marbre.

Pacheco poursuivit :

— Un quart d'heure après vous être barrés, toi et ton pote, vous vous êtes arrêtés dans une épicerie pour acheter de la glace, de la bière, et de l'alcool à quatre-vingt-dix. La mémoire te revient ?

— Non.

— Cela ne m'étonne pas.

344

Pacheco sortit une photo d'un dossier, un arrêt sur image provenant de la vidéo enregistrée devant le magasin de Frog. Il la mit sous le nez de Foreman.

— Et là ? Tu te reconnais, avec le nez en sang ?

Foreman secoua la tête.

— Je crois qu'il me faut un avocat.

— Tu vas en avoir un, dans une minute. Mais d'abord, je tiens à te dire que ce n'est pas un interrogatoire comme les autres. Nous ne sommes pas ici pour te faire avouer ta culpabilité, parce que nous savons déjà tout. Nie tout ce que tu veux, on s'en fiche. Nous avons les preuves et nous les présenterons au procès. Je vais laisser Mme Webb t'éclairer sur les véritables raisons de ta présence ici.

Foreman préféra garder les yeux baissés. Elle le regarda et déclara :

— Nous avons un marché à vous proposer, Zeke. Et plutôt avantageux. Nous savons que vous n'avez pas volé le pickup. Vous êtes allé dans la réserve pour provoquer un accident et vous vous êtes enfui, en laissant un homme agoniser. Vous n'avez pas fait ça sur un coup de tête. Vous étiez aux ordres de quelqu'un. Derrière, il y a une organisation criminelle. Ils vous ont sans doute payé grassement pour faire ça, en vous disant de quitter la ville. Vous avez peut-être déjà fait des sales boulots pour eux. Peu importe. C'est juste ce meurtre qui nous intéresse, et les commanditaires. On cherche les gros poissons, Zeke. Vous n'êtes qu'un pion. Vous êtes un meurtrier, d'accord, mais pour nous du menu fretin.

— Quel marché ? demanda Foreman en la regardant enfin.

— Le marché d'une vie, au sens propre, répondit-elle. Vous parlez et vous êtes libre. Vous nous dites tout ce que vous savez – noms, adresses, numéros de téléphone, événements passés, tout ! – et on retire les charges. On vous place dans le programme de protection des témoins, on vous donne un joli appartement quelque part en Californie, un autre nom, des papiers, un travail, un nouveau départ. Votre passé est effacé et vous serez libre comme l'air. Ou alors, c'est le couloir de la mort, où vous pourrirez pendant dix ou quinze ans, jusqu'à épuisement des recours, jusqu'au coup d'aiguille final.

Ses épaules s'affaissèrent. Il baissa la tête.

Rebecca Webb poursuivit :

— C'est un bon marché. C'est maintenant qu'il faut le saisir. Après ce sera trop tard. Si vous refusez et quittez cette pièce, vous ne sortirez plus jamais de prison.

— Il me faut vraiment un avocat.

— Pas de problème. Pour votre première condamnation, vous étiez représenté par un avocat commis d'office. Il s'appelait Parker Logan. Vous vous souvenez de lui ?

— Oui.

— Vous étiez satisfait de ses services ?

— Oui. Ça allait.

— Il est dans le hall. Vous voulez lui parler ?

— D'accord.

Hahn quitta la pièce et revint quelques minutes plus tard avec Parker Logan, un vétéran toujours prêt à défendre la veuve et l'orphelin à Pensacola. On fit rapidement les présentations. Logan serra la main de son ancien client. Il s'assit à côté de lui.

— Très bien. C'est quoi l'affaire ?

Webb sortit quelques documents d'un dossier.

— L'État vous demande de défendre M. Foreman. Voilà les papiers, ainsi que l'exposé des charges.

Logan commença à lire. Il tourna une page et demanda :

— Vous semblez bien pressée.

— On va tout vous expliquer. Finissez de prendre connaissance des faits.

Logan termina sa lecture, écrivit son nom sur un formulaire, le parapha et le donna à Foreman.

— Signez ici, annonça-t-il.

Foreman s'exécuta.

La procureure adjointe sortit d'autres documents et les tendit à Logan.

— Voici l'accord que l'on propose. Les charges qui pèsent contre votre client resteront levées tant que M. Foreman ne fera rien de répréhensible.

— Le programme de protection des témoins ?

— Exact. À compter de ce jour.

— D'abord, je veux m'entretenir avec mon client.

Webb, Pacheco et Hahn se levèrent pour se diriger vers la porte. Avant de quitter la pièce, Pacheco s'arrêta devant l'avocat.

— Je dois prendre votre téléphone, déclara-t-il. Pas d'appels.

Cette demande agaça Logan. Il hésita quelques secondes. Puis remit son mobile à l'agent.

Une heure plus tard, Logan ouvrit la porte et annonça qu'ils avaient pris une décision. Le trio reprit sa place. Logan avait tombé la veste et remonté ses manches.

— Tout d'abord, en ma qualité d'avocat de la défense, j'aimerais connaître les preuves que détient l'État contre mon client.

— On ne va pas perdre de temps à discuter des preuves, répondit Pacheco. Disons que nous avons ses traces d'ADN, prélevées sur un échantillon de sang trouvé aux abords de la scène du crime. Votre client était présent.

Logan eut un mouvement d'épaules, comme pour dire : « pas mal ».

Mais il ne se laissa pas démonter.

— D'accord. Et que va-t-il se passer si mon client quitte cette pièce, en supposant qu'il accepte votre proposition ?

— Comme vous le savez, répliqua Rebecca Webb, la protection des témoins est du ressort des US Marshals du ministère de la Justice. Ils vont l'emmener, le faire quitter la ville, puis l'État de Floride, pour le reloger quelque part très loin. Dans un joli endroit.

— Mon client s'inquiète pour sa mère et sa petite sœur.

— Elles pourront l'accompagner. Il est assez courant que le programme prenne en charge toute la famille du témoin.

— Et je peux certifier, ajouta Pacheco, que les US Marshals n'ont jamais perdu un témoin, alors qu'il y en a plus de cinq mille sous leur responsabilité. Et pour la plupart, il s'agit de transfuges du crime organisé, autrement dit des mafias puissantes qui opèrent à l'échelle nationale, pas d'une bande de malfrats locaux comme c'est le cas aujourd'hui.

Logan hocha la tête, pensif, puis se tourna vers son client.

— Je vous recommande, monsieur Foreman, d'accepter cette proposition.

Zeke prit un stylo.

— C'est parti.

Webb se dirigea vers une caméra vidéo montée sur un trépied. Elle cadra Foreman tandis que Hahn installait un magnétophone sur la table. Quand client et avocat eurent fini de parapher tous les papiers, Pacheco déposa une photographie devant Zeke. Il désigna le conducteur du pickup avec de fausses plaques de Floride.

— Qui c'est ?

— Clyde Westbay.

— Très bien. Dis-nous ce que tu sais sur lui. On est dans la même équipe maintenant. Alors je veux tout savoir. Tout.

— Westbay dirige deux hôtels à Fort Walton Beach, et…

— Où ça ? Quels noms ?

— Le Blue Château et le Surfbreaker. J'ai bossé là-bas, il y a deux ans, un poste à mi-temps où je nettoyais les piscines, taillais les haies, des conneries comme ça. J'étais payé en liquide, au noir. Je voyais Westbay de temps en temps et on m'a dit que c'était le taulier. Un jour, il m'a coincé sur le parking du Surfbreaker et m'a demandé si j'avais un casier. Il m'a dit que d'ordinaire il n'engageait jamais des repris de justice, et que j'avais intérêt à me tenir à carreau. Il était plutôt vachard avec moi au début, mais avec le temps il est devenu plus sympa. Il m'appelait « le taulard ». Je n'appréciais pas, mais je laissais filer. Westbay, c'est pas le genre de type devant qui on la ramène. Les deux hôtels étaient plus jolis que ceux

349

de la concurrence, et ils étaient pleins tout le temps. J'aimais bien travailler là-bas, parce qu'il y avait toujours un tas de gonzesses autour de la piscine. C'était joli à regarder.

— On n'est pas là pour parler des filles, intervint Pacheco. Qui d'autre travaillait dans ces hôtels ? Je ne parle pas des grouillots comme toi. Qui étaient les cadres, le sous-directeur, des gars comme ça ?

Foreman gratta sa barbe et donna quelques noms, fouillant sa mémoire. Hahn pianotait sur son clavier. Dans les bureaux du FBI à Tallahassee, deux agents suivaient la déposition de Foreman sur un écran et faisaient des recherches. En quelques minutes, ils apprirent que le Blue Château et le Surfbreaker étaient la propriété de la Starr S, une société basée au Bélize. Quelques clics plus tard, ils découvrirent que cette société possédait également un centre commercial dans le comté de Brunswick. Une petite pièce du grand puzzle Dubose trouvait sa place.

— Qu'est-ce que tu sais sur Westbay ?

— Pas grand-chose en fait. Au bout de quelques mois, j'ai appris qu'il était en affaires avec des gars qui avaient des terrains, des golfs, des bars et même des boîtes de strip-tease. Mais c'était juste des rumeurs. Et comme vous dites, je n'étais qu'un grouillot.

— Revenons au 22 août. À ce lundi.

— La veille, Westbay m'a coincé et m'a annoncé qu'il avait un boulot pour moi, un truc peut-être dangereux et qu'il fallait garder secret. C'était payé cinq mille dollars. Est-ce que ça m'intéressait ? J'ai dit bien sûr, pourquoi pas ? Je n'étais pas vraiment en position de dire non. Je voulais me faire bien voir surtout. Westbay m'aurait viré au moindre accroc. Ce n'est pas facile de trouver du travail quand on a un casier, vous savez. Bref, le lundi après-midi, j'étais au Blue Château, et j'ai attendu toute la journée. Et enfin, à la nuit tombée, il est passé me prendre et on est allés à Pensacola. On s'est arrêtés dans un bar à l'est de la ville, il m'a dit d'attendre dans la voiture. Il est allé à l'intérieur pendant une demi-heure. Quand il est revenu, il m'a donné les clés d'un Dodge Ram qui était garé sur le parking. J'ai remarqué les plaques de l'Alabama mais j'ignorais qu'il était volé. Je suis monté à bord et l'ai suivi jusqu'au casino. On s'est garés derrière. Il m'a rejoint alors dans le Dodge Ram et m'a expliqué ce qu'on allait faire. On allait provoquer un accident. On s'est enfoncés dans la réserve, par une petite route de campagne. C'est là que ça allait se passer, il m'a dit. Je devais percuter une petite Toyota, et me faire la belle. Il serait là pour me récupérer. Je n'avais qu'une envie : me tirer. Je vous assure ! Mais pour aller où ? Une fois le repérage fait, on est retournés au casino. Il a repris son pickup et on est repartis sur la petite route. On s'est arrêtés quelque part dans les bois et on a attendu. C'était long. Westbay tournait en rond, tout nerveux, collé au téléphone. Finalement, il a reçu le signal du départ. Il m'a donné un casque de moto, des gants et des protections pour les genoux, comme ceux qu'utilisent les pilotes de motocross. On a vu des phares au loin, qui venaient dans notre direction. Il a dit que c'était la Toyota en question. « Accélère à fond et fonce-leur dedans ! » Le Dodge Ram était deux fois plus lourd. Je ne risquais rien, qu'il disait. En vrai, je n'en menais pas large. Je ne pense pas que la voiture roulait très vite. Moi, je suis monté à quatre-vingts et au dernier moment j'ai donné un coup de volant pour franchir la ligne blanche. L'airbag m'a explosé en plein visage. J'ai été sonné pendant une seconde ou deux. Le temps que je sorte du pickup, Westbay était là. J'ai retiré le casque, les gants, les genouillères et lui ai donné le tout. Quand il a vu que mon nez saignait, il est allé inspecter mon airbag pour s'assurer qu'il n'y avait pas de trace de sang. Il n'y avait rien. Mon nez n'était pas cassé et il ne saignait pas beaucoup au début. Mais après ça s'est mis à couler. On a fait le tour de la voiture. La fille, la conductrice, voulait bouger et parler, mais elle était dans un sale état. Le Noir, lui, était encastré dans le pare-brise, et taillade de partout. Il y avait plein de sang.

Sa voix se brisa. Il dut s'arrêter.

— On a trouvé une bouteille de whisky cassée dans le pickup, lança Pacheco. Tu avais bu ?

— Non. Pas une goutte. Cela faisait partie de la mise en scène, j'imagine.

— Qu'est-ce qu'avait Westbay pour s'éclairer ? Une lampe torche ?

— Non. Juste une petite frontale. Il m'a dit d'aller dans le pickup. C'est ce que j'ai fait. Il est resté une minute ou deux autour de la voiture. J'avais pris un sacré coup, je ne me souviens plus trop des détails. Ça s'est passé très vite, et je tremblais de partout. Vous avez déjà eu un accident comme ça, avec un choc de face ?

— Pas que je me souvienne. Quand Westbay est revenu à son véhicule, il avait quelque chose avec lui ?

— Du genre ?

— Par exemple, deux téléphones et un iPad.

Le jeune homme secoua la tête.

— Non. Je ne crois pas. Il était pressé. Il m'a regardé, a parlé du sang que je mettais partout, m'a donné deux trois Kleenex. Et je me suis nettoyé le nez.

Pacheco se tourna vers Logan.

— On a un échantillon de ces mouchoirs en papier, avec son sang.

— Il tient parole, non ? Il parle.

Pacheco s'adressa de nouveau à Foreman :

— Tu avais d'autres blessures ?

— Je me suis cogné le genou. Cela faisait un mal de chien, mais c'est tout.

— Et vous êtes partis ?

— Westbay a coupé à travers champ, ce qui était chaud sans phares. Je ne savais pas où on allait. J'étais encore sous le choc, après avoir vu le type noir couvert de sang. Je me suis dit alors que ça valait bien plus que cinq mille dollars. Bref, on a rejoint une route de terre et il a rallumé les phares. Quand on a retrouvé une route bitumée, il a mis les gaz et on a quitté la réserve. À un moment, je lui ai demandé : « Qui était ces gens ? » et il a répondu : « Quels gens ? » Alors je n'ai plus posé de questions. Il a dit qu'il fallait qu'on trouve de la glace pour mon nez. On s'est arrêtés à une épicerie qui ouvrait tard. J'imagine que c'est là d'où vient la photo.

— Et après avoir fait les courses ?

— On est retournés à Fort Walton, au Blue Château. Il m'a mis dans une chambre pour la nuit, m'a apporté un tee-shirt propre, et m'a dit de mettre une poche de glace sur mon visage. Si on me posait des questions, je devais répondre que je m'étais bagarré. C'est d'ailleurs ce que j'ai raconté à ma mère.

— Et il t'a payé ?

— Oui. Le lendemain. Il m'a donné l'argent et m'a dit de me taire. Si quelqu'un apprenait la vérité, je serais poursuivi non seulement pour délit de fuite, mais pour bien pire encore. J'avais vraiment les jetons, alors je l'ai fermée. J'avais peur des flics, mais aussi de Westbay. Une ou deux semaines ont passé. Et j'ai cru que tout irait bien. Puis Westbay m'a chopé un jour à l'hôtel et m'a dit de monter dans ma voiture et de quitter la Floride sur-le-champ. Il m'a donné mille dollars et m'a dit de rester caché jusqu'à ce qu'il m'appelle.

— Et il a appelé ?

— Une fois. Mais je n'ai pas répondu. Je comptais ne jamais revenir, mais je me faisais du souci pour ma mère et je ne voulais pas rater mon rendez-vous avec mon agent de probation. Je suis donc revenu en ville aujourd'hui, et je comptais passer voir ma mère ce soir.

Maintenant qu'il savait dans les grandes lignes ce qui s'était passé, Pacheco reprit l'histoire au début. Il voulait des détails. Il disséqua tous les faits et gestes de Foreman, le forçant à se souvenir de tous les noms. Après quatre heures d'interrogatoire, le jeune homme était épuisé et pressé de quitter la ville. Quand enfin Pacheco fut satisfait, deux US Marshals entrèrent dans la pièce et repartirent avec Zeke Foreman. Ils le conduisirent dans un hôtel de Gulfport dans le Mississippi, où il passa la première nuit de sa nouvelle vie.

* * *

Clyde Westbay vivait dans le comté de Brunswick avec sa seconde femme. Ils habitaient une jolie maison, protégée par de hautes grilles, pas très loin de la mer. Il avait quarante-sept ans, un casier judiciaire vierge, un permis de conduire délivré par la Floride et un passeport américain. Il ne figurait pas sur les listes électorales, du moins pas sur celles de l'État du soleil. D'après les registres du commerce, il était directeur du Surfbreaker à Fort Walton Beach. Il avait deux téléphones portables et deux lignes fixes, une à son bureau, et une à son domicile. Trois heures après que Zeke eut quitté Pensacola, les agents du FBI avaient mis les quatre téléphones sur écoute.

32

Dans le courrier du matin, Lacy reçut trois gros paquets provenant du cabinet d'Edgar Killebrew. À contrecœur elle les ouvrit et trouva une lettre d'introduction. L'avocat expliquait en termes lapidaires, avec son arrogance coutumière, que les documents « ci-joints » constituaient la réponse de la juge McDover aux accusations farfelues du BJC. Il y avait aussi une demande officielle pour que la plainte soit déclarée nulle et non avenue et toute enquête concernant sa cliente suspendue. Dans le cas d'un refus, il exigeait « une audience immédiate et confidentielle devant le comité directeur du BJC ».

Lacy avait réclamé tous les dossiers, officiels et personnels, concernant dix affaires jugées par McDover. En feuilletant le tas de papiers, elle comprit qu'elle n'apprendrait rien de nouveau. Killebrew et ses associés s'étaient contentés de photocopier les registres du tribunal. Ici et là, Lacy trouva une lettre dictée par la juge qui n'avait pas été versée au dossier. Il y avait même quelques notes manuscrites, mais rien qui révélât ses pensées, ses intentions ou ses observations. Rien qui puisse l'incriminer, montrer qu'elle ait favorisé un camp plutôt que l'autre. Cependant, dans ces dix affaires qu'elle avait présidées, elle avait toujours donné raison à des sociétés étrangères contre les propriétaires ou les plaignants locaux.

Sans surprise, ces papiers étaient envoyés dans un savant désordre, à mille lieues de la méticulosité de Sadelle qui lui avait déjà fourni une copie complète de ces documents voilà plusieurs mois. Toutefois, par acquit de conscience, Lacy étudia chaque page. Quand elle eut terminé ce travail de fourmi, elle alla faire son rapport à Geismar.

* * *

Le 5 octobre, premier mercredi du mois, la juge McDover quitta son bureau une heure plus tôt et se rendit à son appartement de Rabbit Run, sa seconde visite depuis qu'une plainte avait été officiellement déposée, l'accusant d'avoir reçu ce bien immobilier en pot-de-vin. Elle gara sa Lexus au même endroit, en laissant de la place pour un autre véhicule, et entra dans l'appartement. Elle ne laissa rien paraître, aucune nervosité, aucun empressement. Pas même un regard derrière elle pour s'assurer qu'on ne la surveillait pas.

Une fois dans les murs, elle vérifia que la porte de la terrasse et les fenêtres étaient bien fermées. Elle se rendit à sa chambre forte et passa quelques minutes à contempler son « trésor » amassé petit à petit, depuis si longtemps qu'elle considérait le mériter : dans de petits coffres à l'épreuve du feu, de l'argent et des diamants, dans des armoires blindées, des bijoux, des pièces de collection, de l'argenterie ancienne, des éditions originales, de la cristallerie d'art, de petits tableaux d'artistes contemporains. Toutes ces pièces avaient été achetées avec l'argent du casino, un réseau de blanchiment parfaitement au point qui incluait des dizaines de joailliers, de galeristes, d'antiquaires qui jamais ne se seraient doutés qu'elle et Phyllis trompaient le fisc et les lois sur le patrimoine. Tout le génie du stratagème était la patience. Acheter des biens rares et précieux, toujours en petites quantités, et avec le temps, faire grandir la collection. Trouver les bons marchands, éviter ceux qui posaient trop de questions, ceux qui hésitaient, et, chaque fois que c'était possible, envoyer le butin à l'étranger.

Elle adorait son trésor et, pour la première fois en onze ans, elle sentit la peur pointer son nez. Elle aurait dû expédier toutes ces merveilles par bateau ou tout au moins les cacher dans un lieu plus sûr. Parce qu'aujourd'hui on l'avait dénoncée ! Quelqu'un savait pour les appartements et les sociétés écrans. Vonn Dubose avait peut-être de la glace dans les veines, mais pas elle ! Son appétit pour l'argent était enfin rassasié. Elle en avait assez. Elle voulait partir avec Phyllis – *Ciao* les Indiens, merci pour tout ! – et surtout, couper les ponts avec la pègre.

Sitôt arrivé, Dubose se servit une double vodka. Pour elle, ce fut un thé vert. Ils s'installèrent à la table, face au parcours de golf. Les deux sacoches étaient sur le canapé, l'une pleine, l'autre vide.

— Où en est Killebrew ? s'enquit-il après les politesses d'usage.

— Il leur a envoyé une tonne de paperasse, un travail fastidieux facturé cinq cents dollars de l'heure, je précise. Et exige le retrait pur et simple de la plainte, évidemment. Pour noyer le poisson, il demande une audience au plus vite, mais compte bien la repousser pendant six mois. Où sera-t-on dans six mois, Vonn ?

— Ici. À compter notre argent. Rien n'aura changé, Claudia. Vous êtes inquiète à ce point ?

— Bien sûr que je suis inquiète ! Ces gens ne sont pas stupides. Je peux leur montrer les chèques qui ont été encaissés pour entériner la vente des appartements, dix mille dollars pour chaque, ce qui est bien en dessous de ce qui se fait d'habitude. Leur montrer aussi les billets à ordre, au nom d'une obscure banque des Caraïbes à qui je dois encore une sacrée somme.

— Mais vous avez fait des versements chaque année. Vos arrangements avec votre banque ne les regardent pas.

— C'étaient de tout petits versements. Tout petits. Et les paiements m'ont été reversés par une autre banque offshore.

— Ils ne peuvent pas retracer tout ça. Combien de fois faut-il que je vous le répète ?

— Je n'en suis pas si sûre ! Et si je démissionnais ?

— Démissionner ?

— J'y songe sérieusement, Vonn. Je peux inventer des soucis de santé, trop de pression, ce genre de foutaises, et rendre ma robe. Si je raccroche, Killebrew renversera ciel et terre pour démontrer que l'affaire n'est plus du ressort du BJC. Et la plainte aura alors de bonnes chances de tomber à l'eau.

— Elle est déjà noyée.

Claudia McDover poussa un long soupir, puis but une gorgée de thé.

— Et Myers ?

— Myers a disparu.

Elle reposa sa tasse et repoussa sa soucoupe.

— Je n'en peux plus de tout ça, Vonn. C'est votre monde, pas le mien.

— Il est juste en cavale, pas de panique. On ne l'a pas encore retrouvé, mais on est sur ses traces.

Il y eut un long silence. Elle comptait les morts, et lui comptait l'argent en plus si elle sortait du jeu.

— Qui c'est, ce Myers ? demanda-t-elle.

— Un ancien avocat de Pensacola. Radié du barreau. Il s'appelle en réalité Ramsey Mix. Il a purgé une peine dans une prison fédérale. À sa sortie, il a récupéré le fric qu'il avait planqué avant l'arrivée des fédéraux, a changé de nom. Il vit aujourd'hui sur un bateau avec sa petite copine mexicaine.

— Comment vous savez tout ça ?

— Peu importe. Ce qui compte, c'est que le BJC ne peut rien sans lui. C'est fini, Claudia. Cela a été chaud, mais c'est fini. Vous pouvez dormir sur vos deux oreilles.

— Je ne suis pas aussi sereine que vous. J'ai étudié les statuts du BJC, et il ne figure nulle part qu'une plainte doit être abandonnée si le plaignant prend le large.

Elle avait fait du droit, pas lui. Il n'avait aucune envie de batailler avec elle.

— Et vous êtes certaine que si vous démissionnez, ils laisseront tomber ?

— Encore une fois, je ne peux prédire leur réaction. Les procédures ne sont pas aussi claires. Mais si je ne suis plus en exercice pourquoi se donneraient-ils tout ce mal ?

— Vous avez peut-être raison.

Elle ignorait l'existence des deux vidéos et les mesures d'urgence qu'avait dû prendre Dubose pour éviter une réaction en chaîne. Elle ne savait rien non plus sur Lyman Gritt et son attitude suspecte. Il lui avait caché beaucoup de choses, parce que, dans son monde, l'ignorance était la meilleure garantie. Les confidents pouvaient parler. Les secrets être révélés. Elle était assez affolée comme ça.

Il y eut un autre trou dans la conversation. Ni l'un ni l'autre ne semblaient enclins à parler, même si, dans la tête de chacun, les pensées se bousculaient. Il agita ses glaçons.

— Il reste quelques points obscurs, articula-t-il finalement. Comment Myers a-t-il été au courant pour les appartements ? Il n'y a aucune trace écrite nulle part. Et on a placé bien trop de pare-feu, trop de sociétés dans des paradis fiscaux. Quelqu'un a parlé à Myers, ce qui veut dire qu'il y a une fuite. Comparez mon entourage et le vôtre. Mes gars sont des pros, ils dirigent une organisation d'où rien ne sort. On est dans le métier depuis si longtemps. Et de votre côté, madame la juge, vous pouvez en dire autant ?

— On a déjà eu cette conversation.

— Et nous l'aurons encore. Phyllis ? Elle sait des choses. Tout est sous contrôle de son côté ?

— Phyllis est ma partenaire. Elle est aussi mouillée que moi.

— Je n'ai pas dit qu'elle risque de parler. Mais je me méfie des gens qui sont autour d'elle. Je sais qu'elle n'a pas d'associés, juste des larbins. Mais qui sont-ils ?

— C'est une hystérique de la sécurité. Rien de sensible ne se trouve dans son cabinet, ni chez elle. Tout ce qui est important, elle le gère dans un petit bureau dont personne ne connaît l'existence. C'est totalement sécure.

— Et chez vous ?

— Je vous l'ai dit, Vonn. Je change tout le temps de secrétaire. Pas une seule ne reste plus de deux ans parce que je n'ai pas envie qu'elles prennent leurs aises et se mettent à fourrer leur nez partout. De temps en temps, j'ai une stagiaire, mais ces pauvres gamines ne résistent pas à la pression. Je travaille avec une greffière depuis des années et je réponds d'elle comme de moi-même.

— JoHelen ?

— JoHelen Hooper. Une fille très gentille qui fait son boulot à merveille, mais qui garde ses distances pour tout ce qui ne concerne pas les affaires du tribunal.

— Et depuis combien de temps travaille-t-elle avec vous ?

— Sept ou huit ans. On s'entend bien, parce qu'elle parle peu, me fait de la lèche quand il le faut, et se tient hors de mes pattes le reste du temps.

— Et pourquoi vous lui faites confiance à ce point ?

— Parce que je la connais. Et vous ? Pourquoi vous avez confiance en vos gars ?

Il ignora la question.

— Elle a accès à votre bureau ? reprit-il.

— Bien sûr que non. C'est mon domaine exclusif.

— Personne n'est fiable à cent pour cent. Et c'est souvent la personne en qui on a le plus confiance qui vous poignarde dans le dos. Suffit de mettre le prix.

— Si vous le dites. Vous êtes mieux placé que moi pour le savoir.

— Tout juste ! Gardez-la à l'œil, d'accord ? Et méfiez-vous de tout le monde.

— Je ne fais confiance à personne, rassurez-vous. Et surtout pas à vous.

— Bravo. Moi non plus, je ne vous fais pas confiance.

Ils rirent devant cet aveu de duplicité – un rire un peu forcé. Dubose alla se servir une autre vodka, McDover but un peu de thé.

— Voilà ce que je vous propose, annonça-t-il en revenant s'asseoir. Voyons-nous une fois par semaine, tous les mercredis à 17 heures, pour faire le point. Et cela vous laissera le temps de réfléchir à cette histoire de démission.

— Je suis sûre que vous allez être partant. Vous comptez déjà les billets si j'abandonne ma part.

— Certes, mais je sais aussi comme c'est utile d'avoir un juge dans la poche. Vous m'avez gâté ces dernières années, Claudia, et je ne suis pas certain de pouvoir retrouver un juge aussi facilement corruptible.

— J'espère bien !

— On se découvre une pureté d'âme sur le tard ?

— Non. J'en ai juste assez de ce travail. J'ai dû retirer un enfant à sa mère aujourd'hui. Elle est accro à la méthamphétamine, une véritable junkie, et le petit est en danger. Mais ce n'est pas facile. C'est la troisième fois que je lui retire un gosse. Après une audience de six heures, après avoir eu droit à l'hystérie, les pleurs et j'en passe, sans compter une collection de noms d'oiseaux, j'ai été contrainte de demander aux services sociaux de prendre l'enfant. Et au moment de partir, la mère me lance en pleine salle : « De toute façon, j'en ai rien à foutre, je suis de nouveau enceinte ! »

— C'est effectivement une façon horrible de gagner sa vie.

— Je n'en peux plus. Voler les Indiens est bien plus rigolo.

* * *

Lacy était sur son tapis de yoga, à tenter la posture de la Pince, un étirement assis basique qu'elle pratiquait depuis des années. Son premier essai depuis l'accident. Les deux jambes tendues, jointes au sol, elle touchait presque ses orteils quand le téléphone que lui avait donné Cooley sonna sur la table basse. Maintenant qu'elle devait l'avoir partout avec elle, elle détestait cet appareil ! Toutefois, elle décrocha aussitôt.

— Je viens donner des nouvelles, Lacy. Toujours aucune trace de Myers. Je sais, il ne fallait pas s'attendre à un miracle. Les flics de Key Largo le cherchent encore, mais il y a peu d'espoir. Une banque a récupéré le bateau il y a deux jours. Je viens de parler à la taupe. Rien de nouveau non plus de son côté, à part que notre juge a rencontré Dubose pour son transfert de fonds mensuel.

— Comment le sait-elle ? s'enquit Lacy pour la forme, sans espérer de réponse.

— Un de ces quatre matins, vous pourrez le lui demander vous-même. En tout cas, si les autres ont eu Myers, ils peuvent me retrouver aussi. Je suis sur les dents. Je n'arrête pas de bouger ces temps-ci, je fais tous les hôtels miteux du coin, et j'en ai assez, pour tout dire. Je vous envoie un autre téléphone, ainsi qu'un numéro. C'est celui du portable de la taupe. On en change tous les mois. Si quelque chose m'arrive, appelez-la.

— Rien ne va vous arriver.

— C'est gentil de me dire ça, mais vous êtes bien naïve. Myers pensait être plus intelligent qu'eux.

— Certes, mais c'est son nom qui figure sur la plainte. Pas le vôtre. Les méchants ignorent qui vous êtes. Ils n'ont rien sur vous.

— Je n'en suis pas si sûr. Plus maintenant. Par précaution, il vaut mieux que je disparaisse. Faites attention à vous, Lacy.

Il raccrocha. La jeune femme regarda fixement le téléphone.

33

Avec l'automne qui approchait, le Surfbreaker se préparait à l'invasion annuelle des Canadiens. La réception était calme, la piscine et le parking quasiment vides. Clyde Westbay monta dans l'ascenseur pour se rendre au deuxième étage, vérifier la réfection en cours d'une chambre. Un client, en bermuda et sandales, entra dans la cabine juste avant que les portes ne se referment et appuya sur le bouton du cinquième. Quand l'ascenseur s'éleva, l'homme lui demanda :

— Je peux vous parler une minute ?

Westbay le regarda.

— Vous êtes un client ?

— Oui. J'ai la suite Dauphin. Je suis Allie Pacheco, du FBI.

Westbay contempla les sandales de Pacheco tandis que l'agent spécial sortait son insigne.

— Qu'est-ce que le FBI fait dans mon hôtel ?

— Entre nous, on paye une blinde pour une chambre parfaitement moyenne. Nous sommes ici pour vous.

L'ascenseur s'arrêta au deuxième, mais Westbay ne sortit pas. Personne ne bougea. La porte se referma et l'ascension reprit.

— C'est que je suis assez occupé, dit-il.

— Nous aussi. Juste quelques questions. Ce ne sera pas long.

Westbay haussa les épaules et sortit sur le palier du cinquième étage. Il suivit Pacheco jusqu'au bout du couloir et le regarda ouvrir la porte de la suite Dauphin.

— Vous êtes satisfait de mon établissement ?

— Il y a mieux. Le service d'étage laisse à désirer. Et j'ai trouvé un cafard dans ma douche ce matin. Mort.

Dans le séjour, il y avait trois hommes, tous en bermuda, et une jeune femme qui semblait habillée pour aller faire un tennis. Les hommes étaient des agents du FBI. La femme, Rebecca Webb, la procureure fédérale adjointe.

Westbay contempla l'assistance.

— Je n'aime pas beaucoup ce comité d'accueil. Je vais vous demander de quitter mon hôtel. J'en ai le droit.

— Bien sûr. Et partir, on ne demande que ça, mais ce sera avec vous, avec menottes et tout le tralala. Ça risque de faire mauvais effet dans le hall, devant vos employés et les clients. On pourrait même prévenir la presse, pour compléter le tableau.

— Vous m'arrêtez ?

— Absolument, pour assassinat.

Il pâlit. Il sentit ses genoux chanceler. Il tira une chaise et s'y laissa tomber. Hahn lui tendit une bouteille d'eau, à laquelle il but goulûment, des gouttes ruisselèrent sur son menton. Il prit une profonde inspiration et regarda les agents, avec des yeux implorants. Un innocent aurait déjà protesté.

Finalement, il marmonna :

— Ce n'est pas possible.

Mais si, ça l'était. Et sa vie était finie. Il entrait désormais dans un cauchemar.

Rebecca Webb lui présenta des papiers.

— Voici les détails des charges, sous scellés, que m'a remis hier le jury d'accusation fédéral de Tallahassee. L'une d'elles est meurtre avec préméditation. L'assassinat de Hugo Hatch était sur ordre ; avec ces circonstances aggravantes, vous risquez la peine de mort. Sans compter l'achat d'un véhicule volé dans un autre État. Ce qui n'était pas très futé de votre part.

— Je n'ai rien fait. Je vous le jure.

— Jurez tout ce que vous voulez, Clyde, railla Pacheco. Cela n'arrangera pas vos affaires.

— Je veux un avocat.

— Parfait. On va vous en trouver un, mais d'abord j'ai des choses à vous montrer.

Ils firent asseoir Westbay à la petite table ronde qui trônait au milieu de la pièce. Pacheco s'installa en face de lui. Hahn et les deux autres agents se placèrent derrière leur collègue, une démonstration de force impressionnante même s'ils étaient en bermuda, avec les mollets tout blancs.

— Comme nous l'avons vu, vous n'avez pas de casier.

— Exact.

— C'est donc votre première arrestation ?

— Je crois, oui.

Il avait du mal à réfléchir, et regardait tour à tour les quatre représentants de la loi.

Pacheco lentement, d'une voix glacée, lui lut ses droits, puis lui tendit une feuille où était imprimé ce qu'il venait de lui annoncer. Westbay secoua la tête en lisant le texte. Ses joues avaient repris quelques couleurs. Il signa au bas de la page avec le stylo que lui tendit l'agent.

— J'ai le droit de passer un coup de fil, non ?

— Bien sûr, mais il faut que vous sachiez que vos lignes sont sur écoute depuis trois jours. Si vous utilisez l'un de vos deux téléphones portables, on saura tout ce que vous direz.

— Je suis sur écoute ?

Rebecca Webb lui présenta une autre liasse de papiers.

— Ce sont les autorisations d'écoute, signées par un juge fédéral.

— Apparemment, reprit Pacheco, vous utilisez l'iPhone pour vos communications personnelles. Votre Nokia est payé par l'hôtel et vous le gardez pour vos appels professionnels et vos conversations avec votre maîtresse, Tammy James, une ancienne serveuse d'un restaurant Hooters. Je suppose que votre femme ignore l'existence de cette Tammy ?

Westbay en resta bouche bée. Sous le choc, l'affaire Tammy lui parut plus grave que l'accusation de meurtre... Son cerveau était en vrac, plus rien n'avait de sens.

Pacheco, quant à lui, savourait le moment.

— Nous avons mis sur écoute aussi le téléphone de Mrs James. Pour info, elle couche avec un certain Burke, et un certain Walter, et peut-être avec d'autres encore. Mais oublions Tammy. Ce n'est pas demain la veille que vous risquez de toucher encore son joli petit cul.

Un grognement sourd monta de la gorge de Westbay. Un seul agent l'entendit. Il lui tendit une corbeille en plastique :

— Tenez…

In extremis, Westbay tourna la tête, pris de haut-le-cœur. Son visage devint tout rouge. Il hoqueta, secoué de spasmes, et enfin vomit. Tout le monde détourna la tête, mais rien que les sons donnaient la nausée. Quand il eut rendu tout son petit déjeuner, Westbay s'essuya la bouche du revers de la main. Il garda la tête basse, en poussant de petites plaintes. Un agent lui tendit une lingette. Il s'essuya à nouveau la bouche, releva enfin les yeux et serra les dents, comme s'il se sentait prêt au combat.

Une odeur fétide montait de la corbeille. Un agent l'emporta dans les toilettes.

Hahn fit un pas vers lui, menaçant.

— On a les relevés de tous vos appels depuis deux ans. On est en train d'éplucher tout ça. L'un d'eux est celui de Vonn Dubose. On finira bien par savoir lequel c'est.

Westbay en avait le souffle coupé. Il regardait Pacheco, les yeux écarquillés.

— Je veux un avocat, répéta-t-il en bredouillant.

— Vous avez quelqu'un en tête ?

Son esprit était paralysé. Il ferma les yeux, tentant de sortir le nom d'un avocat, n'importe lequel, n'importe qui pourvu qu'il puisse le tirer de là ! Il en connaissait un dans l'immobilier avec qui il jouait au golf, un autre, spécialiste des faillites, avec qui il buvait des verres, un autre encore qui s'était occupé de son divorce et l'avait débarrassé de sa première femme. Il en connaissait plein.

— Oui. Gary Bullington.

— Va pour Bullington, répliqua Pacheco. Appelez-le. J'espère qu'il se déplace.

— Je n'ai pas son numéro.

— Je l'ai, répondit un agent, en consultant son ordinateur.

Il lui donna le numéro, mais Westbay tremblait tellement qu'il n'arrivait pas à appuyer sur les touches. Il lui fallut trois tentatives. On lui indiqua que Bullington était en réunion, mais Westbay insista. Pendant qu'il attendait de l'avoir en ligne, il se tourna vers Pacheco.

— Je peux avoir un peu d'intimité ?

— Comme vous voulez. De toute façon vous êtes sur écoute. Avec l'accord du juge.

— S'il vous plaît…

— Très bien. C'est votre hôtel. Allez dans la chambre.

Pacheco le conduisit dans la pièce attenante, mais resta avec lui. C'était amusant d'entendre Westbay se présenter quand il eut enfin l'avocat au bout du fil. On n'avait pas l'impression qu'ils se connaissaient. Westbay voulut lui expliquer sa situation, mais Bullington le harcelait de questions. Dos à Pacheco, il n'arrivait pas à faire une phrase complète :

— Non. Oui. Ils sont ici en ce moment. Le FBI. Ils sont nombreux. À Fort Walton, à l'hôtel… Oui, fédérales. Les charges sont fédérales mais… laissez-moi en placer une. Il faut que vous veniez à l'hôtel tout de suite. Toute affaire cessante… vos honoraires ? Bien sûr, combien est-ce que… Quoi ? Vous plaisantez !… Oui, c'est passible de la peine de mort… oui, un agent du FBI est là, il écoute tout ce que je dis… D'accord.

Westbay se tourna vers Pacheco.

— Mon avocat vous demande de quitter la pièce.

— Dites-lui qu'il aille se faire foutre. Je ne bouge pas.

— Il dit d'aller vous faire foutre, rapporta Westbay à son interlocuteur. Combien juste pour aujourd'hui ? Pour venir ici et me donner quelques conseils avant qu'ils ne m'embarquent ?... Quoi ? Tant que ça ?... C'est bon, c'est bon. D'accord, mais ramenez-vous fissa.

Westbay raccrocha et annonça :

— Il ne peut pas être ici avant une heure.

— On a tout le temps. On a réservé la suite pour deux jours. On est hors saison, mais c'est encore bien trop cher.

Ils retournèrent dans le séjour où Hahn et les autres fédéraux montaient deux caméras sur pied.

— Ce n'est pas un interrogatoire. On va attendre que votre avocat soit là pour vous mettre la pression. Mais pour assurer le coup, on va, à partir de maintenant, tout enregistrer. On n'a aucune envie qu'on nous accuse plus tard d'avoir violé vos droits de citoyen, c'est clair ? Pendant qu'on attend M. Bullington, on a quelques images à vous montrer.

On fit asseoir Westbay à la table, Pacheco s'installa en face. Un ordinateur fut placé entre eux deux et Hahn appuya sur une touche.

— Là, c'est la vidéo du Dodge Ram au moment où il a été volé, à Foley, en Alabama, celui que vous avez acheté dans ce bar à la sortie de Pensacola le 22 août, pendant que votre complice attendait dans votre pickup équipé de fausses plaques de Floride. Regardez donc. C'est édifiant.

Westbay plissa les yeux, deux minuscules fentes.

— Qui a filmé ça ? murmura-t-il après le second visionnage.

Pacheco leva les mains.

— Tout doux. Il ne s'agit pas d'un interrogatoire. On ne fait rien de tel avant l'arrivée de votre avocat. On vous montre ça juste pour votre information. Peut-être que ces images vous aideront à prendre les bonnes décisions ?

Hahn présenta la deuxième vidéo, celle prise devant la boutique de Frog. Quand Westbay se vit descendre du pickup, ses épaules s'affaissèrent un peu plus. Un nouveau vomissement n'était pas loin. Il pâlit, se sentit défaillir. Westbay n'était plus qu'un pantin entre les mains du FBI. Pacheco le sentait à point, mais la présence de l'avocat pouvait tout compliquer, comme c'était souvent le cas.

Pour porter le coup de grâce, il dit :

— C'était vraiment stupide de s'arrêter devant le magasin et de montrer sa bobine aux caméras, n'est-ce pas ?

Westbay hocha la tête, penaud.

— Ça suffit comme ça ? demanda Hahn après une deuxième lecture de la dernière vidéo.

Westbay acquiesça et se laissa aller au fond de son siège.

— Puisque nous avons un peu de temps devant nous, il y a une autre vidéo, plus longue, qui risque aussi de vous intéresser. On a eu une petite discussion avec Zeke Foreman il y a quelques jours. Zeke, ça vous dit quelque chose ?

— Je ne répondrai à aucune question.

— D'accord. On l'a un peu secoué, on lui a fichu les jetons, et il s'est mis à causer. Et pas qu'un peu. Il a tout déballé. Vas-y, Hahn, envoie.

Le visage du jeune homme, pâle de terreur, apparut à l'écran. Il jura de dire la vérité et c'est ce qu'il fit pendant cinquante-six minutes. Clyde Westbay écouta attentivement la déposition, et chaque minute qui passait, il sentait sa vie lui échapper un peu plus.

* * *

Lorsque Gary Bullington arriva, le FBI avait eu le temps de mener sa petite enquête sur lui. Rien d'extraordinaire. Il avait quarante ans, un petit avocat avec deux panneaux publicitaires à son nom et un cabinet qui attendait la grande affaire mais dont le fonds de commerce était les accidents du travail et les petits trafics de drogue. Sur les deux panneaux, on voyait un jeune type bien habillé, mince, à la chevelure fournie – une image retouchée avec Photoshop, évidemment, autant pour l'ego que pour les besoins de la communication. En chair et en os, son costume était fripé, son ventre bedonnant, ses cheveux gris et clairsemés. Après des présentations glaciales, il emmena son client dans la chambre, claqua la porte derrière lui et y resta enfermé une heure.

Pendant ce temps, Pacheco demanda au service d'étage un assortiment de sandwichs, avec l'envie de mettre la commande aux frais du directeur. Mais il s'abstint. Westbay serait suffisamment humilié comme ça. Inutile d'en rajouter.

Quand Westbay et Bullington revinrent dans le séjour, ils semblaient sortir d'une âpre discussion. Pacheco proposa sandwichs et bananes. L'avocat prit un de chaque, mais son client avait l'appétit coupé.

— On peut commencer ? s'enquit Pacheco.

Bullington, la bouche pleine, répliqua :

— J'ai conseillé à mon client de ne répondre à aucune question.

— Parfait. Mais nous ne sommes pas ici pour mener un interrogatoire.

— Qu'est-ce qu'on fait là alors ?

Rebecca Webb était assise dans un petit canapé, et prenait des notes dans son carnet.

— Nous avons préparé un accord de réduction de peine, dit-elle. Votre client plaide coupable pour homicide volontaire. Les autres charges aggravantes seront abandonnées, ce qui lui évitera l'injection létale. D'ordinaire, pour un tel crime, c'est la perpétuité, mais nous demanderons beaucoup moins.

— Combien au juste ?

— Vingt ans, pour commencer. Ça peut être moins si votre client collabore.

— Quel genre de collaboration ?

— Du renseignement. On ne peut parler d'infiltration puisque votre client fait déjà partie de la bande. Il lui suffira de porter un micro, de lancer quelques conversations, ce genre de choses.

Westbay la regarda, les yeux écarquillés de terreur.

— Pour faire court, reprit Pacheco, nous voulons que votre client espionne la Coast Mafia.

— Vous êtes prêts à descendre jusqu'où ?

— Cinq ans, précisa Rebecca Webb. Cela pourrait être la recommandation du ministère public, même si, comme vous le savez, la décision finale appartient au juge.

— Cinq ans, et la belle vie dans le programme de protection des témoins, renchérit Pacheco. C'est ça, ou dix ans à moisir dans le couloir de la mort avant le rendez-vous avec le bourreau.

— Ne menacez pas mon client ! grogna Bullington.

— Ce n'est pas une menace. C'est une promesse. Avec ce qu'il a fait, c'est la peine capitale assurée et le procureur n'aura aucune peine à le prouver. Nous proposons un accord inespéré avec, à la clé, la possibilité de ressortir vivant et libre d'ici cinq ans.

— Ça va ! ça va ! lâcha l'avocat en finissant son sandwich d'une bouchée. Faites-moi voir vos vidéos !

* * *

Il était près de 16 h 30 quand avocat et client sortirent de la chambre à coucher après un autre entretien pénible. Deux agents spéciaux faisaient un gin-rami. Rebecca Webb était au téléphone. Hahn somnolait sur le canapé. Pacheco avait chassé les femmes de ménage. Il avait dit que ça prendrait toute la nuit s'il le fallait. Ils n'avaient rien d'autre sur le feu et s'ils ne pouvaient conclure un marché, ils passeraient les menottes à Westbay et l'emmèneraient à Tallahassee, où il serait placé dans une cellule, la première d'une longue série pour le restant de ses jours. Et s'il n'y avait pas d'accord aujourd'hui, il n'y en aurait pas demain.

Bullington avait accroché sa veste à la poignée de la porte. Il portait des bretelles rouges qui avaient bien du mal à maintenir son pantalon en place. Il était planté au milieu de la pièce, face à la représentante du ministère public.

— Je crois que mon client a compris que son affaire est sérieuse et que les chances d'obtenir un acquittement sont très minces. Comme on pouvait s'y attendre, il préfère passer le moins de temps possible derrière les barreaux, et par-dessus tout éviter l'injection.

Westbay paraissait plus vieux à chaque minute qui passait. Il était blême, et son corps, déjà pas bien épais au naturel, semblait se ratatiner comme une pomme au soleil. Il n'osait plus regarder personne ; il était déjà ailleurs, hanté par ses pensées. Alors qu'il s'entretenait dans la chambre avec son avocat, les fédéraux commençaient à avoir des doutes. Pour porter un micro sur soi en présence de Vonn Dubose, il fallait avoir des nerfs, du cran, et un certain talent pour la comédie. Westbay, dans son état, n'était plus un prétendant convaincant. Les agents au début avaient apprécié son côté dur à cuire, et ne s'attendaient pas à le voir s'effondrer aussi vite.

On ne choisissait pas ses mouchards. Le FBI en avait embauché de plus improbables encore.

— Alors, comment ça va se passer ? insista Bullington.

Rebecca Webb lui détailla la procédure :

— Votre client va être inculpé d'assassinat et d'association de malfaiteurs, comme le reste de la bande. Cette inculpation sera enterrée tant que votre client se montrera motivé à travailler pour nous. S'il accomplit sa mission de renseignements, il plaidera coupable seulement pour homicide volontaire, et on fera pression pour qu'il n'écope que d'une peine légère. Mais s'il fait quelque chose d'idiot comme s'enfuir, ou révéler qu'il est une balance, alors ce sera perpète.

— C'est ce à quoi je m'attendais. Clyde, ça vous convient ?

Clyde Westbay leva les mains en signe de reddition et lâcha un rire bizarre.

— Comme si j'avais le choix !

34

Vonn Dubose était-il son véritable nom ou un pseudo ? Cela n'avait jamais été très clair – du moins pour Clyde Westbay. Clyde ne faisait pas partie du cercle intime des cinq « Cousins », comme on surnommait les chefs du clan. Et aucun des quatre autres n'utilisait ce nom de famille. Le petit frère de Vonn avait été tué lors d'une négociation entre trafiquants de drogue qui avait mal tourné, en 1990, à Coral Gables, et son nom alors était Nash Kinney. Toutefois, d'après les renseignements du FBI, Nash Kinney était né en Louisiane en 1951 et n'avait pas de frère.

Westbay ne savait pas grand-chose sur la bande sinon des on-dit. Rien de fiable. Les gars n'étaient pas du genre à se retrouver autour d'une table de poker pour parler du bon vieux temps. Il ne connaissait pas bien les Cousins. Il n'était pas même convaincu qu'il y avait un lien de parenté entre eux. Clyde travailla pour le groupe pendant deux ans sans connaître les cinq au complet.

Le citoyen Vonn Dubose n'ayant aucune existence officielle, dans quelque service ou administration que ce soit – même le fisc ne le connaissait pas –, le FBI en avait conclu que Vonn Dubose était une couverture, créée de toutes pièces et protégée depuis des années. Au dire de Greg Myers, Dubose avait été marié plus d'une fois, mais évidemment les fédéraux n'avaient trouvé aucune trace ni des mariages, ni des divorces.

Henry Skoley, l'un des Cousins, intéressait particulièrement le FBI. On le surnommait Hank ; il était officiellement le neveu de Dubose, le fils de son frère qui s'était fait descendre. Mais s'il n'y avait pas de frère, qui était donc Hank au juste ? Déjà des incohérences.

Hank avait une quarantaine d'années et officiait auprès de Dubose comme chauffeur, garde du corps, partenaire, compagnon de beuverie. Son homme à tout faire. Son prête-nom. Si Dubose voulait une nouvelle voiture, Hank allait l'acheter. S'il voulait aller passer un week-end à Las Vegas, Hank réservait les billets d'avion, la limousine, les chambres d'hôtel, les filles, et bien sûr il était du voyage pour régler sur place tous les détails. Plus important encore, Hank transmettait les ordres de Dubose aux autres. Vonn ne se servait pas de téléphones ni d'e-mail, en tout cas pas pour ses affaires criminelles.

Clyde Westbay remit ses deux téléphones portables, avec les mots de passe, et regarda les fédéraux récupérer toutes les données. Il y avait les deux numéros de Hank Skoley, mais le FBI les connaissait déjà.

Westbay ne savait pas où habitait Vonn Dubose en ce moment. Il se déplaçait beaucoup, restait quelques mois ici et là, dans les nouveaux appartements qu'il avait fait construire dans le nord-ouest de la Floride. Il ne savait pas non plus si Dubose vivait seul.

Deux Cousins, Vance et Floyd Maton, étaient peut-être de la famille de Dubose. Avec Hank, cela faisait quatre. Le cinquième était Ron Skinner, encore un prétendu neveu. Skinner habitait sur la côte, près de Panama City et s'occupait des bars, magasins d'alcool, boîtes de nuit et clubs de strip-tease – des établissements pratiques pour blanchir de l'argent. Les frères Maton géraient les projets immobiliers. Hank supervisait les hôtels, les restaurants et les parcs d'attractions. C'était une équipe soudée et disciplinée, les grandes décisions étant prises par Dubose, et le tout financé par la manne du Treasure Key.

La strate du dessous était composée par les directeurs et les gérants des établissements qui paraissaient légaux. Ils étaient une bonne dizaine – Clyde Westbay était l'un d'eux mais il ne les connaissait pas tous. Encore une fois, ce n'était pas une société avec des pique-niques d'entreprise ou des journées « emmenez vos enfants au bureau ». Vonn compartimentait volontairement. Dix ans plus tôt, Clyde travaillait dans un hôtel à Orlando quand il avait entendu qu'on cherchait du monde à Fort Walton Beach. Il a posé sa candidature parce qu'il aimait l'océan. Un an plus tard, il était devenu directeur adjoint au Blue Château et sans le savoir il était entré dans le monde de la Coast Mafia, même s'il n'avait jamais entendu parler de cette organisation. Il avait fait la connaissance de Hank et s'était lié d'amitié ; bientôt il fut promu directeur, avec un salaire mirobolant à la clé. Une somme bien au-dessus de la moyenne. Il avait pensé que c'était la norme dans l'empire Dubose. Que la loyauté s'achetait au prix fort. Comme Clyde faisait du bon travail à ce nouveau poste, Hank lui annonça que la société possédant le Blue Château avait racheté le Surfbreaker à un kilomètre de la plage. La société en question, domiciliée au Bélize, était en pleine restructuration, et Clyde pourrait avoir la responsabilité des deux établissements du secteur. Son salaire doubla encore et on lui offrit cinq pour cent des parts de la Starr S, la nouvelle compagnie créée sur les cendres de l'ancienne. Il crut comprendre que Hank et ses associés détenaient les quatre-vingt-quinze pour cent restants. Mais il n'en avait pas la certitude. Plus tard, il apprendrait que cette société n'était qu'un élément de l'organisation mafieuse.

Il entra de plain-pied dans le crime quand Hank, un jour, arriva avec quarante mille dollars, en coupures de cent, et lui expliqua qu'il était compliqué de faire disparaître du fric dans les hôtels parce que le gros des transactions se faisait par cartes de crédit. Toutefois, les hôtels avaient des bars où beaucoup de clients payaient encore en liquide et des fonds extérieurs pouvaient être facilement insérés dans la comptabilité. Hank n'utilisait jamais les termes « blanchir de l'argent » mais plutôt la vieille expression « trafiquer les livres ». Depuis ce jour-là, tous les comptes des bars passaient par Clyde et par personne d'autre. Avec le temps, il apprit à moduler les entrées/sorties en fonction des saisons. Il mit même au point une méthode pour faire passer des sommes dans la caisse à la réception. Les livres paraissaient immaculés. Les comptables à Pensacola le félicitaient d'augmenter son chiffre d'affaires mais n'y voyaient que du feu.

Clyde Westbay tenait une seconde comptabilité sur un carnet, loin des ordinateurs. En un coup d'œil, le FBI saurait exactement combien il avait blanchi d'argent au cours des neuf dernières années. À son avis, cela avoisinait les trois cent mille dollars par an. Et ce n'était rien comparé au reste. La grande lessive se faisait dans les bars en ville et les boîtes de strip-tease.

La bande, lentement, le phagocyta. Au bout de deux ans de bons et loyaux services comme directeur, il fut invité à Las Vegas pour une virée entre hommes. Il fit le voyage en jet privé avec Hank et les frères Maton. Une limousine les emmena dans un célèbre casino où Clyde eut droit à sa propre suite. Tous les frais étaient payés par Hank – restaurants, grands crus, call-girls. Le samedi soir, Hank les invita dans une suite au dernier étage pour boire un verre avec Dubose. Juste Vonn Dubose et les Cousins, et Clyde Westbay qui était devenu un membre de confiance de la famille. Le lendemain, il avait pris un café avec Hank au bar et on lui exposa les règles de base : 1. Fais ce qu'on te dit ; 2. Tiens ta langue ; 3. N'aie confiance en personne sauf en nous ; 4. Ouvre l'œil et n'oublie jamais que tu es un hors-la-loi ; 5. Ne parle jamais, parce que parler peut être fatal pour toi ou la famille. La loyauté était exigée, et en retour Clyde gagnerait beaucoup d'argent. Ce cahier des charges lui convenait parfaitement.

Les directeurs devaient se rendre au Treasure Key au moins deux fois par mois. La technique pour laver l'argent sale était simple. Hank donnait à Clyde une somme en liquide, entre cinq mille et dix mille dollars. L'argent provenait des caisses du casino – de l'argent apporté en fait par Dubose, Hank ou Clyde – et était destiné à y retourner. Clyde, se faisant passer pour un joueur, allait échanger ces billets contre des jetons de cent dollars. Sa table préférée était celle du black-jack et il pouvait jouer un bon moment sans rien perdre. Il achetait disons deux mille dollars en jetons, jouait pendant une heure puis faisait une pause. Mais au lieu de partir avec ses jetons, il demandait au pit boss de l'encaisser et d'ajouter ses jetons sur son compte au casino, qui évidemment n'était pas à son nom. Une fois par an, il transférait le montant sur un compte d'une banque sous le contrôle de Hank. L'année passée, en 2010, Clyde Westbay avait ainsi blanchi cent quarante-sept mille dollars, qui étaient sortis légalement du casino.

Il était presque certain que les Cousins et les autres directeurs faisaient pareil.

Avec le recul, il ne savait pas à quel moment il avait décidé de franchir la ligne rouge. Il obéissait aux ordres, et n'avait pas l'impression de faire grand mal. Il savait que blanchir de l'argent était illégal, mais c'était si facile. Et on ne pouvait pas l'attraper. Même ses propres comptables se laissaient berner. En plus, il gagnait plein d'argent, menait grand train, et l'existence était douce. Bien sûr, il travaillait pour des mafieux, mais ces petites magouilles financières n'étaient que des peccadilles. Au fil du temps, cela devint un réflexe, une seconde nature. Quand il traversait le comté de Brunswick et qu'il voyait sortir de terre un immeuble, un nouveau golf, une bouffée de fierté gonflait sa poitrine. C'était la preuve que Dubose ne se tournait pas les pouces. Si les fédéraux venaient fouiner, ils causeraient sans doute des soucis aux Cousins, mais pas à lui – du menu fretin.

De toute façon, personne ne faisait attention à eux. Tout le monde s'en fichait. Après quelques années, c'était devenu pour Clyde Westbay un travail comme un autre.

C'est pour cette raison qu'il était tombé des nues quand Hank avait appelé pour lui dire qu'ils avaient un problème. La juge McDover, qu'il n'avait jamais rencontrée, était dans le collimateur de la justice. Clyde vivait dans un autre district et ce nom ne lui disait quasiment rien. Il ne voyait pas le rôle que cette juge pouvait jouer dans l'organisation, mais ce devait être important puisque cela faisait passer leurs voyants d'alerte au rouge. Hank, qui parlait rarement de son oncle, reconnut que Vonn était inquiet. Il fallait agir.

Hank débarqua dans le bureau de Clyde au Surfbreaker, et en prenant un café devant la piscine il lui annonça que Vonn avait besoin qu'il lui rende un service. Vonn l'avait choisi lui, Clyde Westbay, parce qu'il était au-dessus de tout soupçon. Il ne fut pas question de meurtre. À aucun moment. Mais d'intimidation – quoique de nature violente. Un accident de voiture, sur les terres tribales des Tappacolas, tard la nuit. Bien sûr qu'il ne voulait pas le faire ! Mais comment refuser ? Il fit semblant de prendre la nouvelle comme si c'était la routine. Il était prêt à tout pour les Cousins.

Hank était de l'avis de Clyde : Zeke Foreman était idéal pour le job. C'est Hank qui organisa la livraison du pickup volé. Clyde ne savait rien de tout ça. C'était typique de la bande. Partager le minimum d'informations pour éviter les fuites. Hank fournit les fausses plaques pour le pickup que devait conduire Clyde. L'opération se passa sans problème, avec Hank aux commandes en coulisse. Non, il ne savait pas qui avait joué l'informateur, qui avait attiré Lacy et Hugo dans la réserve. Quelques secondes après la collision, Clyde se gara derrière le Dodge Ram, demanda à Zeke de s'écarter de la Prius et de monter dans sa voiture. C'est là qu'il avait vu qu'il saignait du nez. Il était alors allé s'assurer qu'il n'y avait pas de sang sur l'airbag du

Dodge. Hugo était dans un sale état, encastré dans le pare-brise. Il gémissait et perdait beaucoup de sang. Son téléphone était dans la poche droite de son jean. Clyde remarqua que sa ceinture n'était pas attachée, mais ne pouvait dire si son airbag s'était déployé ou non.

Non, à sa connaissance, personne n'avait trafiqué ni la ceinture, ni l'airbag. Non, il n'avait pas touché à Hugo, sauf pour lui prendre son téléphone. Il portait des gants de caoutchouc et voir ce malheureux empalé et se vider de son sang était une horreur. Westbay s'était vraiment senti mal à ce moment-là. Mais il avait des consignes. Le téléphone de Lacy et son iPad étaient par terre, sur le plancher derrière son siège. Mais la porte arrière était coincée par le choc. Il parvint à ouvrir celle de l'autre côté et récupéra les deux appareils. La fille aussi était en sang, et marmonnait, essayant en vain de se dégager.

Clyde raconta ce passage apparemment sans émotion. Peut-être éprouvait-il des remords, mais il avait choisi de ne pas le montrer. Il eut toutefois besoin de faire une pause pour se rendre à la salle de bains. Il était près de 18 heures.

* * *

Lui et Zeke avaient filé par un chemin de terre, qu'il avait repéré avec Hank la veille. Non, il ne se souvenait pas que Zeke ait jeté quelque chose par la fenêtre. Pacheco lui montra un bout de Kleenex imprégné de sang. Il ne savait pas pourquoi il s'était arrêté devant la boutique de Frog. Il pensait qu'elle serait fermée à cette heure. C'était sa seule excuse. En plus, l'endroit était tellement décrépi... comment aurait-il pu se douter qu'il y aurait des caméras de surveillance ? C'était vraiment stupide de sa part, oui. Avec Zeke, ils avaient bu une bière puis avaient quitté le comté de Brunswick. Ils s'étaient arrêtés sur une aire de repos de l'Interstate 10 et avaient attendu l'arrivée de Hank. Clyde lui avait remis un sac contenant les deux téléphones et l'iPad. Puis ils étaient retournés à Fort Walton Beach. Une fois au Blue Château, Clyde avait installé le gamin dans une chambre pour la nuit. Le lendemain, il l'avait emmené chez le médecin. Une radiographie avait révélé qu'il n'avait pas le nez cassé. Il avait donné à Zeke les cinq mille dollars en liquide et pensé que cette histoire était terminée. Malheureusement, une semaine plus tard, Hank était passé à son bureau, furieux, à propos d'une vidéo. Vonn aussi était furieux et se démenait pour étouffer l'affaire. Ils ont alors emmené Zeke hors de la ville avec pour instruction de partir et de se faire oublier.

Non, il n'avait pas parlé à Vonn. La dernière fois qu'il l'avait vu, ça remontait à bien avant l'accident. Et il ne tenait pas tant que ça à le rencontrer. Même si Clyde surveillait ses arrières et dormait mal, il pensait l'affaire réglée ; jusqu'à aujourd'hui toutefois. Maintenant tout s'était écroulé.

Hahn commanda une seconde tournée de sandwichs et de fruits. Une fois le ravitaillement livré, Westbay et Bullington s'enfermèrent à nouveau dans la chambre. Il était près de 20 heures. La femme de Westbay devait commencer à s'inquiéter. Clyde l'appela pour lui dire qu'il avait une affaire imprévue à régler.

Pendant qu'ils mangeaient, Allie Pacheco et Rebecca Webb se relayèrent pour continuer d'interroger Clyde.

Quand ils eurent terminé, il était 22 heures. Westbay avait été filmé pendant six heures et avait donné tous les renseignements possibles sur Dubose et les Cousins. Dans les bureaux de Tallahassee, une autre équipe d'agents avait suivi en direct la déposition et préparait déjà le coup suivant.

Clyde quitta le Surfbreaker libre – « libre » uniquement parce qu'il ne portait ni menottes, ni fers aux pieds. Mais il avait laissé son âme dans la suite Dauphin et des aveux filmés. Dans quelques jours, ou quelques semaines, il serait arrêté au cours d'une rafle à grande échelle. Ce serait alors la panique pour sa femme et ses gosses. Sa photo partout dans les journaux. La famille, les amis qui ne cesseraient de téléphoner. Clyde, un membre d'une organisation mafieuse, inculpé pour un crime passible de la peine de mort !

Alors qu'il roulait sans but dans les environs de Destin, il songeait à Tammy. Quelle salope ! Elle couchait avec la moitié de la ville, dont ce connard de Walter. Peut-être que sa femme ne le saurait jamais. Sa femme... que lui dire au juste ? Que devait-il faire ? En finir pour ne pas avoir à endurer tout ça ou attendre la descente des flics et se retrouver embarqué devant tout le monde menottes aux poings ? Un cauchemar.

Qu'est-ce qui était le moins pire ? Sa vie était foutue de toute manière.

Plus il errait sur les routes, plus l'idée de se loger une balle dans la tête était tentante, se retirer à sa façon, et non pas attendre le tueur envoyé par Dubose. Ou alors sauter d'un pont, ou avaler une boîte de cachets. Le FBI avait eu de lui tout ce qu'ils voulaient.

35

Pour le sale boulot, Dubose faisait appel à Delgado. Personne ne savait si c'était son véritable nom ou une autre invention du monde de Vonn.

Le jour, Delgado tenait un bar, l'une des nombreuses « machines à laver » de l'organisation, mais c'est la nuit qu'il donnait toute la mesure de son talent. Il était expert en armes, en mécanique et en électronique. Delgado avait emmené Son Razko chez Mace et, avec calme, il l'avait tué ainsi que Eileen dans la chambre ; puis avait disparu sans laisser de trace. Une heure plus tard, il croisait Junior dans un bar et lui offrait une bière…

Après le procès de Junior Mace, Delgado avait emmené le premier mouchard, Digger Robles, faire un tour en bateau une nuit et l'avait lâché au milieu du Golfe avec des chaînes aux chevilles. L'autre mouchard, Todd Short, avait frôlé la mort. Un rendez-vous manqué à cinq secondes près. La balle du fusil à lunette devait lui traverser l'oreille gauche avant qu'il ne puisse entendre la détonation, mais une autre tête était entrée dans sa ligne de mire et Todd avait survécu. Et il avait eu la bonne idée de quitter le secteur. Delgado avait manqué de l'avoir en Oklahoma.

La plus grosse erreur que Dubose ait commise dans sa carrière ce fut de demander à Clyde Westbay d'éliminer Hugo et non à Delgado. Choisir un amateur plutôt qu'un pro ! Il avait ses raisons : personne n'irait suspecter Clyde ; pas de recours aux armes à feu ; une opération simple, comparée aux autres ; et Vonn voulait que Clyde prenne du galon dans l'organisation. Il percevait des capacités chez lui et il voulait s'assurer de sa loyauté. Une fois Clyde impliqué dans un meurtre, il serait à jamais à sa merci. Mais l'élément décisif, qui survint à la dernière minute, ce fut la colique néphrétique de Delgado, une crise si intense qu'il fut hospitalisé pendant trois jours. La douleur le prit quelques heures après qu'il eut trafiqué l'airbag et la ceinture côté passager dans la Prius. Delgado étant temporairement hors course, Vonn demanda à Hank d'aller trouver Clyde et d'échafauder un plan de bataille.

La prudence était une seconde nature chez Delgado et jamais il ne se serait laissé filmer chez Frog.

Aujourd'hui ses reins allaient mieux et il était de retour aux affaires. Il gara sa camionnette rouge « Stop Cafards » dans l'allée d'une petite maison en bordure d'un parcours de golf à dix kilomètres de la côte. Tout le lotissement était protégé par des grilles mais Delgado avait le code. Une société des Bahamas avait construit le complexe. Une autre société, domiciliée sur l'île de Niévès, possédait celle des Bahamas. Et la longue chaîne, maillon par maillon, remontait ainsi jusqu'à Dubose. La propriétaire de cette maison travaillait au tribunal. Elle transcrivait les débats des audiences pour la juge McDover, c'était d'ailleurs cette dernière qui lui avait conseillé d'acheter ici.

Delgado avait un joli uniforme rouge, avec chemisette et casquette assorties et, à la ceinture, une grosse bombe aérosol, comme s'il venait détruire tous les insectes de ce coin de Floride. Il sonna à la porte, sachant parfaitement qu'il n'y avait personne. Avec adresse, il introduisit un fin tournevis dans la serrure. Il n'aurait pas ouvert plus vite la porte avec la clé d'origine. Il referma le battant derrière lui et écouta le silence, cherchant à repérer la présence de l'alarme. Après quelques secondes, il y eut des bips. Dans trente secondes, la sirène allait se mettre à hurler. Il s'approcha du panneau derrière la porte et entra calmement le code à cinq chiffres, récupéré en piratant le système de la compagnie de surveillance. Delgado poussa un long soupir, savourant le silence revenu. Si le code n'avait pas fonctionné, il serait parti tranquillement.

Il enfila une paire de gants et s'assura que les deux portes, celle de devant et celle côté jardin, étaient bien verrouillées. Maintenant, il avait tout son temps. La maison comptait deux chambres à coucher. La plus grande, à l'évidence, était utilisée par la propriétaire des lieux ; la plus petite abritait des lits superposés. La femme vivait seule. Elle avait quarante-trois ans, divorcée, sans enfants. Il fouilla les deux commodes. Il ne trouva rien sinon des vêtements. Pareil dans les armoires des deux salles de bains. Dans le petit bureau, il trouva un ordinateur de bureau et une imprimante, ainsi que des casiers de rangement. Avec méthode, il fouilla un à un chaque tiroir, chaque dossier, chaque fichier.

* * *

Il y avait quelqu'un chez elle ! JoHelen Hooper scrutait son iPhone. L'application l'avait alertée que son système d'alarme avait été désactivé à 9 h 44, deux minutes plus tôt. Elle tapota l'écran et trouva les images. La caméra était cachée dans le ventilateur du plafond dans le salon. On voyait l'intrus se diriger vers le fond de la maison. Un homme, blanc, la quarantaine, avec un tee-shirt et une casquette rouges, visiblement un déguisement. La caméra cachée dans la bouche d'aération au-dessus de son lit le filma de face quand il entra dans la chambre à coucher et se mit à fouiller les commodes. Il touchait à tout !

Elle déglutit, tentant de ne rien laisser paraître. Elle était assise à cinq mètres de la juge McDover, dans la grande salle d'audience du palais de justice de Sterling, attendant que le groupe d'avocats en plein conciliabule à côté du box des jurés prenne une décision. Heureusement, il n'y avait pas de jurés ; Son Honneur entendait aujourd'hui les requêtes préliminaires des parties.

Devant JoHelen, sa sténotype, sur son support. À côté d'elle, sur sa table elle avait son carnet de notes, divers documents et son iPhone qu'elle regardait du coin de l'œil comme si de rien n'était. Mais il y avait un inconnu chez elle ! Il fouillait ses dessous. Quand il en eut terminé avec ce tiroir, il passa au suivant.

Un avocat se mit à parler et JoHelen commença la transcription. C'était une audience sans importance, pour une affaire mineure. Si elle ratait un mot ici ou là, elle pourrait toujours le retrouver dans l'enregistrement audio. Les pensées se bousculaient dans sa tête, elle était terrifiée, mais regardait l'avocat, les yeux rivés à ses lèvres, s'efforçant de ne pas perdre le fil de ce qu'il disait. L'application dans iPhone enregistrait les images des quatre caméras cachées dans sa maison ; elle ne raterait rien. Elle pourrait visionner tout ça pendant la pause déjeuner.

Du calme ! Ne montre rien. Juste de l'ennui, comme d'habitude quand tu dois consigner à deux cents mots la minute leurs verbiages de juristes. Après huit ans de transcriptions sans défauts, elle aurait presque pu taper en dormant. Dormir… cela risquait d'être compliqué à présent.

Le jour « J » était enfin arrivé. Depuis la semaine dernière, Son Honneur s'était trahie par son brusque changement d'humeur. Elle n'avait jamais été très chaleureuse ni expansive. Juste aimable et professionnelle. Elles s'appréciaient et plaisantaient parfois à propos de ce qui pouvait se passer au tribunal. Mais elles n'étaient pas des amies pour autant, parce que Claudia gardait toujours une certaine distance. Elle réservait son intimité pour Phyllis Turban, une femme que JoHelen ne connaissait que de réputation.

Depuis que les enquêteurs du BJC avaient débarqué pour présenter la plainte, Claudia avait changé. Elle était devenue nerveuse, encore plus distante, comme si elle avait l'esprit ailleurs. D'ordinaire, elle cachait ses émotions, un bateau qui filait droit quelle que soit la tourmente. Dernièrement, toutefois, en particulier ces derniers jours, elle s'était montrée brusque et cinglante avec JoHelen. Elle l'évitait et en même temps tentait de dissimuler ses inquiétudes derrière un sourire faux ou des commentaires anodins. Pendant huit ans, les deux femmes avaient passé toutes leurs journées dans le même bureau. JoHelen la connaissait par cœur. Il s'était produit quelque chose.

Et cette alarme coupée ? Un tout nouveau système, avec des capteurs à toutes les portes et fenêtres, installé par Cooley deux mois plus tôt. Pour la désarmer aussi facilement, il fallait que ce type dans cet uniforme rouge soit un professionnel.

Il y eut un court silence, pendant que l'avocat consultait un papier. JoHelen en profita pour regarder son iPhone. L'intrus était penché dans son armoire – on le voyait à peine – et fouillait sa garde-robe. Devait-elle appeler la police ? Ou alors la milice de quartier ? Non. Les appels téléphoniques laissaient des traces. Et aujourd'hui, toutes les traces remontaient à elle.

Deux avocats se mirent à parler en même temps, ce qui arrivait tous les jours. Avec dextérité, elle sépara leurs paroles dans la transcription, sans omettre un mot. Le problème se posait quand ils s'y mettaient à trois. Elle jetait alors un regard à McDover et la juge remettait de l'ordre dans les débats. Elles communiquaient ainsi par de discrets mouvements de tête ou de mains, mais aujourd'hui JoHelen évitait le regard de la juge.

L'inconnu ne trouverait rien. Elle n'était pas stupide. Elle ne laissait rien d'important dans un endroit aussi évident. Ses dossiers étaient ailleurs, à l'abri. Mais qu'allaient-ils faire ensuite ? Quelle serait la prochaine étape ? Ils avaient tué un homme pour envoyer un signal et freiner une enquête de l'inspection judiciaire. Et à l'évidence, ils avaient retrouvé Greg Myers et l'avaient réduit au silence. Et maintenant Cooley, son ami, son confident, son mentor, était sur le départ, s'il n'était déjà parti, parce qu'il avait peur et que c'était trop de pression pour lui. Il lui avait assuré qu'elle ne risquait rien, que son identité ne serait jamais connue, mais depuis la semaine dernière ces mots sonnaient creux.

Son Honneur leva la séance pour dix minutes. JoHelen, d'un pas tranquille, se rendit dans son petit bureau, verrouilla la porte et regarda, en temps réel, l'intrus s'affairer chez elle. Il inspectait à présent les placards de la cuisine, soulevant poêles et casseroles, et remettait tout exactement à sa place. Ce n'était pas un voleur, il ne laisserait aucune trace. Il portait des gants. Finalement, il se rendit dans son bureau, s'assit dans le fauteuil et jeta un regard circulaire dans la pièce. Il commença à sortir les dossiers de ses tiroirs. Il prenait tout son temps.

Il travaillait pour Dubose. Elle était désormais dans leur collimateur !

* * *

Allie Pacheco passa à midi au BJC pour faire un point. Ils s'installèrent dans le bureau de Geismar, à sa table de travail croulant sous les dossiers d'autres affaires en cours. Allie, sans aucune arrogance ni vantardise, leur raconta la collaboration de Clyde Westbay ; toutefois, il était fier du résultat. Mais le meilleur restait à venir.

Toutes leurs demandes d'écoutes et de filatures avaient été exaucées par un juge fédéral. Leurs techniciens écoutaient désormais H 24 des dizaines de téléphones. Le FBI avait localisé les domiciles des frères Maton, de Ron Skinner et de Hank Skoley, quatre des cinq Cousins. Le cerveau, Vonn Dubose, vivait en ce moment dans une maison à Rosemary Beach. La nuit précédente, Hank avait conduit Dubose dans un restaurant chic de Panama City où il avait dîné avec quelqu'un, un représentant du comté de Brunswick. Le but de cette rencontre demeurait obscur et le FBI n'avait pas de micro pour entendre ce qui s'était dit.

Dubose restait encore un mystère. Ce patronyme était un nom d'emprunt. Il avait réussi à berner tout le monde depuis trente ou quarante ans. Un travail d'orfèvre. Quant aux liens familiaux de la bande, cela demeurait assez trouble. Au vu des égarements de leurs aïeux, il était difficile d'établir le degré réel de parenté des Cousins. Mais ce n'était pas une donnée cruciale – c'était juste utile pour établir la véritable identité de Dubose.

Clyde leur avait donné les noms de sept directeurs. Pour l'instant, le FBI avait identifié une trentaine d'affaires – bars, restaurants, centres commerciaux, clubs de strip-tease, débits de boissons, boutiques en tous genres, projets immobiliers, lotissements, parcours de golf – qui étaient gérées par ces huit hommes, en comptant Clyde. Chaque établissement était la propriété d'une société offshore, pour la plupart domiciliées au Bélize, aux Bahamas ou aux îles Caïmans.

Leur enquête avançait à grands pas. Leur chef à Jacksonville mettait toutes ses ressources, en hommes et en moyens. Il accédait à toutes les requêtes de son antenne à Tallahassee. Luna, le patron de Pacheco, dirigeait les opérations, et avait abandonné toutes les autres affaires en cours. La procureure fédérale avait dépêché quatre hommes pour aider le FBI.

Pacheco était excité comme une puce, il ne pensait qu'à ça et travaillait vingt heures par jour ; il n'eut même pas un regard pour Lacy, du moins rien qui sortît du cadre professionnel.

Quand il quitta le BJC, Geismar demanda à la jeune femme :

— Vous vous êtes revus ?

— À l'instant, oui.

— Tu sais très bien ce que je veux dire.

— Un déjeuner, deux dîners, et deux bouteilles de vin bues sur le tard. Il me plaît bien mais on y va sur des œufs.

— La méfiance, c'est ton truc, je sais.

— Absolument. Cela te pose un problème ?

— Un peu. On est en zone grise.

— On en a parlé lui et moi. On est dans le même camp, mais pas sous la même tente. Déontologiquement, il n'a pas le droit de sortir avec une employée de son service, mais cela ne s'applique pas à moi. Tu veux que j'arrête de le voir ?

— Et si je te disais oui ?

— C'est toi le boss. Je suivrais les ordres. De toute façon, il ne va pas disparaître dans la nature. Il sera encore là demain.

— Je ne te demande pas ça. Juste que tu fasses attention. Tu peux être sûre que lui ne te dit pas tout.

— C'est vrai, mais il en sait tellement plus que nous.

36

Sur le chemin du retour, JoHelen étudia ses options. Aucune n'était réjouissante. Elle ne pouvait s'enfuir d'un coup et disparaître. Elle devait d'abord passer chez elle, jeter un coup d'œil, voir ce qui manquait, même si sur les vidéos il était évident que l'intrus était reparti les mains vides. Il était resté dans la maison quatre-vingt-dix-sept minutes. C'était bien long pour la visite mensuelle du service de désinsectisation. Il était entré sans clé, mais avait le code de l'alarme. Rien ne l'empêchait de revenir cette nuit à 2 heures du matin. Que faire ? Rester chez elle ? Partir ? Mais pour aller où ?

Elle maudit Cooley avec une amertume qui la surprit. Ils s'étaient lancés dans cette entreprise ensemble, soudés comme les doigts de la main, bien décidés à rétablir le bien et gagner un paquet d'argent en chemin, mais Cooley avait craqué. Il s'était enfui de peur que Dubose ne le trouve ; il l'avait abandonnée ! Elle se retrouvait seule, terrorisée et perdue.

Le portail du lotissement s'ouvrit grâce au badge magnétique sur sa voiture. Sandy Gables, n° 58. Elle se gara dans son allée et contempla sa maison. Plus jamais, elle ne serait la même. Il fallait prendre une décision. Rester ? Partir ? Se cacher ? Comment choisir ? En cet instant critique, son ami était censé être là pour l'aider !

Elle attrapa son sac à main, sortit de l'habitacle et se dirigea vers le perron. Elle ouvrit la porte mais n'entra pas. De l'autre côté de la rue, M. Armstrong bricolait dans son garage. Elle alla le trouver et lui expliqua qu'elle avait trouvé la porte ouverte et qu'elle n'osait pas entrer toute seule. Voulait-il bien l'accompagner ? Elle était désolée de l'embêter, c'était sans doute rien, mais aujourd'hui les femmes devaient être prudentes, pas vrai ? M. Armstrong était un gentil retraité et il s'ennuyait ferme. Bien sûr qu'il acceptait ! Ils entrèrent donc ensemble, et elle coupa l'alarme. Armstrong resta dans le salon et lui raconta le dernier zona de sa femme, pendant que JoHelen faisait le tour de la maison, inspectant chaque pièce, tout en posant par politesse des questions sur cette maladie. Elle vérifia dans les placards, sous les lits, les douches, le débarras, partout où quelqu'un pouvait se cacher. Elle savait qu'il n'y avait personne, mais c'était plus fort qu'elle. Sinon, elle ne pourrait rester une seconde de plus dans ces murs.

Elle remercia M. Armstrong et lui offrit un soda light. Il en profita pour bavarder avec elle. Une heure plus tard, il était encore là. En même temps, elle n'était pas pressée de se retrouver toute seule. Quand il s'en alla finalement, elle resta dans le salon, tentant de réfléchir. Une planche craqua au grenier et elle sursauta. Le cœur battant, elle tendit l'oreille. Était-ce un bruit de pas ? Non, il n'y avait que le silence. Elle décida de s'en aller et enfila rapidement un jean. Que devait-elle emporter ? Et si on l'observait ? Si on la voyait partir avec une valise ? Le mieux était d'attendre le soir et de glisser discrètement un sac ou deux dans la voiture. Mais elle n'avait aucune envie de se retrouver seule la nuit dans cette maison. Elle récupéra donc son plus gros fourre-tout et le remplit d'articles de toilette et de sous-vêtements. Elle glissa, dans un sac de courses en papier, un sac de sport vide et deux rechanges de vêtements. Ce n'était pas les boutiques qui manquaient. Elle pourrait toujours acheter ce qui lui ferait défaut.

Au moment de partir, elle fit un petit signe à M. Armstrong en se demandant si elle reviendrait un jour.

Elle roula vers les plages, puis tourna à l'ouest sur la Highway 68, et se coula dans le flot de voitures qui longeait la côte, avec son alternance de stations balnéaires et de plages immaculées. Pendant un temps, elle surveilla ses arrières dans le rétroviseur. À quoi bon ? S'ils voulaient la suivre à travers tout le pays, que pouvait-elle y faire ? Elle fit le plein à Destin, continua à rouler et contourna Pensacola par des petites routes. Quand elle s'aperçut qu'elle était passée en Alabama, elle repartit vers l'est et décrivit une grande boucle pour rejoindre l'Interstate 10. À la nuit tombée, elle s'arrêta dans un motel et paya en liquide pour une nuit.

* * *

JoHelen n'avait jamais parlé à Greg Myers. Elle connaissait son nom, mais lui ne savait rien d'elle. Par Cooley, elle avait eu une copie de la plainte déposée contre McDover. Il était prêt à dénoncer cette corruption en échange d'une part du gâteau, même si aucun des trois – ni Myers, ni Cooley, ni JoHelen – ne savaient quand ils seraient considérés comme des lanceurs d'alerte. Myers, avocat et plaignant, devait s'occuper de la procédure légale pour procéder au versement de l'argent. Cooley, l'ex-avocat, faisait le lien entre JoHelen et Myers, et devait jouer le rôle de fixeur contre une coquette commission. Pareil pour Myers. Et elle toucherait le reste. Leur collaboration était solide et efficace, et tout était parfait sur le papier.

Aujourd'hui Myers était sans doute mort. Cooley avait craqué et disparu de la circulation. Et JoHelen se terrait dans un motel miteux, et regardait fixement le téléphone à carte prépayée, sachant qu'il ne lui restait qu'un seul numéro à composer. Il n'y avait plus personne d'autre. Il était près de 22 heures quand elle sauta le pas :

— Madame Stoltz, je m'appelle JoHelen Hooper. Cooley m'a donné votre numéro. Vous vous souvenez de lui ?

— Bien sûr.

— Et je suis sur le téléphone qu'il vous a donné ?

— Exact. Vous êtes l'informatrice ?

— Oui, c'est moi. La taupe, la source. En fait Myers et Cooley aiment dire que je suis une lanceuse d'alerte parce que j'ai sonné l'alarme pour la juge McDover. Et pour vous, qu'est-ce que je suis ?

— Aucune idée. Je ne savais même pas que vous étiez une femme. Pourquoi vous m'appelez ?

— Parce que Cooley m'a donné votre numéro, m'a dit que vous aviez un téléphone sûr, que je pouvais vous appeler s'il y avait des soucis et que j'avais peur. Et justement, j'ai peur.

— Où est Cooley ?

— Je ne sais pas. Il a paniqué et s'est fait la belle. Il m'a dit qu'il quittait le pays avant que Dubose ne lui tombe dessus. Ils ont déjà eu Myers, comme vous le savez. Je n'ai plus personne vers qui me tourner.

— Très bien. Parlons. Comment connaissez-vous la juge McDover ?

— Je suis greffière depuis huit ans. C'est une longue histoire, je vous raconterai ça à un autre moment. Quand on était en audience aujourd'hui, un homme est entré chez moi et a fouillé partout dans la maison. Je le sais parce que j'ai des caméras cachées et que je peux voir les images en temps réel sur mon iPhone. Il n'a rien pris, parce que ce n'était pas un voleur. De toute façon, je ne garde aucun document sensible à la maison, évidemment. Avec Cooley, on prépare cette opération depuis des années et on a toujours été très prudents. C'est pour ça qu'on a ce système de surveillance, des téléphones intraçables, un site de stockage à l'extérieur, et un tas d'autres procédures de sécurité.

— Quelqu'un d'autre vit chez vous ?

— Non, je suis seule, divorcée et sans enfants.

— Une idée de l'identité de ce visiteur ?

— Non. Mais je pourrais le reconnaître au besoin. Toutefois, je suis quasiment sûre que je ne le reverrai jamais. À tous les coups, il travaille pour Dubose. C'est la preuve qu'ils ont des doutes. Les informations que j'ai données à Cooley et Myers sur Claudia ne pouvaient provenir que d'un petit nombre de personnes, et je suis évidemment sur la liste. Je suis désolée pour votre ami.

— Merci.

— Je le pense vraiment. Il serait toujours en vie si je n'avais pas révélé les magouilles de la juge.

— Pourquoi avez-vous fait ça ?

— C'est encore une longue histoire. Plus tard, si vous voulez bien. Pour l'instant, j'ai besoin d'un conseil. Je n'ai personne d'autre à qui m'adresser. Je me suis cachée dans un motel parce que j'ai trop peur de passer la nuit chez moi. Et pour demain, je ne sais pas quoi faire. Si je ne me montre pas, cela éveillera les soupçons. Je n'ai pas raté beaucoup de jours de travail en huit ans et Claudia est plutôt suspicieuse en ce moment. Mais revenir au palais, c'est revenir sur ses terres, et ça me terrifie. Et si ces gens ont décidé de m'éliminer ? Je suis à leur merci, ils vont me tirer comme un lapin, que ce soit en chemin pour le bureau ou au retour. Comme vous en avez fait l'expérience, les routes ne sont pas sûres.

— Faites-vous porter pâle, une gastro par exemple, c'est très contagieux. Cela arrive tout le temps.

JoHelen sourit. C'était si simple. Pourquoi n'y avait-elle pas pensé toute seule. C'était la preuve qu'elle n'avait plus les idées claires.

— D'accord. Mais qu'est-ce que je vais faire demain ?

— Continuez à bouger.

— Cooley a placé un traceur dans la voiture de Claudia. Un truc qui coûte à peine trois cents dollars et qu'il a installé en une minute. Il disait que c'était un jeu d'enfant. Vous étiez au courant ?

— On savait qu'il y avait un mouchard GPS. On ignorait que c'était Cooley qui l'avait mis.

— Ce que je veux dire, c'est qu'il est très facile de pister quelqu'un en voiture, alors bouger ne sert pas à grand-chose. Ils ont pu trafiquer ma voiture, pirater mon téléphone, et dieu sait quoi encore. Dubose a de l'argent. Il peut faire ce qu'il veut. Et moi, je n'ai rien, madame Stoltz.

— Appelez-moi Lacy. Il y a un bar au motel ?

— Je crois.

— Allez-y, et traînez-y jusqu'à la fermeture. S'il y a un bel Apollon qui vous fait de l'œil, faites-le monter dans votre chambre. Si c'est le désert, retournez dans votre voiture et trouvez un bar de nuit, un relais routier par exemple. Passez-y quelques heures. S'il y a un veilleur de nuit au motel, tenez-lui compagnie jusqu'à l'aube. Et rappelez-moi quand il fera jour.

— Entendu.

— Débrouillez-vous pour ne pas vous retrouver seule. Qu'il y ait tout le temps du monde autour de vous.

— Merci, Lacy.

37

Conformément à ses instructions, Clyde Westbay retrouva Hank Skoley sur un chantier à cinq kilomètres de Panama City, à proximité du Golfe. De grands panneaux annonçaient la construction prochaine de Honey Grove, un complexe paradisiaque, avec petits cottages, centre commercial, parcours de golf, le tout à un jet de pierre de l'Emerald Coast. Au loin, des bulldozers rasaient une forêt. Plus près, des ouvriers installaient déjà trottoirs et caniveaux. Plus près encore, les premières maisons sortaient de terre.

Clyde se gara et s'assit dans le SUV Mercedes de Hank. Ils roulèrent sur l'une des rares rues bitumées, se faufilant entre les camions et les vans des artisans qui encombraient les parkings sauvages. Des centaines de manœuvres s'activaient un peu partout. Au bout de la rue, les chantiers étaient quasiment terminés. Il y avait déjà deux ou trois maisons témoins pour appâter le client. Hank se gara dans une allée et entra. La porte côté garage était ouverte. La maison était vide – personne, aucun meuble.

— Suis-moi, ordonna-t-il en montant l'escalier.

Vonn Dubose attendait dans la chambre parentale à l'étage. Il regarda à la fenêtre comme s'il aimait voir les engins retourner la terre et modifier le paysage. Ils se serrèrent la main, bavardèrent un peu. Vonn paraissait de bonne humeur. Clyde ne l'avait pas vu depuis plus d'un an. Il n'avait pas changé. Mince, le teint hâlé, en chemisette de golf et pantalon de toile. Un retraité fortuné comme il y en avait tant en Floride.

— Alors ? Qu'est-ce qui te tracasse ?

* * *

Le micro était caché dans la Timex à son poignet gauche, une montre en tous points identique à celle qu'il portait de coutume. Clyde n'avait pas fait attention aux montres de Hank ou de Vonn. Il était certain qu'ils n'auraient sûrement pas plus d'intérêt pour la sienne, mais Pacheco et ses techniciens ne voulaient prendre aucun risque. Le bracelet de cuir était très serré à cause du vibreur placé sur la face interne de la montre. Quand le véhicule d'écoute serait à portée, le vibreur s'activerait, pour prévenir Clyde.

Le véhicule en question, une réplique exacte d'une camionnette de FedEx, s'arrêta devant la maison voisine. Le chauffeur, en tenue de livreur, sortit et ouvrit le capot. Un problème mécanique. À l'arrière se trouvait une équipe du FBI : Pacheco et trois techniciens, avec tout leur matériel. Maintenant qu'ils étaient postés à moins de cent mètres de la Timex, l'un d'eux enfonça un bouton et la montre vibra. Dans la chambre à coucher, le micro caché capterait le moindre murmure à dix mètres à la ronde.

La veille, Clyde avait passé quatre heures avec Pacheco et deux autres agents pour répéter son rôle. Le jour J était arrivé. Compromettre Vonn Dubose, en échange de quoi, Clyde ne ferait que cinq ans de prison, et finirait sa vie en homme libre.

* * *

— Deux choses, Vonn, annonça Clyde. D'abord, je ne parviens plus à joindre Zeke Foreman. Je lui ai dit de faire profil bas il y a deux semaines et de m'appeler tous les deux jours. On s'est parlé deux ou trois fois, et puis plus rien. Il n'a plus téléphoné. Je pense que le gamin a paniqué et s'est barré pour de bon.

Vonn regarda Hank d'un air interrogateur et reporta son attention sur Clyde.

— On est déjà au courant.

Westbay, dont le ventre émettait des gargouillis audibles pour la Timex, poursuivit :

— Je sais que tout est de ma faute, Vonn, et j'en porte la responsabilité. J'ai fait une erreur impardonnable et je m'inquiète pour la suite.

Dubose regarda à nouveau Hank.

— Tu lui as déjà fait savoir que je n'étais pas content, non ?

Il se tourna à nouveau vers Clyde.

— Bien sûr que c'était idiot. Mais ce qui est fait est fait et je suis passé à autre chose. Les dégâts ont été contenus. Contente-toi de gérer tes hôtels et d'autres s'occuperont du sale boulot. Chacun sa place.

— Merci, Vonn. L'autre truc c'est que je voulais te prévenir. Je compte quitter la ville pendant un an ou deux. C'est plus prudent, je me dis. Partir en voyage, me faire oublier le temps que tout ça se tasse. Il y a ma femme. Ça ne va plus avec elle, et c'est le moment de prendre un peu de distance. On ne se sépare pas mais elle est d'accord pour que je m'en aille un petit moment.

— Ce n'est peut-être pas une mauvaise idée. Je vais y réfléchir.

— Tu comprends, c'est ma tête qu'on voit sur la vidéo et je n'ai aucune envie qu'un flic se pointe et se mette à me poser des questions. Ça me met les nerfs en pelote. Il vaut mieux que je parte au plus vite. J'ai une bonne équipe et je les appellerai toutes les semaines pour superviser le travail. Les hôtels tourneront sans problème.

— Comme j'ai dit, je vais y réfléchir.

— D'accord.

Clyde haussa les épaules comme s'il n'avait plus rien à ajouter. Il se dirigea vers la porte, s'arrêta et se tourna vers Dubose. C'était la scène pour l'Oscar :

— Vonn, il faut que je te dise, j'aime mon travail et je suis fier de faire partie de ton groupe, mais justement quand tu parles de « sale boulot »…

Sa voix se brisa, se fit chevrotante.

— Voilà, Vonn, je ne suis pas de taille, tu vois ce que je veux dire. Je ne connaissais pas ce type qui est mort. Je ne savais rien, rien du plan. Quelqu'un a trafiqué la ceinture de sécurité et l'airbag, et le pauvre gars a traversé le pare-brise. C'était pas beau à voir. Son visage était tailladé de partout, il se vidait de son sang, et il remuait encore. Il m'a regardé, Vonn. Un regard qui disait : « Aide-moi ! » J'en fais encore des cauchemars. Je l'ai laissé crever là. Je ne savais pas que c'était ça qui était prévu. Quelqu'un aurait dû me prévenir, me dire ce qui allait se passer.

— On t'a dit de faire un travail, grogna Vonn en faisant un pas vers lui. Et tu l'as fait.

— Mais je ne savais pas qu'il s'agissait de tuer quelqu'un.

— Cela s'appelle de l'intimidation, Clyde. Ce sont les règles du jeu et c'est moi qui les fixe. Sans l'intimidation, je ne serais pas là et toi, tu ne gagnerais pas un tel salaire comme directeur de mes hôtels. Parfois, dans ce boulot, il faut faire rentrer certaines personnes dans le rang, et avec quelques-uns, il faut employer les grands moyens. Si tu ne veux pas le faire, pas de problème. Je me suis donc trompé sur toi. Je pensais que tu avais des couilles.

— Moi aussi, je croyais être de taille, mais quand j'ai vu ce type mourir sous mes yeux, ça m'a mis en vrac.

— Cela fait partie du jeu.

— Tu as déjà regardé quelqu'un se vider de son sang jusqu'à ce qu'il crève ?

— Bien sûr, répondit Dubose avec fierté.

— Oui. Bien sûr. Question stupide.

— Autre chose ? lança Dubose avant de se tourner vers Hank, l'air de dire : « Fous-le dehors. »

Clyde leva les mains et recula.

— Non. J'en ai terminé. Mais je veux vraiment me faire oublier pendant un an, sortir de tout ça. S'il te plaît, Vonn.

— On verra.

* * *

Dans la camionnette, Allie Pacheco retira ses écouteurs et lança un sourire aux techniciens.

— Magnifique, marmonna-t-il pour lui-même. « Cela s'appelle de l'intimidation, Clyde. Ce sont les règles du jeu et c'est moi qui les fixe. »

L'employé de FedEx trouva soudain le moyen de démarrer son van. Il s'en alla au moment où Clyde et Hank sortaient de la maison témoin. Clyde remarqua le véhicule mais ignorait qu'il y avait des agents du FBI à l'intérieur.

Hank resta silencieux tandis qu'il se frayait un chemin dans le labyrinthe du chantier. La rue était bloquée par un camion chargé de briques. Devant eux, la camionnette de FedEx était arrêtée aussi. Hank tapota des doigts sur le volant.

— Je me demande bien ce que fait FedEx ici. Personne n'a encore emménagé.

— Faut croire qu'ils sont partout.

La Timex vibra de nouveau. Pacheco était dans le secteur et voulait qu'il le fasse parler.

— Dis-moi, Hank, tu crois que j'ai eu tort de dire à Vonn que je ne voulais plus faire du sale boulot ?

— Ce n'était pas très finaud, effectivement. Vonn déteste les gens faibles. Tu aurais mieux fait de la fermer. Et juste lui annoncer que tu voulais disparaître. Ça, ça se comprend. Mais ton laïus de gonzesse, ça le fait pas avec Vonn.

— Je devais préciser que je n'avais pas signé pour tuer des gens.

— Bien sûr. Mais Vonn avait cru voir quelque chose chez toi. Moi aussi. Faut croire qu'on s'est trompés.

— Quelle chose ? Qu'est-ce que vous aviez vu ?

— Un gars que ça ne dérangeait pas de se salir les mains. Qui aimait ça, même.

— Parce que, toi, tu aimes ça ?

— Tu veux pas la fermer un peu. Tu as dit assez de conneries pour aujourd'hui.

Et de deux ! songea Pacheco avec un nouveau sourire.

Clyde quitta Honey Grove et, suivant les consignes, retourna au Surfbreaker à Fort Walton Beach. Sa secrétaire lui fit son rapport de la journée. Il passa un coup de fil et s'en alla. Il quitta l'hôtel par la porte de derrière, du côté des livraisons, et grimpa dans un SUV gris. Deux agents du FBI étaient assis à l'avant. Au moment de s'éloigner du Surfbreaker, le conducteur lui jeta un coup d'œil.

— Beau boulot. Pacheco dit que tu t'es débrouillé comme un chef. Tu l'as eu.

Clyde ne répondit pas. Il ne voulait ni parler, ni être félicité. Il se sentait misérable d'avoir piégé ses collègues et le pire était à venir. Il n'osait imaginer la suite. Il allait devoir un jour entrer dans une salle de tribunal bondée et raconter le meurtre de Hugo Hatch, devant Vonn Dubose qui serait à la table de la défense.

Il retira sa montre et la donna à l'agent devant lui.

— Je vais dormir un peu, annonça-t-il. Réveillez-moi quand on sera à Tallahassee.

* * *

Vers 9 heures le vendredi, Lacy n'avait pas de nouvelle de JoHelen. La jeune femme n'avait pas non plus répondu à ses appels. Lacy en informa Geismar. C'était inquiétant. Depuis une ligne fixe du BJC, Lacy appela la cour de circuit à Sterling. Après avoir franchi plusieurs remparts de secrétaires, on l'informa que McDover n'était pas au palais de justice ce matin. Peut-être était-elle en audience à Eckman ? Pensant que JoHelen s'était peut-être rendue au travail et avait suivi McDover, Lacy appela le tribunal d'Eckman. Une femme lui répondit que Son Honneur était bien dans les murs, mais pas en séance. Il n'y avait aucune audience prévue aujourd'hui.

Après d'autres tentatives, tout aussi infructueuses, Lacy n'eut d'autre choix que de prendre son mal en patience. Elle rappela Gunther et bavarda un peu avec lui. Il n'avait rien de prévu pour le week-end, hormis « des affaires urgentes à régler » – comme d'habitude. Il passerait peut-être samedi soir pour dîner. Elle promit de le rappeler un peu plus tard.

* * *

JoHelen s'éveilla avec le soleil et un téléphone éteint. Celui à carte que lui avait donné Cooley. Plus de batterie ; et elle avait oublié le chargeur chez elle. Avec son téléphone personnel, elle appela Claudia, et lui annonça qu'elle avait le ventre noué – ce qui n'était pas faux. Claudia sembla convaincue et montra une sollicitude polie. Par chance, elle n'avait aucune audience aujourd'hui et n'avait pas besoin de greffière. Mais ce n'était pas un jour de congé pour autant. JoHelen avait toujours une pile de transcriptions à finaliser.

Il fallait récupérer ce satané chargeur ! Ce qui signifiait retourner à la maison. Elle avait fait la fermeture du bar du motel. Le seul compagnon pour la nuit était un routier de quarante ans, avec une barbe hirsute qui descendait jusqu'à sa grosse bedaine. Elle avait accepté qu'il lui offre un verre mais n'avait pas été tentée d'aller plus loin.

Elle quitta le motel à 9 heures et prit la direction des plages. Une heure de route au sud-est. Tout le long du chemin, elle surveilla son rétroviseur, pour s'assurer qu'on ne la suivait pas. Elle n'était pas faite pour ce genre de vie sur le qui-vive ! Elle se gara dans son allée, avec un nœud à l'estomac. Plus jamais, elle ne pourrait habiter cette maison. Chaque centimètre carré de son nid avait été touché, souillé, par un homme ayant de mauvaises intentions. Même si elle changeait les serrures, renforçait son système d'alarme, elle ne pourrait plus jamais dormir sur ses deux oreilles. M. Armstrong arrachait les mauvaises herbes devant son perron et apparemment était d'humeur à bavarder. Elle lui lança un grand sourire.

— Venez donc boire un verre, lui dit-elle.

Il entra dans la maison avec elle et s'arrêta sur le seuil, le temps qu'elle coupe l'alarme. JoHelen partit inspecter la chambre, puis les autres pièces, en ne cessant de lui poser des questions sur le zona de sa femme. Elle trouva le chargeur, là où elle l'avait laissé, sur la tablette de la salle de bains. Elle brancha aussitôt le téléphone et retourna au salon.

— Où avez-vous passé la nuit ? demanda Armstrong.

Lui et sa femme étaient de vraies commères. Ils surveillaient tout ce qui se passait dans la rue, étaient curieux comme de vieilles chouettes.

— J'étais chez ma sœur, répondit JoHelen s'attendant à cette question.

— Où habite-t-elle ?

— À Pensacola.

Il n'y avait personne dans la maison. Maintenant qu'elle était rassurée, elle lança :

— Et si on allait boire ce verre avec Gloria ?

— Excellente idée. Cela lui fera plaisir.

Ils s'installèrent sous l'auvent avec des boissons fraîches servies dans de grands verres avec des pailles. Heureusement, le zona de Gloria était dans le bas du dos, le lui montrer aurait découvert un peu trop d'intimité. JoHelen échappa donc à ça.

— Vous avez des problèmes de plomberie ? s'enquit Armstrong.

— Je ne crois pas. Pourquoi ?

— Parce qu'un plombier a débarqué chez vous ce matin, vers 9 heures.

Un plombier ? JoHelen décida de ne pas les inquiéter.

— J'ai une fuite. Mais il était censé venir lundi.

— Un drôle de gars. Pas gêné. À votre place, je me méfierais.

— Pourquoi donc ?

— Je l'ai vu aller chez vous, sonner à la porte. Puis il s'est mis à tripoter votre serrure. Il a même sorti de sa poche une espèce de lame, comme s'il comptait forcer la porte. Il ne faut pas m'en vouloir, mais je suis intervenu et lui ai demandé ce qu'il fichait. Il a rangé son outil et a tenté de faire comme si de rien n'était. Je lui ai dit que vous n'étiez pas chez vous. Il a marmonné quelque chose, comme quoi il allait revenir, et il est parti aussi vite qu'il était venu. À votre place, je me trouverais un autre plombier. Franchement, il me paraissait pas net ce type.

— De nos jours, on ne peut faire confiance à personne, répondit JoHelen avant d'orienter à nouveau la conversation sur le zona de Mme Armstrong.

Pendant que Gloria expliquait que c'était son troisième en vingt ans, JoHelen était au bord de la panique.

413

Brusquement, Gloria demanda à son mari :

— Tu lui as parlé du gars qui est venu hier ? Celui de la société de désinsectisation ?

— Non, j'ai oublié. J'étais sur le parcours, et Gloria m'a dit qu'elle a vu un gars de cette entreprise entrer chez vous. Il y est bien resté une heure.

Encore une fois, JoHelen préféra ne pas les inquiéter, pour s'éviter d'être harcelée de questions.

— Ah oui. C'est un nouveau. Un dénommé Freddie. Il a la clé.

— Il a pris son temps, dis donc ! répliqua Gloria.

Au premier trou dans la conversation, JoHelen en profita pour prendre congé, annonçant qu'elle allait rappeler l'entreprise de plomberie pour se plaindre. Elle leur dit au revoir et retraversa la rue. Elle récupéra son téléphone qu'elle avait mis en charge et appela Lacy.

38

Le jury d'accusation fédéral était convoqué le vendredi à 13 heures. Quand il avait été constitué quatre mois plus tôt, il comptait vingt-trois membres, des citoyens inscrits sur les listes électorales et résidents des six comtés que constituait le district judiciaire nord de l'État de Floride. Être juré était une lourde charge, en particulier pour ceux qui venaient de mauvaise grâce. La compensation financière était symbolique – quarante dollars par jour – et leurs frais à peine couverts. Leur mission était toutefois importante, parfois excitante, en particulier quand le FBI et la procureure fédérale traquaient le syndicat du crime.

Dix-sept grands jurés avaient pu répondre présents. Comme il en fallait seize pour atteindre le quorum, ils purent se mettre aussitôt au travail. Pour une fois que l'enquête avançait à pas de géant, et qu'il y avait, en ligne de mire, la condamnation à mort de types riches et blancs, la procureure fédérale, Paula Galloway, pilotait personnellement l'affaire. Elle avait été nommée par Obama et avait de nombreuses années d'expérience. Sa première adjointe, Rebecca Webb, qui aujourd'hui connaissait l'affaire mieux que personne, hormis peut-être l'agent Pacheco, avait été appelée comme témoin.

Depuis qu'ils avaient inculpé Zeke Foreman et Clyde Westbay, les grands jurés savaient les circonstances de la mort de Hugo Hatch. Allie leur fit donc un rapide rappel des faits et répondit à quelques questions. Paula Galloway surprit tout le monde quand elle appela à la barre le chauffeur.

Des profondeurs du programme de protection des témoins Zeke Foreman entra dans la salle d'audience et jura de dire la vérité. On n'allait discuter ni de son système de défense ni de sa culpabilité. En entendant son récit détaillé de l'opération du 22 août, les jurés se félicitaient secrètement de l'avoir traduit en justice. Ils posèrent beaucoup de questions. Zeke se montra précis et convaincant. Il était détendu, pétri de remords, et parfaitement crédible. Galloway, Webb, Pacheco et les autres agents du FBI présents dans la salle suivaient sa prestation avec intérêt. Un jour, il devrait témoigner ainsi contre les Cousins, et les avocats de la défense allaient tenter de le démolir.

Le témoin suivant fut Clyde Westbay. Il se présentait devant les mêmes gens qui avaient statué sur son sort une semaine plus tôt. Et pourtant, il semblait parfaitement à son aise. Sa plus grande épreuve à ses yeux – et il y avait survécu – cela avait été de se retrouver face à face avec le Big Boss, en portant un micro sur lui. Pendant la première heure, Westbay raconta son rôle dans l'accident de voiture. Pendant les deux suivantes, il parla du groupe de Dubose et de sa position dans l'organigramme. Il ne savait rien des malversations au casino, mais il passionna les grands jurés quand il détailla le processus de blanchiment d'argent aux tables de black-jack.

Un juré, un certain Craft d'Apalachicola, avoua qu'il avait un faible pour le black-jack et qu'il passait beaucoup de temps au Treasure Key. Il était sidéré par l'ingéniosité du système de fraude. Il posait tant de questions que la procureure dut intervenir pour qu'on puisse passer à un autre témoin.

En fin d'après-midi, Pacheco diffusa l'enregistrement audio de la discussion de Westbay avec Dubose huit heures plus tôt.

Après cinq heures d'audition, Paula Galloway rappela au jury que la législation fédérale s'appliquait en pareille situation. Parce que le véhicule avait été volé dans un autre État et rapatrié pour servir d'arme du crime et que Zeke Foreman avait été payé cinq mille dollars pour provoquer l'accident, on avait affaire à un cas patent d'assassinat sur commande. On avait aussi la preuve de l'existence d'une organisation criminelle et que l'un au moins de ses membres avait commis cet assassinat pour le bénéfice de ladite organisation, tous ses membres se retrouvaient *de facto* sous le joug de la justice.

Il était près de 20 heures quand le jury d'accusation vota à l'unanimité l'inculpation de Vonn Dubose, Hank Skoley, Floyd Maton et Vance Maton, et Ron Skinner, pour l'assassinat en bande organisée contre la personne de Hugo Hatch, crime passible de la peine capitale, ainsi que pour coups et blessures volontaires à l'encontre de Lacy Stoltz. Clyde Westbay faisait partie du lot des accusés, mais les charges seraient levées plus tard. En plaidant coupable, la condamnation à la peine de mort serait écartée. Mais pour l'heure, il était crucial que Dubose et sa bande considèrent Clyde comme l'un des leurs. Plus tard, ils apprendraient son entente avec le ministère public, mais ils ne pourraient plus rien y faire.

* * *

Lacy était aux fourneaux et insérait dans la marmite son dernier ingrédient – des moules – dans sa version revisitée du cioppino, une soupe italienne où se mêlaient coquilles Saint-Jacques, palourdes, crevettes et morue. La table était dressée, les bougies allumées, le sancerre au frais. Allie appela dès qu'il sortit du tribunal, qui se trouvait à dix minutes de chez elle. Elle l'accueillit à la porte avec un baiser. Juste un baiser. Ils n'en étaient pas plus loin, sur le plan physique du moins. Toutefois, ils aimaient ce qu'ils découvraient l'un de l'autre, envisageaient en secret l'avenir. Pour le moment, Lacy n'était pas prête à sauter le pas et de son côté, il ne lui mettait aucune pression. Il semblait très épris d'elle, disposé à attendre le temps qu'il faudrait.

Elle servit le vin tandis qu'Allie tombait la veste et la cravate. Les longues heures de travail des derniers jours se faisaient sentir. Il était épuisé. Même si les débats du jury d'accusation étaient confidentiels, il avait confiance en Lacy. Ils étaient dans la même équipe et savaient l'un comme l'autre tenir leur langue.

Les inculpations étaient décidées, sous scellés pour l'instant, mais bientôt elles seraient officielles quand le FBI aurait arrêté toute la bande. Il ne savait pas quand exactement, mais c'était pour bientôt.

Paula Galloway et le FBI avaient opté pour la stratégie de la double inculpation. La première, la plus urgente et cruciale, était gagnée d'avance ; avec les témoignages de Zeke Foreman et Clyde Westbay, l'assassinat était patent et la condamnation assurée. En supposant que Dubose et ses sbires ne se doutent de rien, ils seraient arrêtés dans les jours à venir et incarcérés sans possibilité de liberté sous caution. Dans le même temps, le FBI ferait une descente chez eux, à leurs bureaux, comme chez Claudia McDover, Phyllis Turban, le chef Cappel et son fils Billy, ainsi que chez les avocats de Biloxi qui défendaient les intérêts de Dubose depuis vingt ans. Les entreprises et établissements appartenant à l'organisation seraient fouillés de fond en comble, beaucoup seraient fermés. Le casino allait grouiller d'agents fédéraux avec des mandats de perquisition. La procureure allait convaincre un juge fédéral de lancer une procédure de fermeture définitive. Le deuxième chef d'accusation, à savoir racket et corruption, donnerait lieu à une autre vague d'arrestations en coordination avec les raids du FBI, avec au premier rang sur la liste des suspects la juge McDover, et le chef Cappel juste derrière.

— Myers disait que la loi RICO est un missile à fragmentation. Il est bien placé pour le savoir.

— C'est une bonne image. Et on va le charger jusqu'à la gueule. Quand Dubose sera sous les verrous, à tourner en rond dans sa cellule, à se demander comment il a pu se retrouver là, on lui sortira la loi RICO – cadeau de la maison.

— Il va avoir besoin de dix avocats.

— Mais il ne pourra pas se les offrir. Tous ses comptes seront bloqués.

— Ce cher Myers... je me demande bien où il est. Je l'aimais bien.

— Je pense que tu ne le reverras jamais.

— Et on ne saura pas ce qui lui est arrivé.

— La police à Key Largo n'a rien trouvé. On les a appelés trop tard et si Dubose est derrière ce sera l'omerta, à moins qu'un de ses hommes de main ne décide de se repentir.

Elle remplit leurs verres. Le jury d'accusation allait se réunir demain samedi, et dimanche si nécessaire. Le temps était compté. Avec une opération de cette envergure, et tous ces témoins se présentant à la barre, les risques de fuite n'étaient pas négligeables. Et tout le plan capoterait. Les membres de l'organisation avaient les moyens de disparaître en un rien de temps. Lorsque les Cousins seraient arrêtés pour le meurtre de Hugo Hatch, les directeurs, les extras, les chauffeurs, les gorilles, les coursiers, tous allaient vouloir se faire la belle. Après huit jours d'écoutes et de filatures nonstop, le FBI avait vingt-neuf noms.

— Alors tu vas tirer d'abord et négocier ensuite ?

— C'est l'idée. Et pour mémoire, on peut toujours alléger des charges. On peut ajouter ou relaxer des accusés. C'est une enquête à grande échelle et il va nous falloir du temps pour mettre tout au clair. Alors il faut frapper un grand coup, enfermer le plus de monde possible avant qu'ils n'aient le temps de se trouver des alibis. J'ai faim !

— Tu n'as pas déjeuné ?

— Non. Hormis un hamburger plein de gras dans un fast-food.

Il remua la salade pendant qu'elle remplissait deux bols de son cioppino maison.

— Il y a de la tomate, alors je pense qu'un rouge serait mieux pour continuer. Qu'en penses-tu ?

— Va pour le rouge.

— Parfait. Ouvre donc le barolo à côté de toi.

Elle sortit du four une baguette au beurre d'ail et servit la salade. Ils s'installèrent à table et burent un peu de vin.

— Ça sent très bon. Merci de m'avoir attendu.

— Je n'aime pas manger seule.

— Tu cuisines souvent ?

— Non. J'en ai rarement l'occasion. Je voudrais te poser une question.

— Vas-y, tire.

— À ce stade de l'enquête, comment s'inscrit notre taupe là-dedans ?

— Quelle taupe ?

— Celle qui est proche de McDover, celle qui donnait les infos à Cooley, qui à son tour les transmettait à Myers.

Allie avala la salade qu'il avait dans la bouche en la regardant en silence.

— Ce n'est pas une pièce importante pour l'instant, mais on aura besoin de ce gars plus tard.

— Pour info, c'est une femme. Pas un homme. Et elle m'a appelée hier, terrorisée. Quelqu'un est entré chez elle et a fouillé partout. Elle voit McDover tous les jours et craint que la juge ait des soupçons.

— Qui c'est ?

— Je lui ai promis de ne pas révéler son identité, pas pour le moment du moins. Comme je t'ai dit, elle a très peur, et elle est perdue. Elle n'a plus personne vers qui se tourner.

— Dans quelque temps, elle sera un témoin important.

— Ça m'étonnerait qu'elle accepte de venir à la barre.

— Elle n'aura peut-être pas le choix.

— Tu ne peux l'obliger à témoigner.

— Non, bien sûr. Mais il y a bien des manières de lui forcer la main. Cette soupe est délicieuse.

Il plongea un morceau de pain dans son bol et le croqua.

— Tant mieux si ça te plaît. Tu travailles demain ?

— Oh oui ! Le jury se réunit à 9 heures. Il faut que j'y sois à 8. Cela va encore être une longue journée. Et dimanche aussi.

— Vous faites tout le temps autant d'heures ?

— Non. On a rarement des affaires de cette ampleur. C'est l'adrénaline qui nous tient. Comme ce matin, quand j'étais à l'arrière du van avec trois techniciens pour écouter Westbay tirer les vers du nez de Dubose et qu'il faisait cinquante degrés là-dedans. C'est sûr que ton cœur bat à cent à l'heure. C'est pour ça que j'aime tant ce boulot.

— Qu'est-ce que tu peux me raconter ?

Allie regarda autour de lui, comme s'il craignait qu'il y ait des oreilles indiscrètes.

— Que veux-tu savoir au juste ?

— Tout. Qu'est-ce qu'a dit Dubose ?

— Tu vas adorer…

39

Lacy dormit jusqu'à 7 heures le samedi, une heure de plus que d'habitude, et n'avait néanmoins aucune envie de se lever. Malheureusement, le chien faisait son petit manège matinal ; il reniflait, grognait, pour être sûr qu'elle n'allait pas se replonger dans les bras de Morphée. C'était l'heure du pipi ! De guerre lasse, elle se leva pour le faire sortir et prépara le café. Pendant qu'il passait dans la machine, son iPhone sonna. Allie Pacheco. 7 h 02.

— C'était un agréable dîner. Tu as bien dormi ?

— Super. Et toi ?

— Pas très bien. Trop de choses en tête. Ce que tu m'as dit hier soir est inquiétant, c'est le moins qu'on puisse dire. J'espère que ton informatrice n'est pas la greffière.

— Pourquoi ?

— Parce que si c'est le cas, elle est effectivement en grand danger. On écoute pas mal de téléphones en ce moment, je ne peux te dire exactement les mots, parce que c'était un langage vaguement codé, mais tout porte à croire que Dubose a lancé un contrat.

— C'est elle la taupe, Allie. La lanceuse d'alerte, comme disait Myers.

— Ils sont sur ses traces. Tu sais où elle est ?

— Non.

— Tu peux la contacter ?

— Je vais essayer.

— Fais ça, et rappelle-moi.

Lacy fit rentrer le chien et se servit une tasse de café. Elle récupéra le téléphone à carte et appela JoHelen. À la cinquième sonnerie, une petite voix demanda :

— C'est vous, Lacy ?

— Oui. Où êtes-vous ?

Il y eut un silence.

— Et si quelqu'un écoute ?

— Il n'y a personne. Personne ne connaît l'existence de ces téléphones. Où êtes-vous ?

— À Panama City Beach, dans un petit hôtel. J'ai payé en liquide. J'ai une vue sur l'océan.

— Je viens de parler au FBI. Ils ont surpris une conversation tôt ce matin. Ils pensent que vous êtes en danger.

— Ça fait deux jours que je me tue à vous le dire.

— Ne sortez pas de votre chambre. Je les appelle.

— Non ! Ne faites pas ça. Cooley m'a dit de ne jamais faire confiance au FBI. Ne les appelez pas, s'il vous plaît.

Lacy se mordit un ongle et regarda Frankie, à ses pieds, qui voulait à présent sa gamelle.

— On n'a pas le choix. Il y va de votre vie.

La ligne fut coupée. Lacy rappela deux fois sans succès. Elle nourrit rapidement le chien, enfila un jean et quitta l'appartement. Malgré son appréhension au volant – elle n'était pas encore totalement guérie – elle s'installa dans sa nouvelle Mazda toute neuve, achetée quelques jours plus tôt, et appela Allie pour lui donner des nouvelles. Il était bloqué pour l'instant au palais de justice, mais demanda qu'elle continue à le tenir au courant par SMS. JoHelen décrocha au cinquième appel. Elle était terrifiée et ne voulait pas dire à Lacy le nom de l'hôtel. Panama City Beach ne comptait qu'une seule rue, une dizaine d'hôtels face à l'océan, d'un côté de la Highway 98 et, de l'autre, une enfilade de fast-foods et de boutiques de plage.

— Pourquoi vous avez raccroché tout à l'heure ?

— Je ne sais pas. Un coup de panique.

— Cette ligne est sûre. Restez enfermée dans votre chambre et au moindre truc suspect, appelez la police. Je suis en chemin.

— Quoi ?

— Je viens vous chercher. Tenez bon. Je serai là dans une heure.

* * *

Delgado avait loué une chambre au deuxième étage au West Bay Inn. Sa cible était au Neptune. Deux hôtels bon marché, occupés par quelques touristes venant du Nord, attirés par les petits prix de la hors-saison. La porte de la fille donnait sur une passerelle de béton au premier étage. L'escalier n'était pas très loin. Une collection de serviettes de bain et de maillots séchait sur la rambarde. Évidemment, la femme n'était pas sortie pour aller nager. Cela lui aurait facilité la tâche.

À trente mètres de là, il surveillait sa porte et sa fenêtre. Elle avait tiré les rideaux, ce qui lui avait sauvé la vie pour le moment. Avec son fusil à lunette, il lui suffisait d'une toute petite ouverture. Pour l'instant la chance ne lui avait pas souri. Il attendait donc patiemment et les heures passaient. Il était tenté d'aller sonner à sa porte. « Oups ! pardon, m'dame. Je me suis trompé de chambre », puis il aurait ouvert le battant d'un coup de pied et ç'aurait été fini dans la seconde. Bien sûr, elle pouvait crier, faire du bruit pour attirer l'attention. C'était trop risqué. Si elle se décidait à quitter la chambre, il pourrait la suivre, attendre qu'une opportunité se présente, mais il n'était guère optimiste. Les motels et les bars le long de l'avenue étaient loin d'être déserts. Il y avait du monde partout et il n'aimait pas se montrer.

Pourquoi se cachait-elle ? C'était bien la preuve qu'elle avait peur, qu'elle avait quelque chose à se reprocher. Que s'était-il passé ? Pourquoi d'un coup se sauver de chez elle et se terrer dans des hôtels miteux en payant en liquide ? Sa maison n'était qu'à une heure de route et elle était bien plus cosy que ces chambres sordides. Peut-être ses voisins l'avaient-ils vu entrer jeudi, déguisé en exterminateur de cafards ? Peut-être le vieil emmerdeur de l'autre côté de la rue lui avait dit qu'un plombier bizarre avait sonné chez elle hier matin ? Et comme elle se savait coupable, elle avait paniqué.

Peut-être était-elle avec un type, en train de s'envoyer en l'air ? Mais il n'y avait aucun signe d'activité dans la chambre. Non, elle était toute seule là-dedans, juste à tuer le temps, à attendre – attendre quoi, au juste ? Le sexe était sûrement la dernière chose qu'elle avait en tête à ce moment-là. Une petite promenade sur la plage, ce serait tentant, non ? Ou une baignade ? Vas-y, fais quelque chose, comme n'importe qui, donne-moi une fenêtre de tir ! Mais la porte restait fermée. Apparemment, elle ne comptait aller nulle part.

* * *

Pacheco appela Lacy :

— Je n'aime pas ça. Tu ne sais pas où tu mets les pieds.

— Pas de panique.

— Laisse les flics du coin gérer ça. Demande-lui le nom de l'hôtel et appelle-les.

— Elle ne voudra pas me le dire. Ne veut pas de la police. Elle est terrifiée. Elle n'a plus les idées claires. C'est tout juste si elle accepte de me parler.

— Je peux envoyer deux agents de chez nous, des gars de Panama City. Ils peuvent être là-bas en un rien de temps.

— Non, elle a peur du FBI.

— C'est totalement idiot, vu la situation où elle est. Comment comptes-tu la trouver sans adresse ?

— J'espère qu'elle va me dire où elle est quand je serai sur place.

— D'accord. Mille excuses, je dois retourner dans la salle d'audience. Rappelle-moi dans une heure.

— Promis.

Lacy songea à téléphoner à Geismar pour le tenir au courant mais hésitait à le déranger un samedi. Elle était censée lui rapporter tous ses faits et gestes désormais, mais Michael était surprotecteur. C'était son jour de repos. Elle faisait ce qu'elle voulait de son temps libre. Et où était le danger de toute façon ? Elle allait chercher JoHelen pour l'emmener dans un lieu sûr. Rien de plus.

* * *

427

JoHelen savait que son poursuivant était au West Bay Inn, juste en face, à la surveiller et attendre son heure. Il était moins futé qu'il ne le pensait. Il ignorait qu'il avait été filmé sous toutes les coutures pendant qu'il tripotait sa lingerie et fouillait ses tiroirs. Un type plutôt grand, en tout cas au moins un mètre quatre-vingts, avec une taille d'athlète et de gros bras musclés. Et une petite claudication du côté gauche. Elle l'avait vu, juste avant l'aube, traverser le parking avec un gros sac bizarre. Même sans sa tenue rouge, elle l'avait reconnu.

Elle avait alors appelé Cooley. Pas de réponse. Quel lâche ! Quel gros naze ! Rien dans le pantalon. Il s'était enfui et l'avait abandonnée. Bien sûr il était idiot de compter sur un ex, mais elle l'avait quand même mauvaise. Alors elle attendait enfermée entre ces quatre murs, à tenter d'avoir à nouveau les idées claires. Elle avait placé un raccourci d'appel pour le 911 au cas où quelqu'un venait frapper à sa porte.

À 9 h 50, son téléphone secret sonna enfin. Elle se jeta dessus.

— Lacy ? dit-elle le plus calmement possible.

— Je suis arrivée. Où êtes-vous ?

— Au Neptune, en face du McDonald's. Vous avez quoi comme voiture ?

— Une Mazda rouge.

— D'accord. Je vais aller à la réception et vous attendre.

JoHelen ouvrit la porte discrètement et se faufila à l'extérieur. Elle s'éloigna sur la coursive, d'un pas rapide mais sans précipitation, et descendit l'escalier jusqu'au rez-de-chaussée. Elle traversa le patio, longea la piscine où un couple de retraités prenait le soleil, badigeonné de crème solaire. Dans le hall, elle salua le réceptionniste et s'installa à côté de la fenêtre pour surveiller l'entrée de l'autre hôtel. Les minutes s'écoulèrent. L'employé vint lui demander si elle avait besoin de quelque chose. Non rien. Si, une kalachnikov ! Quand elle vit une voiture rouge quitter la route et s'engager sur le parking elle sortit par la porte sur le côté et alla à sa rencontre. Au moment d'ouvrir la portière, elle jeta un coup d'œil vers le West Bay Inn. L'homme courait sur la passerelle du deuxième étage, en la regardant, mais il ne risquait pas de la rattraper.

— JoHelen Hooper, je suppose ? lança Lacy quand la jeune femme s'installa sur le siège passager.

— Oui. Ravie de faire votre connaissance. Il arrive. Tirons-nous d'ici !

Elles rejoignirent la Highway et prirent vers l'est. JoHelen se retourna pour surveiller la route derrière elles.

— Qui c'est ? demanda Lacy.

— Je ne sais pas comment il s'appelle. On n'a pas été présentés. Et je n'y tiens pas. Il faut le semer.

Lacy tourna à gauche au feu orange puis à droite à l'intersection suivante. Apparemment, personne ne les suivait. JoHelen afficha une carte sur son iPhone et joua les copilotes. Elles s'éloignaient de Panama City Beach, direction plein nord, tournant le dos à la côte. La circulation s'éclaircit. Lacy filait à toute allure, se fichant que la police puisse l'arrêter – ce n'aurait pas été plus mal, en fait. Toujours avec sa carte sous les yeux, JoHelen la guida. À droite, à gauche, surtout rester sur les routes secondaires.

Les femmes surveillaient leurs arrières et parlaient peu. Au bout d'une heure, elles rattrapèrent l'Inter-state 10. Une demi-heure plus tard, un panneau leur indiqua qu'elles étaient entrées en Géorgie.

— Vous savez où on va ? s'enquit JoHelen.

— À Valdosta.

— Et pourquoi Valdosta ?

— Personne ne s'attend à ce qu'on aille là-bas. Vous connaissez ?

— Je ne crois pas. Et vous ?

— Non.

— Vous ne ressemblez pas à votre photo sur le site du BJC.

— J'avais des cheveux à l'époque.

Elles roulaient de nouveau à une vitesse normale. À Bainbridge, elles s'arrêtèrent dans un fast-food, se rendirent aux toilettes et décidèrent d'y manger en surveillant la route. L'une comme l'autre étaient qua-siment certaines qu'on ne les avait pas suivies, mais on n'était jamais trop prudent. Elles s'assirent côte à côte près de la fenêtre, devant un hamburger et une assiette de frites et observèrent toutes les voitures qui passaient.

— J'ai mille questions à vous poser, articula Lacy.

— Je ne suis pas certaine d'avoir autant de réponses. Mais allez-y.

— Nom, profession, numéro de sécu. Commençons par les basiques.

— Quarante-trois ans. Née en 1968 à Pensacola. Ma mère m'a eue à seize ans. Elle était en partie indienne. Juste en partie, apparemment ce n'est pas suffisant. Mon père était un coureur. Il s'est barré avant ma

430

naissance. Je ne l'ai jamais connu. J'ai été mariée deux fois et on ne m'y reprendra plus. Et vous ?

— Célib. Jamais mariée.

Elles étaient affamées toutes les deux.

— Ce sang indien, c'est important dans l'histoire ?

— Oui, en effet. J'ai été élevée par ma grand-mère, une femme bien, et elle était à moitié indienne. Son époux n'avait pas d'origine à revendiquer, ni indienne, ni autre, donc ma mère a un quart de sang indien. Elle prétendait que son mari était un semi aussi, mais on n'a pas pu le vérifier vu qu'il s'était fait la belle depuis un bail. J'ai passé des années à tenter de le retrouver, pas pour des raisons sentimentales, juste pour l'argent. S'il était métis, alors j'ai plus d'un huitième.

— Les Tappacolas, c'est ça ?

— Évidemment ! Il faut plus d'un huitième de sang indien, pour être « fiché ». Un vilain mot, non ? D'ordinaire, on dit ça pour les malfrats, les violeurs, pas pour les sang-mêlé. J'ai bataillé avec la tribu pour avoir ma part du gâteau mais je n'avais pas assez de preuves. Et à cause de quelqu'un dans ma lignée, j'ai les yeux clairs et les cheveux châtains. Alors je ne corresponds pas aux canons. Bref, ceux qui décident de la pureté raciale m'ont jetée. Je n'ai pas le droit de faire partie de la tribu. En même temps, je n'en ai jamais fait partie.

— Et donc pas de dividendes.

— Non. Rien. Et ce sont des gens encore moins indiens que moi qui se goinfrent et vivent sur le dos du casino. Autrement dit, je me suis fait avoir.

— Je n'ai pas rencontré beaucoup de Tappacolas, mais vous n'avez pas le look, c'est sûr.

JoHelen dépassait Lacy de cinq bons centimètres ; elle était mince et fine dans son jean et son chemisier moulant. Ses grands yeux noisette scintillaient même quand elle était inquiète. Son visage n'avait ni ride, ni marque de l'âge. Elle n'était pas maquillée et n'en avait pas besoin.

— C'est un compliment, j'imagine. Mon physique m'aura attiré plus d'ennuis que de bienfaits.

Lacy avala son dernier morceau de hamburger.

— Allons-nous-en.

Elles repartirent vers l'est sur la Highway 84. Ayant personne à leurs trousses, et une route quasiment déserte, Lacy put enfin rouler doucement. Et écouter JoHelen tout le long du chemin.

* * *

Comme c'était prévisible, Cooley n'était pas son véritable nom. JoHelen ne lui révéla pas son identité. Elle l'avait rencontré vingt ans plus tôt quand son premier mariage battait de l'aile. Il avait un petit cabinet à Destin et une bonne réputation dans les affaires de divorces. Son premier mari buvait et était violent. Elle avait craqué pour Cooley quand il l'avait protégée durant une altercation dans son bureau. Elle avait pris rendez-vous avec lui pour lui exposer ses problèmes quand son mari avait fait irruption dans le cabinet, saoul, et cherchant la bagarre. Cooley avait sorti un pistolet et s'était débarrassé de lui. Le divorce s'était bien passé et son ex avait disparu. Peu après, Cooley avait divorcé de son côté et l'avait appelée pour prendre des nouvelles. Ils s'étaient fréquentés pendant plusieurs années, sans que ni l'un ni l'autre ne veuille s'engager. Il s'était remarié avec quelqu'un d'autre, encore un mauvais choix, et elle avait commis la même erreur de son côté. Cooley s'occupa de son second divorce et ils eurent à nouveau une liaison.

C'était un bon avocat, qui aurait bien mieux réussi s'il n'avait pas basculé du côté obscur. Il adorait les divorces sordides, les affaires criminelles avec des trafiquants de drogues ou des bikers hirsutes. Il traînait avec des gens louches qui avaient des clubs de strip-tease et des bars dans le nord-ouest de la Floride. Forcément, son chemin avait croisé celui de Vonn Dubose. Ils n'avaient pas fait des affaires ensemble. Cooley ne l'avait jamais rencontré en personne, mais son organisation lui faisait envie. Quinze ans plus tôt, il avait entendu dire que la Coast Mafia était en cheville avec les Indiens pour un projet de casino. Il sut qu'il y avait de l'argent à se faire, mais avant qu'il puisse agir, les fédéraux lui étaient tombés dessus pour évasion fiscale. Il fut radié du barreau et se retrouva en prison, et c'est là qu'il fit la connaissance de Ramsey Mix, un autre avocat déchu, et son futur associé.

Elle ne connaissait pas son nouveau nom – Greg Myers – avant de l'avoir découvert en première page de la plainte contre McDover. Cooley et JoHelen avaient bien trop peur pour signer eux-mêmes ce recours. Passer par une tierce personne était une idée de Cooley, quelqu'un qui serait prêt à courir le risque pour une part du gâteau.

Lacy lui raconta ce qu'elle savait sur Myers : de leur première rencontre sur son bateau à la marina de St Augustine à l'opération « sauvetage de Carlita ». D'après sa source au FBI, l'enquête concernant sa disparition était au point mort.

Lacy voulait savoir qui était à leurs trousses, qui surveillait JoHelen caché dans une chambre de l'hôtel voisin. Elles s'arrêtèrent dans une épicerie de campagne à proximité de Cairo, et Lacy regarda sur l'iPhone de JoHelen les vidéos où l'on voyait l'inconnu fouiller sa maison. Cooley était féru d'informatique et de gadgets électroniques. C'est lui qui avait installé les caméras. Lui aussi qui avait placé le mouchard GPS sous le pare-chocs arrière de la Lexus de McDover. Lui encore qui avait loué l'appartement en face de celui de McDover et qui l'avait filmée et photographiée lorsqu'elle retrouvait Dubose le premier mercredi de chaque mois.

Qu'était-il arrivé à Cooley ? JoHelen l'ignorait, mais elle lui en voulait. Toute l'opération était son idée. Il en savait assez sur Dubose et le casino. JoHelen et lui avaient été intimes pendant plusieurs années et il s'était servi de son ressentiment contre les Tappacolas pour s'assurer de sa collaboration. Il l'avait convaincue de postuler pour le poste avec McDover quand la juge s'était débarrassée de l'ancienne greffière huit ans plus tôt. Une fois en place, devenue employée de l'État, elle aurait droit au statut de lanceur d'alerte. Il connaissait la loi, avait épluché les transcriptions des débats, les dossiers et les jugements de McDover ; il était patent que la juge roulait pour Vonn Dubose. Il avait aussi étudié tous les chantiers dans le comté de Brunswick, et arpenté le labyrinthe des sociétés écrans qu'avait mis en place Dubose. Il avait engagé Myers pour monter au front. Et, par précaution, lui avait caché l'identité de JoHelen. Il préparait son affaire depuis des années, posant ses pièces, une à une, patiemment. À cette époque, le plan paraissait infaillible.

Aujourd'hui Hugo Hatch était mort, Greg Myers disparu, sinon mort. Cooley avait quitté le navire et l'avait laissée seule. Même si elle ne portait pas McDover dans son cœur, elle regrettait d'avoir mis le pied dans ce complot.

Si Dubose avait attrapé Myers, il l'avait fait parler. Cooley était donc un mort en sursis. Et tôt ou tard, il saurait que c'était elle la taupe. Et plus personne n'était là pour la protéger.

Avant d'aller en prison, Cooley était un dur à cuire, toujours armé, toujours à traîner avec la pègre. Mais trois ans derrière les barreaux l'avaient changé. Il avait perdu de sa superbe, et la témérité avec. À sa sortie, il n'avait plus un dollar en poche. Radié du barreau, avec un casier chargé, ses options étaient limitées. Un grand procès avec un lanceur d'alerte semblait la panacée pour lui.

40

Elles n'eurent aucun mal à trouver le terminal de l'aviation générale à l'aéroport régional de Valdosta. Au moment de verrouiller les portières, Lacy surveilla le parking mais ne vit rien de suspect. Gunther était à l'intérieur, contant fleurette à une hôtesse derrière son comptoir. Il serra sa sœur dans ses bras comme s'il ne l'avait pas vue depuis des années. Par souci de discrétion, elle ne fit pas les présentations.

— Pas de bagages ?

— On a nos sacs à main, c'est l'essentiel, répondit Lacy. Allons-y.

Ils rejoignirent rapidement le tarmac, dépassèrent plusieurs avions et s'arrêtèrent devant le Beechcraft que Gunther avait utilisé pour venir sauver Carlita. Encore une fois, il assura que l'appareil appartenait à un ami. Avant la fin de la journée, elles découvriraient que Gunther effectivement ne manquait pas de ressources humaines. Juste avant de monter à bord, Lacy appela Pacheco pour lui donner les dernières nouvelles. Il décrocha à la première sonnerie, annonça que le jury d'accusation était encore en session et en plein travail. Où était-elle ? En sécurité, lui assura-t-elle. Elles s'apprêtaient à prendre l'avion. Elle le rappellerait plus tard.

Gunther les sangla sur les sièges et s'installa dans le cockpit. La cabine était une véritable fournaise. Dans l'instant, ils étaient en eau. Il démarra les moteurs et tout l'avion se mit à vibrer. Pendant qu'ils roulaient vers la piste, il ouvrit la fenêtre. Une brise bienvenue entra dans l'habitacle. Il n'y avait pas d'autres avions et ils reçurent immédiatement l'autorisation de décoller. Au moment où Gunther lâcha les freins et que l'avion s'élança dans une ruade, JoHelen ferma les yeux et saisit le bras de Lacy. Par chance, le ciel était clair. Il faisait encore chaud et lourd pour un mois d'octobre – pour un 15 octobre, près de deux mois jour pour jour depuis la mort de Hugo.

JoHelen parvint à se détendre à la fin de la montée. La climatisation était en marche, et la cabine redevenue confortable. Le bruit des moteurs rendait les conversations difficiles mais JoHelen voulait parler :

— Juste par curiosité… où on va ?

— Aucune idée. Il ne me l'a pas dit.

— Super.

Le Beechcraft atteignit son altitude de croisière de huit mille pieds, et le régime moteur ralentit, pour ne devenir plus qu'un bourdonnement. JoHelen avait passé les deux dernières nuits dans des motels, en fuite, et s'attendant au pire. La fatigue lui tomba dessus d'un coup. Elle piqua du nez et s'endormit. Lacy, qui n'avait rien à faire, choisit aussi de fermer l'œil.

Quand elle s'éveilla une heure plus tard, Gunther lui passa une paire d'écouteurs. Elle ouvrit son micro.

— Bonjour.

Il lui répondit d'un signe de tête, sans quitter des yeux ses instruments.

— Comment ça va, sœurette ?

— Bien. Merci, Gunther.

— Et elle ? Tout baigne ?

— Laissons-la dormir. Les deux derniers jours ont été compliqués pour elle. Je te raconterai quand on sera au sol.

— Comme tu veux. Content de pouvoir t'aider.

— Où va-t-on ?

— Dans les montagnes. Un ami a un chalet perdu au milieu de nulle part. Personne ne vous trouvera là-bas. Tu vas adorer.

Une heure et demie plus tard, il réduisit encore le régime et le Beechcraft amorça sa descente. Le paysage dessous était bien différent de la plaine qu'elles avaient traversée en voiture pour rallier Valdosta. Lacy discernait des crêtes noires, des monts dans un camaïeu de rouge, de jaune et d'orange. Les montagnes grandissaient à vue d'œil à mesure que Gunther positionnait l'avion pour l'approche finale. Elle secoua le bras de JoHelen pour la réveiller. La piste était nichée dans une vallée cernée de collines verdoyantes. Gunther fit un atterrissage parfait, quasiment sans aucune secousse. Ils roulèrent jusqu'au petit terminal. Il y avait quatre avions garés, des petits Cessna.

— Bienvenue à l'aérodrome de Franklin, comté de Macon, Caroline du Nord ! annonça-t-il en coupant les moteurs.

Il sortit du cockpit, ouvrit la porte de la cabine et aida les deux femmes à descendre. Ils se dirigèrent vers le terminal.

— On va retrouver Rusty, un gars du coin qui va nous emmener là-haut. Il y en a pour une demi-heure. Il surveille quelques chalets dans le secteur.

— Et toi ? Tu restes ? s'enquit Lacy.

438

— Bien sûr. Pas question de te laisser, sœurette. Ça sent le bon air, non ? Et on n'est qu'à huit cents mètres d'altitude.

Rusty était un ours : une grosse barbe, un grand poitrail et un sourire tout aussi grand, qui s'illumina encore un peu plus en apercevant les deux jolies jeunes femmes. Il avait un Ford Explorer qui semblait avoir passé sa vie dans les montagnes.

— On s'arrête en ville ? proposa-t-il au moment de quitter l'aérodrome.

— Ce n'est pas de refus, répondit Lacy. J'achèterais bien du dentifrice.

Il se gara devant une supérette.

— Il y a de quoi manger dans le chalet ? s'enquit Gunther.

— Whisky, bière, pop-corn. Si vous voulez autre chose, c'est maintenant.

— Combien de temps on va rester ? demanda JoHelen.

Elle n'avait encore rien dit, saisie sans doute par le changement soudain de paysage.

— Un ou deux jours, j'imagine, répliqua Lacy.

Elles achetèrent des articles de toilette, des œufs, du pain, de la charcuterie, des sandwichs sous cellophane et du fromage. À la sortie de Franklin, Rusty bifurqua sur une route de gravillons, laissant l'asphalte derrière eux. Ils grimpèrent une colline, la première d'une longue série. Lacy sentit ses tympans craquer pour compenser la perte de pression. Rusty était un vrai moulin à paroles et conduisait bien vite sur cette route qui longeait des ravins, enjambait des torrents impétueux sur des passerelles de bois bringuebalantes. Gunther avait séjourné ici un mois plus tôt, avec sa femme, pour une semaine à la fraîche et voir les pre-mières couleurs de l'automne. Les deux hommes par-laient ; les femmes à l'arrière écoutaient. La route de gravier se fit chemin de terre. La dernière côte était raide et terrifiante. Quand ils atteignirent enfin la crête, un magnifique lac de montagne s'offrit à leur regard. Le chalet était niché sur la rive.

Rusty les aida à décharger les provisions et leur fit faire le tour des lieux. Lacy s'attendait à trouver une construction rustique, avec toilettes dehors et puits dans le jardin, mais elle avait tout faux. Le chalet était une petite merveille, une ossature en « A » sur trois niveaux, avec balcons, solarium, et un ponton où un bateau était au mouillage. Et tout le confort ! C'était encore plus cosy que son appartement à Tallahassee. Une Jeep Wrangler rutilante était garée sous l'auvent. Gunther expliqua que son ami, le propriétaire, avait fait fortune dans l'hôtellerie et fait construire ce petit nid pour fuir Atlanta l'été.

Rusty prit congé et leur dit de l'appeler en cas de besoin. Il y avait du réseau et tous les trois avaient des appels à passer. Lacy contacta son concierge pour qu'il demande à Simon, son voisin, de s'occuper du chien. Elle appela aussi Pacheco et lui expliqua qu'elles avaient trouvé une cachette dans les mon-tagnes et qu'elles étaient en sécurité. JoHelen prévint M. Armstrong de son absence. Voulait-il bien sur-veiller sa maison ? – une mission que le couple accom-plissait quinze heures par jour à longueur d'année. Gunther, comme c'était prévisible, gérait au téléphone ses « affaires urgentes », en marchant de long en large.

Peu à peu, tout le monde se détendit. Loin de la touffeur de Floride. L'air était si vivifiant, si cristallin.

À en croire le thermomètre antédiluvien sur le perron, il faisait seize degrés. Le chalet, à mille cinq cents mètres d'altitude, avait tout l'équipement moderne, hormis la climatisation.

* * *

En fin d'après-midi, alors que le soleil disparaissait derrière les montagnes et que Gunther, toujours au téléphone, s'époumonait sur le perron, Lacy et JoHelen s'installèrent au bout du ponton, à côté du bateau, pour boire une bière fraîche.

— Parlez-moi de Claudia McDover.

— Houla ! Par où commencer ?

— Par le début ? Pourquoi vous a-t-elle embauchée ? Et pourquoi vous a-t-elle gardée pendant huit ans ?

— Faut croire que je suis bonne dans ma branche. Après mon premier divorce, j'ai décidé de devenir greffière et j'ai travaillé dur pour y parvenir. Je me suis entraînée avec les meilleurs, de vraies pointures, et me suis toujours tenue au fait des dernières innovations. Quand Cooley a découvert que Claudia cherchait quelqu'un, il m'a poussée à présenter ma candidature. Une fois que j'étais dans la place, il a pu lancer sa grande opération. Les greffiers au tribunal savent tout. Et Claudia ne se doutait de rien, ce qui a rendu les choses plus faciles. J'ai tout de suite remarqué des trucs louches. Ses tenues par exemple. Des vêtements de couturier, même si elle tentait de rester discrète. Quand elle avait une grosse journée au tribunal, et qu'elle devait se montrer en public, elle faisait attention, choisissait des tenues un cran en dessous. Mais quand c'était un jour tranquille au bureau, elle se faisait plaisir et sortait ses plus beaux habits. C'était plus fort qu'elle. Elle adorait les trucs de luxe. Elle changeait constamment de bijoux – des diamants, des rubis, des saphirs… mais je pense que personne n'y faisait attention. Sterling n'est pas La Mecque de la mode. Elle dépensait une fortune en vêtements et accessoires, bien plus que ce qu'elle aurait pu s'offrir avec son salaire de juge. Elle virait sa secrétaire tous les deux ans. Elle ne voulait pas de proximité. Elle était toujours distante, froide et professionnelle, mais jamais elle ne s'est méfiée de moi, parce que moi aussi je me tenais sur la réserve. Du moins, c'est ce qu'elle croyait. Un jour, alors qu'on était en plein procès, j'ai subtilisé son trousseau de clés. Cooley est passé le récupérer au palais pour faire un double. Après avoir cherché partout ses clés, elle les a retrouvées à côté d'une corbeille. Elle n'a jamais su qu'on avait fait une copie. Une fois que Cooley a eu accès à son bureau, cela a été la razzia. Il a piraté ses téléphones, embauché un hacker pour entrer dans son ordinateur. C'est comme ça qu'on a eu toutes ces informations. Elle était prudente, en particulier pour tout ce qui concernait Phyllis Turban. Elle avait un ordinateur de bureau pour le travail et un portable pour ses affaires perso. Et puis, un autre portable encore pour les trucs carrément secrets. Cooley n'a rien dit de tout ça à Myers, par prudence. Si Myers se faisait attraper, il ne voulait pas que toute l'opération tombe à l'eau. Il ne lui a donné que le strict minimum, juste de quoi vous convaincre d'ouvrir une enquête.

Elle but une longue gorgée. L'eau ondulait sous leurs pieds, là où les poissons faisaient ripaille.

— Les vêtements et les bijoux m'ont mis la puce à l'oreille, mais quand on a découvert qu'elle et Phyllis se promenaient aux quatre coins de la planète – New York, La Nouvelle-Orléans, les Caraïbes – c'était la preuve que l'argent coulait à flots, pas qu'un peu, et qu'il venait bien de quelque part. Et tous ces jets étaient réservés au nom de Phyllis, jamais au sien. Puis on a découvert l'existence d'un appartement dans le New Jersey, d'une maison à Singapour, d'une villa à la Barbade, et j'en passe. Tout ça parfaitement caché, du moins c'est ce qu'elles croyaient. Mais Cooley avait des yeux partout.

— Pourquoi n'êtes-vous pas allés trouver le FBI ? Pourquoi nous ?

— On en a parlé, mais Myers comme Cooley se méfiaient des fédéraux, en particulier Myers. Il y mettait carrément son veto. Il refusait de s'engager si le FBI était de la partie. Il s'était fait avoir une fois et il ne voulait pas que cela se reproduise. Et comme la police de Floride n'avait aucune compétence concernant les affaires indiennes, ils ont décidé d'impliquer le BJC. Bien sûr, vous aviez des pouvoirs très limités, mais il faut un début à tout. Ni l'un ni l'autre ne savaient comment les choses évolueraient. En tout cas personne n'imaginait qu'il y aurait des morts.

Le téléphone de Lacy vibra. Pacheco.

— Il faut que je décroche. Pardon.

— Pas de problème.

Elle s'éloigna vers le chalet et dit doucement :

— Allie ?

— Où es-tu ?

— Quelque part dans les montagnes, en Caroline du Nord. Gunther nous y a emmenées et maintenant il monte la garde.

— Gunther ? Il est encore là ?

— Oui. Et il a été parfait.

— La séance avec le jury est terminée. Elle reprend demain. On a tous nos mandats d'arrestation.

— C'est pour quand ?

— On doit se réunir pour décider ça. Je te tiens au jus.

— Sois prudent.

— Prudent ? Mais c'est justement ne pas l'être qui est drôle. On va y passer la nuit.

* * *

Le soir, ils firent du feu devant le lac et s'emmitouflèrent dans des couvertures, affalés sur des transats. Gunther trouva un cubitainer de rouge. Lacy le jugea consommable. Elle but un peu, JoHelen encore moins. Et Gunther pas du tout. Il tourna au déca et alimenta le feu.

JoHelen voulait connaître ce qui s'était passé avec Hugo. Lacy fit de son mieux et lui raconta l'accident. Gunther, de son côté, voulait en savoir plus sur Cooley. Pourquoi se donnait-il tout ce mal pour coincer McDover ? JoHelen expliqua la situation pendant une heure. Ensuite ce fut au tour de Lacy d'être curieuse. Comment son frère avait-il pu survivre à trois faillites et être encore dans les affaires ? Le récit des hauts faits de Gunther occupa le reste de la soirée. Ils dînèrent devant les flammes – au menu : sandwichs jambon-fromage sous plastique –, et parlèrent et rirent jusque tard dans la nuit.

41

Les premières arrestations tombèrent.

Sur les sept parcours de golf appartenant à Vonn Dubose, son préféré était les Rolling Dunes, un club select à la pointe sud du comté de Brunswick, avec une belle vue sur la mer et toute la tranquillité pour jouer sérieusement. Malgré sa méfiance pour les rites et les habitudes, il s'autorisait ce petit plaisir hebdomadaire : tous les dimanches matin à 8 heures, il retrouvait ses amis du club-house pour un brunch arrosé de bloody mary. L'ambiance était toujours joyeuse, voire paillarde. Pour une fois que les femmes n'étaient pas là, cette bande de septuagénaires s'en donnait à cœur joie. Ils passaient environ cinq heures sur un beau parcours, à boire de la bière, à fumer le cigare, avec paris à chaque trou, tricheries, jurons et plaisanteries salaces, sans personne, ni caddy, ni autres golfeurs, pour jouer les trouble-fête. Ils se rendaient au trou numéro un à 9 heures et Vonn faisait bloquer l'accès une demi-heure avant et après pour être tranquille. Il détestait les terrains bondés ; une fois il avait mis à la porte un starter parce qu'il avait dû attendre cinq minutes que le groupe devant lui termine son trou.

Les frères Maton, Vance et Floyd, qui se chamaillaient continuellement, devaient être séparés. Vonn jouait toujours avec Floyd. Ron Skinner partait avec

Vance. Le dimanche 16 octobre, quatre des cinq Cousins étaient sur la butte de départ à 9 heures, ignorant ce qui les attendait. Ce serait la dernière partie de leur vie.

Le cinquième Cousin, Hank Skoley, déposa son patron au club-house en comptant revenir cinq heures plus tard. Hank détestait le golf et préférait passer ses dimanches matin au bord de la piscine avec sa femme et ses enfants. Il rentrait chez lui, tranquille, roulant à une vitesse tout à fait raisonnable, quand une voiture de police l'arrêta sur la Highway 98. Il ne cacha pas son agacement envers le policier, et alors qu'il exigeait de savoir quelle infraction au code de la route il avait bien pu commettre, l'agent lui annonça qu'il était en état d'arrestation pour meurtre. Quelques minutes plus tard, il se retrouvait à l'arrière de la voiture de patrouille, menottes aux poings.

Le trou numéro quatre des Rolling Dunes était un long par 5 avec un coude sur la droite. Du tertre de départ, le green était invisible. Il était en bordure du domaine, à côté d'une rue cachée par une rangée d'arbres et de buissons. C'est là qu'étaient postés Allie Pacheco et ses collègues. Quand les deux voiturettes descendirent l'allée pour s'arrêter près du bunker, les fédéraux attendirent que Vonn, Floyd, Vance et Ron prennent leurs putters et montent sur le green. Ils fumaient des cigares, riaient aux éclats, quand une dizaine d'hommes en costumes noirs surgirent de nulle part pour les informer que la partie était finie. Ils furent menottés sur place et emmenés vers la rue derrière le rideau de végétation. Leurs téléphones portables et portefeuilles furent confisqués, mais le reste – clubs, clés, glacières de bières – fut laissé dans les voiturettes. Quant aux putters, balles et cigares, ils restèrent sur le green.

Une demi-heure plus tard, le groupe suivant arriverait. La disparition soudaine de quatre joueurs en plein parcours alimenterait les conversations au club-house pendant la journée.

Les Cousins furent placés dans des véhicules séparés. Allie Pacheco monta à l'arrière avec Vonn Dubose qui ne tarda pas à se plaindre :

— C'est vraiment dommage. J'étais dans un bon jour. Un en dessous du par après seulement trois trous.

— Ravi d'apprendre que vous vous amusiez bien.

— Je peux savoir à quoi ça rime tout cela ?

— Meurtre avec préméditation. Vous risquez la peine capitale.

— On peut savoir qui est la victime ?

— Il y en a eu tellement, pas vrai ? Hugo Hatch, ça vous rappelle quelque chose ?

Dubose resta de marbre et ne dit plus rien. Comme le code d'honneur le voulait, Hank Skoley, les frères Maton, et Ron Skinner n'ouvrirent pas la bouche pendant leur transport jusqu'à la prison.

* * *

Dès que les suspects furent arrêtés et leurs moyens de communication confisqués, les équipes du FBI investirent leurs maisons, leurs bureaux, pour emporter ordinateurs, téléphones, livres comptables, dossiers, tout ce qui pouvait être utile. Les frères Maton et Ron Skinner avaient un travail légal en apparence avec secrétaires et assistants, mais comme on était dimanche il n'y avait personne dans les locaux pour assister aux

447

descentes du FBI. Hank Skoley gardait ses archives au sous-sol ; sa femme et ses enfants regardèrent, terrifiés, les agents à la mine sinistre tout emporter dans une camionnette. Vonn Dubose n'avait aucun document compromettant, ni sur lui, ni dans son cottage.

Après la séance photo et la prise d'empreintes, les nouveaux détenus furent placés dans des cellules séparées. Il se passerait des mois avant qu'ils ne se revoient.

On offrit à Vonn un sandwich rassis pour le déjeuner qu'il refusa. Puis on l'emmena en salle d'interrogatoire où l'attendaient Allie Pacheco et Doug Hahn. Il refusa également café, eau, et annonça qu'il voulait un avocat. Pacheco lui lut ses droits, mais Dubose ne voulut pas signer l'attestation. Encore une fois, il réclama un avocat et il voulait qu'on lui accorde son appel téléphonique comme la loi le prévoyait.

— Ce n'est pas un interrogatoire, Jack, répondit Allie. Juste un brin de conversation, histoire de faire connaissance puisque nous savons désormais votre véritable nom. Merci les empreintes. On a eu une réponse dans le fichier. Une arrestation en 1972 pour agression avec intention de tuer. Vous vous appeliez alors Jack Henderson, vous faisiez partie de la bande de joyeux drilles qui trafiquaient dans la drogue, les prostituées et les jeux d'argent. Après avoir été condamné à Slidell en Louisiane, vous avez décidé que la prison ce n'était pas pour vous, et vous avez réussi une jolie petite évasion. Exit votre ancien nom, vous voilà devenu Vonn Dubose, et depuis quarante ans vous avez joué à la perfection l'homme invisible. Mais la partie est finie, Jack.

— Je veux un avocat.

— Bien sûr, on va vous en trouver un. Mais ce ne sera pas un ténor du barreau comme vous l'espérez. Ces pointures coûtent bonbon et, depuis 9 heures ce matin, vous êtes aussi fauché que votre père quand il s'est pendu dans sa cellule. Tous vos avoirs sont gelés, Jack. Tout cet argent que vous avez amassé, vous ne pouvez plus y toucher.

— Un avocat ! Je veux un avocat.

* * *

Clyde Westbay fut prévenu. Tôt le dimanche matin, un agent du FBI l'avertit que l'heure de son arrestation avait sonné. Clyde annonça à sa femme qu'il y avait un problème au bureau et quitta la maison. Il se rendit sur le parking désert d'un centre commercial et se gara à côté d'un Chevrolet Tahoe noir. Il laissa ses clés au pied du siège, sortit de l'habitacle. On le menotta et on le fit monter à l'arrière du SUV. Il n'avait pas dit à son épouse ce qui allait lui arriver. Il n'en avait pas eu le courage.

Avec les clés qu'il avait laissées dans sa voiture, deux équipes du FBI allèrent perquisitionner les bureaux des hôtels qu'il dirigeait pour la Starr S, la société offshore. Le lundi, tous les clients furent invités à plier bagage, toutes les réservations annulées. Les hôtels resteraient fermés jusqu'à nouvel ordre.

Quand on autorisa enfin les Cousins à passer leur coup de fil, la nouvelle de leur arrestation se propagea comme un feu de broussailles à travers l'organisation. Fuir ou ne pas fuir ? Tous les cadres se posaient cette question existentielle. Avant qu'ils n'aient pris une décision, la plupart seraient arrêtés, leurs bureaux mis à sac par les fédéraux.

À Biloxi, un avocat nommé Stavish, avec sa femme à son bras, se rendait à la messe du dimanche quand deux agents vinrent à sa rencontre et lui annoncèrent qu'il y aurait un contretemps. Une fois qu'il eut saisi que lui et son associé tombaient sous le coup de la loi RICO, et qu'il était en état d'arrestation, on lui donna le choix entre remettre les clés de son cabinet ou voir les portes fracassées au bélier. Stavish dit au revoir à sa femme sur le perron de l'église, ignora les regards interloqués des autres paroissiens, et s'en alla en larmes entre deux agents.

Au Treasure Key, quatre fédéraux vinrent trouver le directeur de garde et l'informèrent que le casino allait être fermé. « Faites une annonce, demandez à tout le monde de sortir ! » Un autre agent téléphona au chef Cappel et lui demanda de venir au casino. C'était urgent. Quand il arriva, vingt minutes plus tard, il fut arrêté sur-le-champ. Une escouade des US Marshals aida à faire sortir les joueurs mécontents et canalisa le flot humain jusqu'aux voitures sur le parking. Ceux qui séjournaient dans les deux hôtels furent priés de rassembler leurs affaires et de quitter les lieux. Quand Billy Cappel arriva en toute hâte, il fut arrêté également, avec Adam Horn et trois cadres du casino. Le FBI laissa les Marshals gérer l'évacuation des clients, joueurs et employés qui n'avaient pas envie de partir mais s'apercevaient que des scellés étaient placés sur toutes les portes.

Vers 15 heures, le dimanche, Phyllis Turban buvait un thé glacé sur son perron en lisant un livre. Son téléphone tinta. Un numéro inconnu. Elle décrocha. Une voix lui annonça :

— Il y a un mandat d'arrêt émis contre vous et votre amie la juge, comme contre Vonn Dubose et une centaine d'autres escrocs. Le FBI perquisitionne les bureaux sur toute la côte. Votre cabinet est le suivant sur la liste.

En utilisant un autre téléphone, que le FBI écoutait aussi, elle appela aussitôt Claudia McDover qui n'était au courant de rien. McDover, à son tour, appela son contact, Hank Skoley, mais personne ne décrocha. Les deux femmes allèrent sur Internet pour avoir des infos. Rien. Pas un mot sur l'opération en cours. Phyllis proposa un repli stratégique et appela une compagnie de jets privés à Mobile. Un avion était disponible et pouvait être prêt à décoller dans deux heures.

Conformément à leurs instructions, la compagnie aérienne prévint le FBI. Phyllis se rendit en hâte à son bureau secret dans un centre d'affaires près de l'aéroport. Elle y entra avec rien dans les mains, sinon ses clés, et en ressortit avec deux gros sacs Prada. Les fédéraux la suivirent ainsi jusqu'au terminal de l'aviation générale.

La compagnie de jets informa les autorités que sa cliente, une habituée, voulait s'arrêter à Panama City pour récupérer quelqu'un, avant de partir pour la Barbade. Les fédéraux, en collaboration avec la FAA, laissèrent décoller l'avion. À 16 h 50, le Lear 60 quittait Mobile pour un vol de vingt minutes jusqu'à Panama City.

Pendant ce temps, la juge McDover fonçait à son appartement préféré à Rabbit Run, pour récupérer une partie de son butin qu'elle fourra dans un grand sac à main, et fila à l'aéroport. Il était 17 h 15 quand le Lear s'arrêta sur le tarmac. Elle monta rapidement à bord. Le commandant de bord l'accueillit, lui souhaita la bienvenue, puis se rendit au terminal pour régler les formalités de vol. Au bout d'un quart d'heure, le copilote annonça à Claudia et Phyllis que la météo était mauvaise au-dessus du Golfe et que leur décollage était retardé.

— On ne peut pas contourner la tempête ? s'impatienta Phyllis.

— Impossible. Nous en sommes navrés.

Deux SUV noirs apparurent derrière le jet et se garèrent sous l'aile gauche. Claudia fut la première à voir les véhicules.

— Oh non…

Quand les deux femmes furent menottées et emmenées, les fédéraux fouillèrent l'avion. Elles n'avaient pas pris de vêtements, mais tous les biens qu'elles pouvaient emporter – diamants, rubis, pièces de collection, liasses de billets. Quelques mois plus tard, leur valeur serait estimée. Quatre millions deux cent mille dollars. Quand on leur demanda comment elles pensaient passer la douane à la Barbade, elles ne surent que répondre.

D'autres trésors furent saisis après une perquisition dans l'appartement de Rabbit Run. Quand les agents trouvèrent la chambre forte, ils furent impressionnés par l'ampleur du magot : des bijoux en pagaille, des œuvres d'art, des livres rares, des montres, des antiquités. L'autre équipe, partie fouiller le domicile de McDover, ne trouva pas grand-chose de valeur. Au palais de justice, les fédéraux confisquèrent le matériel habituel – ordinateurs, téléphones, dossiers. Les ordinateurs de Phyllis Turban ne servaient pas à gérer ses affaires louches. Mais les deux portables dans son bureau secret contenaient toute la comptabilité clandestine : relevés de comptes, transferts, actes de propriété, correspondance avec les avocats dans une collection de paradis fiscaux.

* * *

Le coup de filet dans le nord-ouest de la Floride fut rapide et efficace. Au soir du dimanche, vingt et un hommes et deux femmes étaient aux arrêts, sur le point d'être poursuivis pour une série de charges qui allaient s'alourdir au fil des semaines. Dans la nasse, Delgado avait été pris aussi. Il soulevait de la fonte dans une salle de gymnastique quand deux agents étaient venus lui gâcher sa séance. Officiellement, il était le simple gérant d'un bar, et il fut inculpé pour blanchiment d'argent. Il s'écoulerait des années avant qu'on ne finisse d'exhumer la longue litanie de ses crimes.

42

Les chaînes locales apprirent la nouvelle vers 18 heures le dimanche, totalement prises de court. Puisque les crimes étaient inconnus, comme les accusés, il y eut peu de couverture médiatique. Mais cela changea du tout au tout quand deux infos tombèrent : la fermeture du casino et la découverte de la Coast Mafia. L'existence d'un nouveau syndicat du crime faisait sensation et les reportages devant le Treasure Key sous scellés se succédèrent.

Lacy et JoHelen regardaient les journaux télévisés avec un mélange de fascination et d'incrédulité. La bête était terrassée. L'organisation était démantelée. La corruption révélée. Les criminels sous les verrous. Finalement, il y avait encore une justice. Et dire que c'étaient elles qui étaient à l'origine de tout ça… Mais le prix à payer avait été si élevé qu'il était difficile de ressentir de la fierté, du moins pour le moment. Un nouveau « flash spécial » interrompit le reportage en cours : le visage de la juge Claudia McDover apparut à l'écran. JoHelen porta les mains à son visage et se mit à pleurer. La journaliste disait que la juge et son avocate avaient été arrêtées à bord d'un jet privé alors qu'elles tentaient de fuir le pays. La moitié des allégations de la reporter était vraie, mais elle contrebalançait le manque de rigueur de son récit par un bel enthousiasme.

— Ce sont des larmes de joie ?

— Sans doute. Je n'en sais rien encore. En tout cas, elles ne sont pas de tristesse. Cela paraît si incroyable.

— Je sais. Il y a quelques mois je n'avais jamais entendu parler de ces gens, et le casino était le cadet de mes soucis.

— Quand pourra-t-on rentrer chez nous ?

— Je ne sais pas trop. Il faut que j'en parle avec le FBI.

Gunther avait pris la Jeep pour aller chercher en ville de la viande et du charbon de bois. Il était de retour sur le perron, et faisait griller des entrecôtes au barbecue, avec des pommes de terre à la braise. Il entrait de temps en temps pour regarder les derniers scoops, mais les mêmes infos tournaient en boucle. À plusieurs reprises, il les félicita. « Bravo, les filles. Vous venez de faire tomber la juge la plus corrompue du pays. À la vôtre ! »

Mais elles n'étaient pas d'humeur à faire la fête. JoHelen avait bon espoir de conserver son travail, même si le remplaçant de la juge pouvait choisir une nouvelle greffière. Peut-être pensait-elle à son statut de lanceur d'alerte ? Pour l'instant, c'était une démarche compliquée et de longue haleine ; et elle avait perdu dans l'affaire son avocat, celui qui était censé défendre ses intérêts.

Avant le dîner, Lacy appela Geismar pour faire un point. Elle appela Verna aussi et lui expliqua que tous ces gens étaient poursuivis pour le meurtre de Hugo. Elle appela encore Allie Pacheco, en vain. Elle n'avait pas réussi à lui parler de la journée, mais cela n'avait rien d'étonnant. Il avait d'autres chats à fouetter.

* * *

À 9 heures, le lundi matin, la procureure Paula Galloway vint à la cour fédérale de Tallahassee et présenta une série d'injonctions visant à ordonner la fermeture immédiate de trente-sept établissements. La plupart se trouvaient dans le comté de Brunswick, mais tout le Nord-Ouest était affecté. Des bars, des débits d'alcool, des restaurants, des clubs de strip-tease, des hôtels, des magasins, des centres commerciaux, des parcs d'attractions, des parcours de golf, ainsi que trois chantiers de construction d'appartements. Les tentacules de l'organisation s'étendaient à plusieurs lotissements, tel le Rabbit Run, mais comme la majorité des lots avaient été vendus à des particuliers, on décida de laisser les propriétaires tranquilles. Galloway fournit au juge une liste de quatre-vingt-quatre comptes en banque et demanda à ce qu'ils soient tous placés sous séquestre. La plupart appartenaient à des sociétés, mais il y avait aussi des personnes privées. Hank Skoley, par exemple, avait deux cent mille dollars en dépôt et quarante mille sur un compte partagé. Ces deux comptes furent néanmoins gelés par Son Honneur, un vétéran bien décidé à accéder à toutes les requêtes de la procureure fédérale. Étant donné la nature de l'affaire, il n'y avait personne pour s'y opposer. Elle demanda que les établissements incriminés soient saisis et qu'un avocat d'un grand cabinet de Tallahassee soit nommé comme administrateur.

Ses pouvoirs seraient étendus. Il devrait examiner tous les mouvements financiers découlant, tout ou partie, de l'activité criminelle du « syndicat Dubose » comme on appelait désormais cette organisation. Il éplucherait ainsi toutes les entrées et sorties de ces sociétés et établissements, depuis leur création, afin de rétablir l'historique réel de leur comptabilité. Avec l'aide de juristes et d'experts financiers, il retracerait tous les mouvements d'argent et mettrait en évidence tous les chaînons reliant ces sociétés au syndicat. En collaboration avec le FBI, il explorerait le dédale des sociétés offshore édifié par Dubose, et ferait l'inventaire des avoirs et possessions de chacune. Et plus important encore, l'administrateur répertorierait toutes les forfaitures, ventes, et acquisitions liées au syndicat Dubose.

Deux heures plus tard, Paula Galloway tenait une belle conférence de presse – le rêve de tout procureur – devant un parterre de journalistes et un buisson de micros. Derrière elle, au garde-à-vous, se tenaient ses adjoints, dont Rebecca Webb, ainsi que des agents du FBI. À sa droite, sur un grand écran, les photos d'identité judiciaire des cinq Cousins et de Clyde Westbay étaient révélées aux médias. Elle expliqua que ces gens étaient poursuivis pour meurtre, qu'ils étaient en cellule, et que oui, elle songeait à réclamer la peine capitale. Elle parvint à contenir la fougue des journalistes et précisa que les prévenus, puisqu'ils appartenaient au crime organisé, tombaient tous sous le coup de la loi RICO. Les investigations n'étaient pas terminées, mais d'ores et déjà vingt-six des trente-trois accusés étaient inculpés. Le FBI et son service en étaient au début de l'enquête ; bien d'autres secrets seraient exhumés. Les activités criminelles du syndicat Dubose touchaient à de nombreux domaines d'activité et on avait affaire à une mafia extrêmement bien organisée.

Sitôt qu'elle eut fini sa déclaration, les questions fusèrent de toutes parts.

* * *

Vers midi, le lundi, leur retraite dans les montagnes avait perdu tout attrait. Elles en avaient assez de regarder les informations à la télé, assez de dormir, de lire de vieux livres qu'elles n'avaient pas choisis, assez de paresser sur le ponton à regarder les chatoiements de l'automne, tout aussi beaux qu'ils fussent. Le copain de Gunther voulait récupérer son avion. Lacy avait du travail qui l'attendait au bureau. JoHelen était impatiente de retourner au palais de justice sachant que Claudia McDover n'y serait plus, impatiente aussi d'entendre ce qu'on racontait.

Plus important encore, selon Allie, JoHelen ne risquait plus rien. Dubose avait des soucis plus urgents que de faire taire une greffière. Avec le gros de son armée sous les verrous, et sans téléphone, il lui était difficile d'organiser quoi que ce soit. De toute façon, par précaution, le FBI garderait un œil sur elle pendant quelques semaines.

Rusty vint les prendre à 14 heures et la descente fut encore plus terrifiante que la montée. Même Gunther avait fini par avoir mal au cœur à leur arrivée à l'aéroport. Elles remercièrent Rusty, échangèrent les politesses d'usage, promirent de donner des nouvelles, et montèrent dans l'avion.

Lacy aurait bien voulu rentrer directement chez elle, mais c'était impossible. Elle avait laissé sa nouvelle Mazda à Valdosta, et elle devait aller la récupérer. Le vol fut pénible. Gunther dut sinuer entre les orages et eut bien du mal à trouver une altitude où l'avion n'était pas trop chahuté. Quand ils atterrirent, Lacy et JoHelen n'en pouvaient plus et étaient soulagées de retrouver le plancher des vaches. Elles étreignirent Gunther, lui exprimèrent encore une fois leur reconnaissance et lui souhaitèrent bon retour. Tallahassee était à mi-chemin entre Valdosta et Panama City Beach, où JoHelen avait laissé sa voiture sur le parking du Neptune.

À l'idée de la longue route qui les attendait, Lacy eut une idée. Elles passeraient la nuit à Tallahassee, chez elle, et Lacy inviterait Allie à dîner. Devant une assiette de pâtes et une bonne bouteille de vin, elles écouteraient ses exploits des trois derniers jours. Et lui tireraient les vers du nez pour avoir tous les détails. Qui avait arrêté Dubose ? Qu'est-ce qu'il avait dit ? Comment ils avaient coincé Claudia lors de sa tentative de fuite ? Qui étaient les autres accusés ? Où étaient-ils aujourd'hui ? Qui était le chasseur aux trousses de JoHelen ? Au fil des kilomètres, une multitude de questions leur venaient à l'esprit.

Lacy appela Allie et lui parla du dîner. La cerise sur le gâteau serait la présence de JoHelen.

— Je vais rencontrer notre informatrice.

— En chair et en os.

— Enfin !

Épilogue

Les jours qui suivirent la vague d'arrestations, l'affaire fit la une de tous les journaux de Floride et du sud-est du pays. Les journalistes étaient partout, ils s'agitaient, posaient des questions, commentaient toutes les pistes, courant après les scoops. Les portes closes du Treasure Key étaient leur arrière-plan préféré pour leur prise d'antenne. Ils campèrent dans l'allée de Verna jusqu'à ce que la police les évacue. La meute battit en retraite dans la rue, en face de la maison, bloquant la circulation. Deux d'entre eux furent même arrêtés. Quand enfin ils comprirent que Verna ne savait rien, la folie leur passa et ils partirent chasser d'autres lièvres. Paula Galloway, la procureure fédérale, tenait des conférences de presse tous les jours, même si elle n'avait rien de nouveau à révéler. De son côté, Allie Pacheco, porte-parole du FBI, refusait de faire la moindre déclaration. Pendant quarante-huit heures, les journaux télévisés filmèrent la maison de Claudia McDover à Sterling, le palais de justice du comté. Ils filmaient aussi le bureau sous scellés de Phyllis Turban, et le cabinet d'avocats de Biloxi. Lentement, l'affaire passa de la page un à la page deux.

Toute l'attention se portait sur le FBI et le cabinet de la procureure fédérale. Personne ne s'intéressait au

BJC. La minuscule agence traversa toute cette tempête médiatique sans attirer l'attention. Quelques journalistes tentèrent de joindre Lacy et Geismar, en vain. Comme tout le monde, les agents du BJC suivaient la progression de l'enquête dans les médias. Le nombre d'inexactitudes, et de contre-vérités dans les reportages, était saisissant. En ce qui concernait le BJC, le dossier était clos. Leur cible était en prison, et allait bientôt démissionner.

Mais reprendre le train-train quotidien était difficile, du moins pour Lacy. La charge émotionnelle avait été trop forte pour tourner la page. C'était la plus grande affaire de sa carrière. Elle était terminée, mais elle continuerait à l'habiter pendant des mois encore. Elle et Pacheco passaient beaucoup de temps ensemble, et ne parvenaient pas à parler d'autre chose.

Deux semaines après l'arrestation de McDover et le démantèlement de la bande de Dubose, Lacy rentra chez elle plus tard que d'habitude. Au moment de sortir de la voiture, elle aperçut un homme assis sur ses marches. Visiblement, il l'attendait. Elle téléphona à Simon, son voisin, et lui demanda de rester derrière sa porte. Il l'avait, lui aussi, remarqué. Quand Lacy s'approcha, Simon sortit de chez lui, prêt à parer à toute éventualité.

L'homme portait une chemise de golf blanche et un bermuda, avec une casquette enfoncée sur le front qui lui cachait les yeux. Il avait les cheveux courts, teints en brun. En la voyant arriver, il lui lança un sourire.

— Bonjour, Lacy.

C'était Greg Myers.

Elle fit signe à Simon que tout allait bien et elle le fit entrer.

— Je vous croyais mort, dit-elle alors qu'elle refermait la porte derrière eux.

Myers lâcha un rire.

— Il s'en est fallu de peu. Et il me faut une bière de toute urgence.

— Pareil.

Elle ouvrit deux canettes et ils s'installèrent à la table de la cuisine.

— J'imagine que vous n'avez pas revu Carlita.

Il rit de nouveau.

— J'ai passé la nuit avec elle ! Elle va bien. Merci d'être venue la tirer de là.

— Juste merci ? Allez Greg, racontez-moi tout.

— Qu'est-ce que vous voulez savoir ?

— Tout. Pourquoi avez-vous disparu ?

— C'est une longue histoire.

— J'imagine. Allez-y. Je suis tout ouïe.

Myers était prêt à parler, à revenir dans l'histoire dont il était en partie à l'origine. Il but une longue gorgée au goulot, s'essuya la bouche du revers de la main, un geste disgracieux qu'elle lui connaissait.

— Pourquoi ai-je disparu ? Pour deux raisons, en fait. Un, c'était une manœuvre prévue de longue date. Je savais que le FBI aurait des réticences à s'engager, et vu la tournure des événements, cela se présentait mal. Si je ne donnais plus signe de vie, on penserait que Dubose m'avait attrapé. Un autre mort au compteur : moi. Cela allait convaincre le FBI de bouger. Je ne voulais pas que les fédéraux s'en mêlent, mais il était devenu évident que l'affaire n'irait nulle part sans leur intervention. Et ça a marché, non ?

— Votre disparition les a intéressés, certes, mais cela n'a pas été l'élément décisif.

— Qu'est-ce qui a fait pencher la balance ?

— L'ADN. On a récupéré un échantillon de sang provenant du lieu de l'accident et ça nous a menés au chauffeur du pickup. Une fois le type identifié, les fédéraux ont su qu'ils pouvaient gagner la partie. Cela sentait le bon coup, alors ils ont sorti la grosse artillerie.

— Comment vous avez eu cet échantillon de sang ?

— Plus tard. Vous parlez de deux raisons. C'est quoi l'autre raison ?

— Celle-là était encore plus impérative que la première. J'étais sur le bateau un matin à Key Largo, à vaquer à mes petites affaires – je bricolais l'un des moteurs –, quand le téléphone à carte a vibré dans ma poche. Je l'ai ouvert, j'ai dit « Allô ? », un truc comme ça et une voix a dit : « Myers ? » J'ai cru que c'était Cooley, mais j'ai eu un doute. J'ai raccroché et rappelé Cooley sur un autre téléphone. Il m'a assuré qu'il n'avait pas essayé de me téléphoner. Quelqu'un était donc sur mes traces, et ce ne pouvait être que Dubose. Il fallait se faire discret. J'ai tout effacé dans l'ordi, ai rempli mes poches de billets et j'ai dit à Carlita que j'allais faire un tour. Je me suis promené sur la marina pendant une demi-heure pour surveiller les alentours. Finalement, j'ai payé un gars du coin pour qu'il m'emmène à Homestead. Une fois là-bas, je suis parti me cacher à Miami. Ça s'est joué à pas grand-chose ; j'ai vraiment eu les jetons.

— Et vous avez abandonné Carlita ?

Il but une nouvelle gorgée.

— Je savais qu'ils ne lui feraient rien. Ils pouvaient la menacer, lui faire peur, mais il y avait peu de chance qu'ils lui fassent du mal. C'était un risque à prendre.

Et je devais la convaincre, elle, Cooley, vous, et même le FBI, que j'étais une nouvelle victime du gang. Les gens peuvent parler, même Carlita et Cooley. Il était essentiel qu'ils ne sachent rien.

— Vous avez abandonné le navire. Cooley aussi. Et vous avez laissé vos compagnes derrière vous, seules face au danger.

— Certes, on peut voir ça comme ça. Mais c'est beaucoup plus compliqué. Soit je fuyais, soit je prenais une balle dans la tête. Cooley est parti pour d'autres raisons. Une fois que j'ai été hors course, il s'est dit que j'avais été attrapé. Il a paniqué et s'est terré.

— Et maintenant vous sortez tous les deux de votre trou pour avoir votre part du magot.

— Évidemment. Je vous rappelle que c'est nous qui sommes à l'origine de toute cette affaire. Sans nous, il ne se serait rien passé. Cooley était le cerveau. C'est lui qui a placé toutes les pièces, une à une, au fil des années. C'est lui le vrai génie. Il a recruté JoHelen, l'a pilotée avec adresse, sauf à la toute fin. Pareil pour moi. J'ai eu le cran de signer cette plainte à mon nom et ça a failli me coûter la vie.

— À elle aussi.

— Mais elle sera payée de sa peine. Au centuple. Il y aura assez d'argent pour nous trois.

— Cooley s'est rabiboché avec JoHelen ?

— Disons que les négociations sont en cours. Ils sont ensemble depuis vingt ans, avec des hauts et des bas. Ils se connaissent par cœur.

Lacy poussa un soupir en secouant la tête. Elle n'avait pas touché à sa bière, mais celle de Myers était vide. Elle alla en chercher une autre dans le réfrigérateur et s'appuya à la fenêtre.

— C'est comme ça, Lacy. Cooley, JoHelen et moi avons organisé cette attaque contre Dubose et McDover. Les choses ont mal tourné. Votre ami s'est fait tuer. Vous avez été blessée. On peut s'estimer heureux qu'il n'y ait pas eu d'autres victimes. Si j'avais su tout ça, je ne me serais pas lancé là-dedans. Avec le recul, c'est évident. Mais ce qui est fait est fait. Et les méchants sont sous les verrous, et tous les trois on est encore là. On est en train de recoller les morceaux et on va se partager le gâteau.

— J'imagine que vous avez lu les journaux.

— En long en large et en travers.

— Allie Pacheco, ce nom vous dit quelque chose ?

— Bien sûr. C'est une pointure du FBI.

— Il se trouve qu'on sort ensemble. Et je crois qu'il aimerait beaucoup entendre votre histoire.

— Faites-le venir. Je n'ai rien fait de mal et je suis prêt à parler.

* * *

L'enquête du FBI sur le syndicat Dubose dura quatorze mois et déboucha sur six inculpations de plus. Au total, trente-neuf personnes furent arrêtées, toutes incarcérées sans possibilité de libération sous caution. La moitié était de la piétaille, qui travaillait pour l'organisation mais ne savait rien des systèmes de blanchiment d'argent, et encore moins de la fraude au Treasure Key. Une fois leurs comptes en banque bloqués, leur liberté supprimée, et guidés par un bataillon d'avocats commis d'office, ils se montrèrent prêts à négocier, à plaider coupable pour toutes les charges que Paula Galloway leur présentait, en échange d'une réduction de peine. Six mois après l'arrestation de Vonn Dubose, une dizaine de ses coaccusés collaboraient avec le ministère public et se défaussaient sur leur chef. Plus l'accusation mettait la pression, plus l'étau se resserrait sur les véritables mafieux. Mais ils résistaient. Aucun des onze directeurs, hormis Clyde Westbay bien sûr, ne craqua. Et évidemment pas un seul des cinq Cousins.

Mais on trouva au géant son talon d'Achille : Gavin Prince. Ce Tappacola, qui était allé à l'université de Floride, décida qu'il n'avait pas d'avenir en prison. Il était directeur adjoint au casino et connaissait quasiment toutes les magouilles. Son avocat convainquit Paula Galloway que Prince n'était pas un escroc dans l'âme et pouvait être d'une grande aide si on parvenait à un accord avec lui. Il accepta de plaider coupable en échange d'une liberté conditionnelle.

Selon Prince, chaque table de jeu – black-jack, roulette, poker, craps – était équipée d'une caisse que le croupier ne pouvait ouvrir. Quatre-vingt-dix pour cent de l'argent arrivait en liquide. Les croupiers comptaient les billets devant les joueurs et les caméras de surveillance, les glissaient dans la caisse fixée à la table, et convertissaient la somme en jetons. Les tables de black-jack étaient les plus rentables. La roulette un peu moins. Le casino ne fermait jamais, pas même le jour de Noël, et l'heure creuse était au petit matin. À 5 heures, tous les jours, des gardes armés venaient récupérer les caisses qu'ils chargeaient sur un chariot. Elles étaient alors emportées dans une chambre forte : « la salle de comptage », où une équipe de quatre « compteurs » officiait et vérifiait le contenu de chaque boîte. Chaque employé était surveillé par un garde et par une caméra dédiée placée juste au-dessus de lui. L'argent était recompté quatre fois. Il y avait environ soixante caisses. La mission de Prince, tous les matins, était de récupérer la recette de la table 17, la table de black-jack la plus rentable. Pour cela, il lui suffisait de retirer la caisse estampillée BJ-17 avant que le chariot entre dans la salle de comptage. Il ne disait pas un mot. Les gardes regardaient ailleurs. C'était la routine. Avec son butin sous le bras, Prince se rendait dans une petite pièce, celle-ci sans caméras, et déposait la boîte dans un tiroir fermé à clé. À sa connaissance, il n'existait qu'une clé en plus de la sienne, et elle était sur le trousseau du chef Cappel, qui passait au casino tous les jours collecter l'argent.

En moyenne, les tables de black-jack collectaient vingt et un mille dollars par jour, mais la BJ-17 en rapportait bien plus. Prince estimait les gains à huit millions l'année, une somme qui ne passait pas dans les comptes.

Les enregistrements des caméras à la table 17 étaient mystérieusement effacés tous les trois jours, au cas où quelqu'un viendrait à poser des questions, ce qui ne se produisait jamais. Qui serait venu fouiner ? Ils étaient sur les terres tribales !

Prince était l'un des trois directeurs qui détournaient l'argent vers le petit tiroir du chef Cappel. Les trois étaient en prison, inculpés, et risquaient une longue peine. Quand Prince négocia, les deux autres lui emboîtèrent le pas. Tous les trois prétendaient agir contre leur gré. Ils n'avaient pas le choix. Le chef de la tribu ne gardait pas tout l'argent. Une part était utilisée pour verser des pots-de-vin. Mais au casino, c'était la loi du silence, un monde à part avec ses propres règles et ils pensaient n'être jamais inquiétés par les autorités. Quant à Vonn Dubose, ils certifiaient ne rien savoir sur lui.

Le casino était fermé depuis trois semaines. Avec deux mille personnes au chômage et des dividendes réduits à une peau de chagrin, les Tappacolas engagèrent à grands frais des avocats pour convaincre le juge qu'ils pouvaient faire le ménage chez eux. Ils acceptèrent de confier la gestion du casino à une équipe du Harrah's de Las Vegas.

Avec le chef en prison, bon pour passer plusieurs décennies derrière les barreaux, et une tribu humiliée, il était temps, pour les Indiens, de faire table rase. Dans une pétition, quatre-vingt-dix pour cent des Tappacolas demandèrent sa démission et exigèrent de nouvelles élections. Cappel se retira, ainsi que son fils et leur compère Adam Horn. Deux mois plus tard, Lyman Gritt fut élu comme chef avec une majorité écrasante. Après son élection, Gritt promit à Wilton Mace de faire sortir son frère de prison.

Les avocats des Cousins tentèrent sans succès d'avoir accès à une partie de leur argent. Ils voulaient engager des pointures du barreau pour traquer les vices de procédure. Mais le juge n'avait aucune envie que de l'argent sale serve à payer des frais de justice. Il rejeta leur requête, plein de courroux, et nomma des avocats en droit pénal pour les représenter.

Le procès pour meurtre, bien que plus grave que les charges entrant dans le cadre de la loi RICO, était facile à préparer. Clyde Westbay étant absent, ils ne seraient que cinq prévenus à la barre, alors que pour l'autre affaire ils seraient une vingtaine à être jugés. Paula Galloway voulait d'abord s'occuper du procès pour meurtre. Elle espérait obtenir de lourdes sentences. Une fois les Cousins condamnés à la prison à perpétuité, voire à l'injection létale, elle tenterait d'obtenir la collaboration des autres prévenus. Elle et son équipe pensaient pouvoir boucler le procès pour meurtre en dix-huit mois. Quant au procès RICO, il leur faudrait au moins encore deux ans pour être prêt à le présenter à la cour.

En avril 2012, six mois après les arrestations, l'administrateur désigné par la cour commença à vendre les biens de l'organisation. En faisant usage d'une disposition fédérale très controversée, il organisa la vente aux enchères de neuf automobiles flambant neuves, quatre bateaux, deux avions bimoteurs. Les avocats des Cousins crièrent au scandale. C'était du vol manifeste, leurs clients, n'ayant pas été jugés, étaient de fait encore présumés innocents. Du racket organisé ! Cela faisait vingt ans que tous les avocats du pays poussaient les hauts cris concernant cette mesure inique. Aussi injuste soit-elle, c'était la loi, et la vente aux enchères rapporta trois millions trois cent mille dollars. Les premières pièces à tomber dans l'escarcelle de l'État.

Une semaine plus tard, l'administrateur vendit un centre commercial pour deux millions cent mille dollars, avec prise en charge des créances. Le démantèlement du syndicat Dubose était en marche.

L'avocat représentant Verna Hatch suivait tout ça de près. Après la vente aux enchères, il réclama dix millions de dédommagement pour sa cliente, pour la mort de son mari, dans le cadre de la loi RICO, et fit savoir à l'administrateur judiciaire qu'il exigeait un droit de gage sur les biens de la partie adverse.

L'administrateur n'y vit pas d'inconvénient. Ce n'était pas son argent. Lacy imita Verna, et réclama son dû pour le *pretium doloris*.

Retrouver les biens de Claudia McDover et de Phyllis Turban fut plus aisé que de pister l'argent sale du syndicat. Quand le FBI eut accès aux dossiers de Phyllis, la trace fut claire. Cachées derrière des sociétés écrans, les deux femmes avaient acheté une villa à la Barbade, un appartement dans le New Jersey, et une maison à Singapour. Le patrimoine immobilier fut rapidement vendu et rapporta six millions trois cent mille dollars. Elles avaient onze comptes dans des banques aux quatre coins de la planète, pour un montant total de cinq millions. À la demande de la cour, avec l'appui du département d'État, une banque de Singapour ouvrit un coffre au nom des deux femmes. On y trouva des diamants, des rubis, des saphirs, des pièces de monnaie rares et des lingots d'or. Pour une valeur de onze millions de dollars. On mit la même pression sur une banque à la Barbade. Le butin là-bas s'élevait à huit millions huit cent mille dollars. Les quatre appartements à Rabbit Run furent vendus un million l'unité.

Les fédéraux à Tallahassee surnommèrent ce magot « le Trésor de JoHelen ». Méthodiquement, l'administrateur vendit tous les biens des deux femmes. Un an après leur arrestation, le Trésor de JoHelen s'élevait à trente-huit millions de dollars. La somme était énorme, et pourtant ce n'était que le début. Elle grimpa encore au fil des mois.

Greg Myers demanda pour sa cliente une compensation pour la récupération du Trésor de JoHelen. Les avocats de McDover et de Turban, nommés par la cour, firent les objections d'usage, pour s'opposer à la liquidation des avoirs des deux femmes, mais sans succès. Une fois que tout fut vendu, il ne resta plus qu'une masse d'argent, et les avocats se retrouvèrent coincés. Que dire ? Que cet argent était propre, qu'il avait été honnêtement gagné ? Alors ils firent profil bas, et finalement on n'entendit plus parler d'eux.

Les avocats des Tappacolas soutenaient que l'argent appartenait à la tribu, et le juge était d'accord. Toutefois, l'argent n'aurait jamais été récupéré, et la corruption révélée, sans l'intervention courageuse de JoHelen, Cooley et Greg Myers, les lanceurs d'alerte. Les Tappacolas n'étaient pas sans taches, non plus. Ils avaient élu et réélu un chef corrompu. Sur les trente-huit millions, le juge préleva dix millions – la moitié de cette somme serait pour JoHelen, et le reste partagé en deux entre Myers et Cooley. Il laissa également entendre qu'ils auraient droit à une nouvelle récompense, encore plus conséquente, quand tous les avoirs du syndicat Dubose auraient été découverts et liquidés.

Le 14 janvier 2013, quinze mois après leurs arrestations, les cinq Cousins se retrouvèrent devant leurs juges, dans le palais de justice fédéral de Pensacola. Ils savaient désormais que Clyde Westbay avait plaidé coupable pour le meurtre de Hugo Hatch dès le premier jour de son arrestation, et qu'il aurait droit à une peine moins lourde, qui restait toutefois à établir. En revanche, ils ignoraient que Zeke Foreman avait été pris en charge par le programme de protection des témoins, mais le sort de cette petite frappe était désormais le cadet de leurs soucis. La fête était finie. Et l'avenir pour eux s'annonçait sinistre.

Dans une salle d'audience bondée, Paula Galloway, qui aimait avoir une arène comble, présenta l'affaire. Son premier témoin était Verna Hatch. Son second : Lacy. On projeta des photos et des vidéos du lieu de l'accident. Lacy resta dans le box toute la journée et trouva l'expérience épuisante. Mais elle tint bon, et assista à toutes les séances avec Verna. Les amis de Hugo et la famille se succédèrent dans le fauteuil des témoins durant huit jours d'audience. Ils regardèrent les images où l'on voyait le vol du Dodge Ram et celles filmées devant la boutique de Frog. Zeke Foreman fit une prestation excellente. Clyde Westbay enfonça les autres, malgré sa nervosité. Il évitait de regarder ses coaccusés. Aucun des Cousins ne fut appelé à la barre. Ils restèrent silencieux et soudés jusqu'à la fin. Un pour tous, tous pour un. S'ils devaient tomber, ils tomberaient ensemble.

Le jury délibéra pendant six heures et les condamna tous les cinq. La semaine suivante, Paula Galloway batailla pour obtenir la peine capitale ; mais ne fit pas le plein. Les jurés n'eurent aucun mal à condamner à mort Vonn Dubose et Hank Skoley. Vonn avait commandité le meurtre, Hank réglé les détails. Mais il n'avait pas été établi que les frères Maton et Ron Skinner étaient au courant de l'opération. La loi stipule que les membres d'un gang sont coupables de tous les crimes commis par le gang, quelle que soit la personne qui l'a perpétré, mais les jurés ne purent se résoudre à faire exécuter ces trois-là. Ils les condamnèrent à la prison à perpétuité, sans possibilité de libération conditionnelle.

Une fois les Cousins à l'ombre pour le restant de leurs jours, Paula Galloway voulut arracher un accord avec les autres accusés pour le procès RICO. La plupart acceptèrent de plaider coupable afin de réduire leurs peines et écopèrent en moyenne de cinq ans d'incarcération.

Un coursier nommé Willis Moran ne voulait pas aller en prison. Son frère avait été violé et finalement assassiné dans un pénitencier. Il était terrifié. Pendant les interrogatoires, il laissa entendre qu'il savait des choses sur les meurtres de Son Razko et Eileen Mace, et même sur la disparition de Digger Robles, le mouchard. Pour le FBI, Moran était du menu fretin. Peu leur importait de le mettre à l'ombre. Un marché fut conclu où il serait condamné à une peine de prison équivalente au temps qu'il avait déjà passé en cellule.

Ces dernières années, Moran avait travaillé quelquefois avec Delgado, qui était l'homme de main préféré de Dubose. On savait, du moins parmi les anciens de la bande, que Delgado était très doué pour éliminer les gens. C'était sans doute lui qui avait tué Son et Eileen.

À contrecœur, Allie Pacheco ouvrit donc un nouveau chapitre à l'affaire de Dubose.

Deux mois après le procès pour meurtre, Claudia McDover et Phyllis Turban se retrouvèrent devant le tribunal fédéral de Tallahassee, escortées par leurs avocats. Toutes les deux avaient déjà plaidé coupable pour corruption et blanchiment d'argent. Aujourd'hui, la sentence allait tomber. Le juge s'adressa d'abord à Phyllis et, après un court sermon, l'envoya à l'ombre pour dix ans.

Quant à son laïus contre McDover, il resta dans les annales. Dans un discours préparé de longue date, il lui reprocha « son avidité insatiable », « sa malhonnêteté écœurante », « sa trahison innommable » envers les gens qui lui avaient fait confiance et l'avaient élue à son poste. « Une société pérenne se construit sur l'équité et la justice et notre mission de juge, la vôtre comme la mienne, est de protéger les citoyens contre la corruption, la violence, et les forces du mal. » Tantôt cinglant, tantôt caustique, mais sans jamais la moindre once de sympathie, le juge la fustigea pendant une demi-heure, et bon nombre de gens dans la salle d'audience furent saisis par la virulence de l'attaque. Claudia, amaigrie, usée par dix-sept mois de prison, resta au garde-à-vous, encaissant les coups. Une seule fois, elle parut chanceler, comme si ses genoux ne voulaient plus la porter. Elle ne versa pas une larme, ne quitta pas une fois le juge des yeux.

Il la condamnait à vingt-cinq ans.

Au premier rang, Lacy, assise entre Allie et JoHelen, eut presque pitié d'elle.